S0-BHX-294

Montréalistan

Fabrice de Pierrebourg

Montréalistan

Enquête sur la mouvance islamiste

Préface de Michel Auger

Stanké
QUEBECOR MEDIA

Catalogage avant publication de Bibliothèque et Archives Canada

Pierrebourg, Fabrice de

Montréalistan : enquête sur la mouvance islamiste

Comprend des réf. bibliogr.

ISBN 978-2-7604-1040-4

1. Terrorisme – Québec (Province) – Montréal. 2. Islamisme – Québec (Province) – Montréal. 3. Terrorisme – Aspect religieux – Islam. I. Titre.

HV6433.C32I84 2007   303.6'250971428   C2007-940149-X

Infographie et mise en pages : Luc Jacques
Maquette de la couverture : Tania Jiménez

Remerciements

Les Éditions internationales Alain Stanké reconnaissent l'aide financière du gouvernement du Canada par l'entremise du Programme d'aide au développement de l'industrie de l'édition (PADIÉ) pour ses activités d'édition. Nous remercions le Conseil des Arts du Canada et la Société de développement des entreprises culturelles du Québec (SODEC) du soutien accordé à notre programme de publication. Gouvernement du Québec – Programme de crédit d'impôt pour l'édition de livres – gestion SODEC.

Tous droits de traduction et d'adaptation réservés ; toute reproduction d'un extrait quelconque de ce livre par quelque procédé que ce soit, et notamment par photocopie ou microfilm, est strictement interdite sans l'autorisation écrite de l'éditeur.

© 2007, Les Éditions internationales Alain Stanké

Les Éditions internationales Alain Stanké
Groupe Librex
La Tourelle
1055, boul. René-Lévesque Est
Bureau 800
Montréal (Québec) H2L 4S5
Tél. : 514 849-5259
Téléc. : 514 849-1388

Dépôt légal – Bibliothèque et Archives nationales du Québec, 2007

ISBN : 978-2-7604-1040-4

Diffusion au Canada :
Messageries ADP
2315, rue de la Province
Longueuil (Québec) J4G 1G4
Téléphone : 450 640-1234
Sans frais : 1 800 771-3022

Diffusion hors Canada : Interforum

Table des matières

Préface

Le terrorisme et les affaires de sécurité nationale ont pris une énorme place dans nos vies depuis les attentats du 11 septembre 2001. Pas un jour se passe sans qu'on entende parler de menaces provenant pour la plupart de réseaux terroristes liés aux extrémistes islamistes.

Le Canada a été mentionné comme cible potentielle. Al-Qaida a même proféré des menaces directes contre notre pays. Jusqu'à maintenant, nous avons été épargnés par cette folie meurtrière. Pourtant, le Canada, et Montréal en particulier, s'est retrouvé au centre de plusieurs enquêtes internationales sur le terrorisme.

La filière Montréal, dont les Ahmed Ressam et Fateh Kamel sont les membres les plus connus, a en effet été exposée dans des procès spectaculaires aux États-Unis et en France.

Mon collègue et ami Fabrice de Pierrebourg a mené une vaste et complexe enquête journalistique sur ces réseaux de la terreur inspirée d'idéologie et de religion. Grâce à lui, on peut découvrir les dessous de plusieurs groupuscules et mieux connaître certains de leurs acteurs qui résident dans nos murs. Fabrice de Pierrebourg a d'ailleurs réussi l'exploit de devenir le premier journaliste canadien à communiquer avec Ilich Ramírez Sánchez, dit Carlos, le fameux terroriste vénézuélien qui a fait courir toutes les polices du monde pendant vingt ans.

L'auteur a également réussi une première journalistique en obtenant une entrevue avec Fateh Kamel, le Montréalais condamné a une lourde peine de prison en France pour des actes de terrorisme.

C'est en 1984 que le Canada a été confronté à un des pires actes de terrorisme de son histoire. Cette fois, la terreur nous venait de l'Inde. Des militants sikhs avaient placé des bombes dans deux avions en partance du Canada vers Tokyo. Un de ces avions s'est abîmé en mer avec ses 329 passagers, l'autre appareil s'est rendu au Japon, mais un employé de l'aéroport a été tué en manipulant des bagages dans lesquels un engin avait été dissimulé. Le dossier Air India a démontré que les policiers de la Gendarmerie royale du Canada et leurs collègues du Service canadien du renseignement de sécurité étaient souvent à couteaux tirés. Les agents secrets veulent accumuler des indices et des informations et en veulent toujours plus. Les policiers pour leur part sont soumis a des règles différentes car, pour eux, le renseignement est une étape de leur enquête. La police est là pour découvrir les coupables et les traduire en cour.

En 1980, j'ai constaté comment les policiers pouvaient disposer de réseaux d'informations étendus. Cette année-là, le Pakistan cherchait par tous les moyens à se doter de la bombe nucléaire, baptisée par les journaux Bombe islamiste. Au mois de juin 1980, deux fonctionnaires de l'Agence pakistanaise de l'énergie atomique s'amènent à Montréal. Officiellement, les deux diplomates étaient censés travailler au consulat du Pakistan, alors rue Drummond. Mais la GRC avaient mis les deux hommes sous surveillance constante. Les deux spécialistes, d'après l'enquête policière, passaient le plus clair de leur temps dans les bureaux de Serabits Electronics, une entreprise dont le président était un immigrant d'origine égyptienne du nom de Salam Elmenyawi. Fabrice de Pierrebourg nous parle aussi abondamment de cet individu dans son livre. À l'époque, Elmenyawi semblait mener la belle vie. Il conduisait une Thunderbird et était un grand fumeur. En septembre 1980, j'étais réalisateur délégué pour l'émission *The Fifth Estate* de la Canadian Broadcasting Corporation (CBC). J'avais eu vent du passage des visiteurs pakistanais à Montréal. Avec mes collègues Brian McKenna et Eric Malling, nous avions mené une enquête détaillée sur Elmenyawi et ses amis.

L'affaire, somme toute, était simple. L'entreprise montréalaise disait avoir obtenu une commande pour du matériel électronique et divers autres appareils achetés aux États-Unis. Salam Elmenyawi disait avoir agi en toute légitimité en fournissant à ses clients des pièces servant, disait-il, à l'industrie du textile.

La police, elle, avait une autre idée. Informés par leurs collègues américains, britanniques et français, notamment, les agents fédéraux canadiens croyaient être sur la piste d'un réseau d'espionnage. Au tribunal, ce sont des accusations très techniques qui ont été déposées contre la compagnie Serabits, son président et les deux ingénieurs mêlés a cette affaire. Les trois accusés se sont débattus à très grands frais devant les tribunaux durant des années; l'affaire s'est même rendue jusqu'en Cour suprême.

Finalement, le gouvernement canadien a cessé les poursuites.

Le renseignement est une affaire qui n'est pas tellement facile à prouver devant un juge! Surtout que, dans bien des cas, la police ne peut même pas dévoiler ses sources, ni la provenance des informations fournies par des services étrangers.

Aujourd'hui le même Elmenyawi est un iman connu de Montréal, il prêche dans les universités et visite ses ouailles jusqu'en prison. Salam Elmenyawi est toujours un personnage qui intéresse les autorités.

Des individus comme Elmenyawi sont probablement plus faciles à observer que d'autres personnages qu'on appelle des « dormants » en jargon d'espionnage. Ces individus sont infiltrés dans des pays jusqu'à ce qu'on leur commande de passer a l'action.

Certaines des personnes de ce livre sont peut-être des terroristes en puissance alors que d'autres ne sont que des gens qui croient en une religion.

Le dilemme des policiers affectés à la lutte antiterroriste et des agents de renseignements est d'en faire la différence, une tâche importante.

Le terrorisme m'a toujours intéressé dans ma quête de sujets de reportage. C'est pourquoi j'étais curieux de lire le manuscrit *Montréalistan*. Une lecture captivante et fort instructive sur des personnages surprenants mais bien réels.

Michel Auger
Février 2007

Introduction

« *L'islam est une religion,
l'islamisme est une idéologie.* »
*Daril Boubakeur, président du Conseil français
du culte musulman, 18 septembre 2006*

Paris, mercredi 17 septembre 1986. Cela fait treize jours que la capitale française est secouée par une série d'attentats qui ont déjà causé la mort de quatre personnes et en ont blessé près de deux cents. Il est 17 h 20. Je marche d'un pas assuré sur le trottoir de la rue de Rennes, une artère commerciale qui relie le quartier Montparnasse à celui de Saint-Germain-des-Prés, en direction du magasin Fnac. C'est une enseigne où l'on vend entre autres des livres, des disques et des appareils électroniques. J'aime y flâner pendant mes moments de détente. Soudain, au loin, c'est l'explosion, les pigeons qui s'envolent en tous sens dans de furieux claquements d'ailes, la fumée qui s'élève dans le ciel, le silence, puis les cris, la panique, les alarmes des autos qui hurlent dans une cacophonie insupportable, les premières sirènes des voitures de police et des ambulances des pompiers. Une bombe vient d'exploser au pied de la vitrine d'un magasin de vêtements à bas prix très fréquenté les mercredis, jour de congé dans les écoles françaises, par des mères et leurs enfants. Juste à côté, il y a la Fnac. À quelques minutes près, je ne serais plus là aujourd'hui devant mon clavier d'ordinateur en train d'écrire ces lignes. Les premiers témoins découvrent une scène d'horreur indescriptible. Des blessés couverts de sang, les vêtements déchiquetés ; certains ont un membre arraché, des témoins hagards qui marchent comme des zombies sur un tapis de vitres brisées, des enfants en larmes.

Ce jour-là, dans cet attentat attribué au Hezbollah, comme les précédents, sept personnes sont mortes, des dizaines ont été blessées. Certaines conserveront toute leur vie des séquelles physiques et psychologiques de cet acte abject.

Ce jour-là, j'ai vraiment connu le terrorisme.

Ce jour-là, j'ai perdu ma naïveté. J'ai compris que le simple citoyen que je suis peut devenir la victime d'un conflit se déroulant à des milliers de kilomètres de chez lui, au Liban en l'occurrence.

J'ai compris que ma vie ne valait rien lorsque vient le temps de faire payer aux politiciens la responsabilité de leurs actes.

J'ai compris que ma chair était convoitée par n'importe quel groupuscule radical désireux d'exécuter son programme politique ou de propager son idéologie utopique.

Ce n'était pourtant pas le premier attentat commis sur le sol français, ni le dernier. Un des plus sanglants avait eu lieu le 15 juillet 1983 lorsque l'Armée secrète arménienne de libération de l'Arménie (ASALA) avait fait sauter une bombe dans l'aéroport parisien d'Orly devant le comptoir de Turkish Airlines. Bilan : huit morts, une soixantaine de blessés. Toujours à la même époque, deux trains, dont le TGV Paris-Marseille, avaient été soufflés par des attentats attribués au terroriste Ilich Ramírez Sánchez, dit Carlos. Un personnage que j'ai d'ailleurs interrogé dans le cadre de ce livre. En 1995, Paris est à nouveau frappée par une série d'explosions mortelles dans le métro.

Les auteurs de ce carnage sont de jeunes Français associés au Groupe islamique armé (GIA) algérien.

Bien avant les Madrilènes et les Londoniens, j'ai connu comme tous les Parisiens la hantise de ne jamais revenir vivant le soir ou de perdre l'un des miens.

Je n'oublie pas non plus le détournement lors des fêtes de Noël 1994 d'un Airbus d'Air France reliant Alger à Paris que les auteurs de cette attaque prévoyaient faire s'écraser au cœur de Paris. Déjà…!

Ajoutons à cet inventaire sanglant le démantèlement en mars 1996 du groupe terroriste de Roubaix qui comptait parmi ses rangs, selon les conclusions de la justice française, plusieurs Montréalais évoqués dans cet ouvrage.

En mars 2005, la polémique entourant le retour à Montréal de l'un d'eux, le Canadien Fateh Kamel, après six ans de détention en France pour activités terroristes, a fait rejaillir tous ces souvenirs dans mon esprit. Et bien des questions. Entre-temps, en décembre 1999, Ahmed Ressam était arrêté alors qu'il tentait de franchir la frontière américaine au volant d'une voiture bourrée d'explosifs. D'autres Québécois, associés de près ou de loin à la même cellule islamiste de Montréal, ont aussi fait les manchettes après avoir été impliqués dans des dossiers de même nature un peu partout dans le monde.

Quelques années plus tard, le constat dressé par les services de police et de renseignements n'est guère encourageant. Montréal a retrouvé, affirment-ils, son statut de prédilection pour les activistes islamistes. En fait, la filière montréalaise n'aurait jamais cessé d'exister. Elle s'était simplement enterrée pour laisser passer la tempête après l'arrestation de ses membres les plus en vue.

En ce début d'année 2007, les autorités surveillaient activement plusieurs individus résidant à Montréal, en raison de leurs affinités avec la mouvance islamiste. À ces radicaux identifiés, et classés dangereux, il faut ajouter les inconnus, ainsi que les penseurs, les doctriniens et tous les groupes *a priori* inoffensifs qui contribuent pourtant par leurs paroles à exacerber ce repli communautaire dont leur idéologie se repaît.

Paris, Bali, New York, Casablanca, Madrid, Londres... À qui le tour? Montréal? Et pourquoi pas, en effet! La mauvaise nouvelle est qu'il faut se faire à l'idée que le Canada nourrit en son sein une génération de *homegrown terrorists* potentiels. S'il s'avérait fondé, le complot de Toronto actuellement devant la justice en serait l'exemple. Les dix-sept accusés dans cette affaire encore nébuleuse sont tous des résidents ou des citoyens canadiens. Montréal a aussi le triste privilège depuis quelques années d'être une plaque tournante importante de l'activisme islamiste international.

Cet essai est un livre de journaliste dont le ton se veut réaliste mais pas alarmiste. Sa vocation n'est pas non plus de rivaliser avec les ouvrages de référence rédigés par des politologues, sociologues ou islamologues mais plutôt d'inviter le lecteur à voyager au cœur de ces réseaux montréalais de la colère. À mieux comprendre quelles sont les motivations des militants purs et durs pour qui l'islam et la solidarité sans faille envers la communauté des croyants (la *oumma*), qu'elle soit bosniaque, irakienne, afghane ou algérienne, se situent au cœur de leur vie quotidienne, de leurs préoccupations et de leurs actions politiques.

Ce livre est le fruit de plusieurs mois de recherches, d'enquêtes sur le terrain et d'entrevues (sauf mention contraire de la source, les propos reproduits ici ont été recueillis par l'auteur). C'est un livre de faits, mais aussi de rencontres et d'ambiance qui fait appel à tous les sens du lecteur.

Je me suis aussi appuyé sur de nombreux rapports confidentiels obtenus par le biais de la Loi sur l'accès à l'information. Pour rendre la lecture de ce livre plus attrayante, j'ai choisi d'alterner chapitres thématiques (sur la radicalisation, sur le phénomène de la conversion de Québécois à l'islam et sur la percée du salafisme, doctrine ultrarigoureuse, par exemple) avec portraits de personnages liés à tort ou à raison à cette mouvance islamique montréalaise. C'est aussi l'occasion pour nombre d'entre eux de s'expliquer, de présenter leurs doléances quant aux méthodes employées par les autorités dans le cadre de la lutte au terrorisme.

J'ai aussi tenté de retrouver la trace de plusieurs Montréalais impliqués sur tous les continents dans des affaires de terrorisme. Que sont-ils devenus ? Où sont-ils aujourd'hui ? Que font-ils[1] ?

Un chapitre est aussi consacré aux moyens employés depuis quelques années pour traquer les groupes terroristes et empêcher un éventuel acte criminel sur le sol canadien.

Lorsque, au printemps 2006, j'ai évoqué mon intention de rédiger un ouvrage sur ce sujet délicat, nombre de mes collègues et amis m'ont regardé d'un air où le doute et l'incrédulité se mêlaient à l'inquiétude. D'abord parce que, au Canada, rares sont ceux qui se hasardent sur ce terrain. En grande partie à cause de l'insupportable diktat des groupes de pression qui ont imposé le politiquement correct et l'autocensure. Cet aspect-là, je l'ai vite évacué. Les opinions des représentants autoproclamés et des bien-pensants de salon m'ont toujours laissé de marbre… Je ne me suis jamais non plus senti inquiet. Entre autres parce que j'avais décidé de jouer cartes sur table avec les personnages clés de ce récit.

---

1. L'écriture des noms arabes a été uniformisée afin de faciliter la compréhension. Il se peut toutefois qu'elle diffère lorsqu'il s'agit de documents officiels retranscrits tels quels.

Pour faciliter le contact, toutes les entrevues se sont déroulées non pas au téléphone mais face à face. Ces échanges furent non seulement instructifs, mais cordiaux.

Je tiens à préciser que l'intention n'est pas de faire le procès d'une religion, et encore moins d'accabler une communauté déjà stigmatisée depuis les attentats du 11 septembre 2001. L'islam est une religion, l'islamisme est une idéologie, pour paraphraser une formule maintes fois employée par Daril Boubakeur, président du Conseil français du culte musulman et recteur de la Mosquée de Paris. Qu'on le veuille ou non, c'est l'activisme armé islamique qui est le plus actif dans le monde depuis une dizaine d'années et qui représente la plus grande menace à la sécurité des nations occidentales. Nier cette évidence serait irresponsable; l'exposer n'a rien à voir avec l'expression d'un quelconque racisme ou d'une islamophobie.

Cet exercice n'est pas non plus une remise en question de causes qui, bien que reconnues par la grande majorité de la population comme étant justes, engendrent, hélas, des actes de violence visant des innocents. La seule chose dont je demeure persuadé, c'est que la fin ne justifie pas tous les moyens.

Les groupes islamistes n'ont pas le monopole de la terreur. Ils n'ont fait que reprendre le flambeau des anarchistes, communistes, séparatistes et nationalistes qui ont transformé les rues en champs de bataille.

Certains experts prédisent déjà le déclin de la doctrine djihadiste violente, laissant ainsi le champ libre à une autre idéologie. Quelle qu'elle soit, une chose est certaine, la population civile n'a pas fini de souffrir.

CHAPITRE 1

La radicalisation
ou
les réseaux de la colère

« On ne naît pas terroriste, on le devient. »
Jason Burke, journaliste

« Il y a radicalisation lorsqu'un musulman rejette les croyances et les pratiques [religieuses] courantes et adopte une interprétation limitée, littérale et intolérante de l'islam. »

Ainsi commence une étude classée « secret » du Service canadien du renseignement de sécurité (SCRS) et intitulée « De la radicalisation à la djihadisation[1] ».

Loin d'être un fantasme ou bien le fruit d'une quelconque obsession sécuritaire, la radicalisation d'une frange de la communauté musulmane canadienne est devenue, avec le retour de Canadiens ayant combattu aux côtés des insurgés en Irak[2], la source d'inquiétude numéro un des services de lutte contre le terrorisme et de renseignement au Canada.

---

1. Étude 2006-7/07, 24/10/2006. Archives de l'auteur.
2. Rapport public 2004-2005 du SCRS.

Aujourd'hui, de jeunes radicaux sont malheureusement prêts à s'en prendre au Canada et à sa population non pas pour des raisons qui nous sont propres, comme par exemple l'engagement militaire en Afghanistan ou le peu d'empathie du gouvernement conservateur envers les victimes libanaises du conflit de l'été 2006, mais simplement parce que le Canada fait partie de cet Occident qu'ils haïssent.

Il y a autant de raisons et de façons de se radicaliser qu'il y a d'individus sur la terre. Il ne s'agit donc pas ici d'aborder en détail un mécanisme qui est assez complexe pour faire à lui seul l'objet d'un livre mais plutôt de livrer quelques éléments de référence utiles à la compréhension de cet ouvrage. Une mise en perspective avant de plonger dans le vif du sujet.

Dans la foulée des attentats meurtriers de Madrid de mars 2004 et surtout de ceux de Londres de juillet 2005 – qui avaient la particularité d'avoir été commis par des enfants du pays –, le SCRS a ressenti l'urgence d'examiner les tenants et les aboutissants de cette menace provenant de l'intérieur. Menace qui pourrait à court terme transformer le Canada, qui a été jusqu'ici une base logistique et un sanctuaire pour activistes de tous horizons et de toutes confessions, en cible du terrorisme endogène inspiré d'une idéologie «islamique sunnite extrémiste».

En mars 2006, dans une note d'information confidentielle rédigée par des fonctionnaires fédéraux du Bureau du Conseil Privé, il est clairement mentionné que les «deux tendances inquiétantes identifiées par le SCRS sont le recrutement par des groupes extrémistes islamiques de membres de la seconde génération de familles d'immigrants (individus nés ici) ainsi que la conversion de non-musulmans au terrorisme islamique radical[3] ».

---

3. Note intitulée « Current threat environment », 6 mars 2006. Archives de l'auteur.

Leurs homologues du service de renseignements néerlandais (AIVD) se sont livrés au même genre d'exercice après l'assassinat du réalisateur controversé Théo Van Gogh le 2 novembre 2004. Leur conclusion est similaire : après la menace de type exogène des attentats du 11 septembre 2001, les pays occidentaux doivent désormais affronter ce que l'on appelle le *homegrown terrorism*, c'est-à-dire des individus résidants de longue date et nés dans ces pays qui se «métamorphosent» en terroristes en un court laps de temps. Fait à signaler, le même AIVD est désormais dans la tourmente pour avoir fait preuve de négligence à cette époque. Le meurtrier du réalisateur, un jeune étudiant en informatique natif du pays qui se serait radicalisé après les attentats du 11 septembre 2001, était fiché depuis 2002 parmi le millier d'activistes de la mouvance islamiste néerlandaise. Mais le service de renseignements ne l'avait pas classé parmi ses priorités même si un «avertissement» à son sujet provenant de l'intérieur même de la cellule de l'étudiant leur était parvenu quelques mois avant l'assassinat de Théo Van Gogh[4].

La radicalisation, passage obligé vers le recrutement, puis la djihadisation, est un terreau qui, quelle que soit la motivation idéologique, politique ou sociale, a besoin d'être arrosé d'émotions, de frustrations, de sentiments d'injustice et de haine. Lorsque cette colère, qui peut avoir des fondements parfaitement légitimes, est instrumentalisée, c'est-à-dire récupérée et manipulée par des personnages charismatiques ou de son propre chef grâce à Internet ou bien encore dans une dynamique de groupe entre amis, il y a risque de transition de la parole aux actes de violence. Le passage de l'état de musulman extrémiste à celui de djihadiste peut être très rapide, constate le SCRS.

---

4. Sabine Cessou, «Les services secrets néerlandais sur la sellette dans l'affaire du cinéaste assassiné», *Libération*, 29 janvier 2007.

Nous sommes tous des terroristes potentiels

Lors d'une allocution prononcée le 7 mars 2005 devant le Comité sénatorial spécial sur la loi antiterroriste C36, le directeur du SCRS, Jim Judd, a expliqué en des termes très durs pourquoi il n'aimait pas le terme d'«organisation islamiste». De son point de vue, on frise l'imposture; l'islam n'est qu'un prétexte pour le passage à l'acte :

> En réalité, la menace terroriste, y compris celle associée publiquement au «terrorisme islamiste», est une perversion de la religion musulmane. Les motivations des gens qui portent ce flambeau peuvent être politiques, socio-économiques ou autres. Bon nombre des personnes associées à ces organisations n'ont rien à voir avec l'islam. Cela dit, d'autres organisations terroristes, dont beaucoup orchestrent d'une façon ou d'une autre leurs opérations depuis le Canada, n'ont absolument rien à voir avec l'islam ou le Moyen-Orient. Elles représentent différentes régions, causes, idéologies, motivations politiques, et cetera ou y sont associées. Le monde est probablement plus complexe que beaucoup de gens aimeraient l'admettre.

Effectivement, le radicalisme et le terrorisme n'ont ni patrie ni religion. Au cours des cinquante dernières années, la planète a été agitée par les actions violentes de groupuscules révolutionnaires ou anarchistes de la Fraction Armée rouge allemande, ses pendants français d'Action directe et italiens des Brigades rouges, les mouvements nationalistes, indépendantistes ou séparatistes des catholiques irlandais du Nord (IRA), des Basques (ETA), des Corses (FLNC), des Kurdes, des Palestiniens, et même des Québécois (FLQ), sans oublier l'extrémisme de droite (attentat d'Oklahoma City).

Toujours pour faire écho aux propos du patron du SCRS, il suffit de consulter la liste des mouvements considérés comme terroristes par le Canada[5] pour constater l'étendue des causes ayant engendré en son sein une doctrine de violence. Quant à ceux qui remplacent le mot terrorisme par résistance, je cherche encore le rapport pouvant exister entre des résistants français qui attaquaient les convois militaires allemands pendant la Seconde Guerre mondiale et les assassins qui se sont fait exploser dans les trains madrilènes le 11 mars 2004 causant la mort de 191 innocents et des blessures à presque deux mille autres?

Si aujourd'hui c'est l'extrémisme islamiste qui suscite le plus d'intérêt en raison de sa dérive meurtrière active et incontestable, éclaboussant ainsi une communauté qui ne demande qu'à vivre en paix, demain ce seront peut-être les écologistes et les défenseurs des animaux qui passeront à l'avant-scène en adoptant une ligne violente pour faire passer leur message environnemental.

« Chacun devient extrémiste à sa façon »

« La radicalisation est un processus qui part de la base pour se diriger vers le haut, mené par de jeunes gens idéalistes en quête de gloire qui poursuivent un rêve », analyse le psychiatre et ex-membre de la CIA Marc Sageman. « Il y a eu le rêve anarchiste, le rêve altermondialiste, le rêve gauchiste ; celui-ci est religieux. »

Marc Sageman est l'auteur d'une étude exhaustive et passionnante sur le profil psychologique et sociologique de 172 moudjahidin du « djihad salafiste mondial[6] ». Il les a répartis

---

5. Voir la liste en annexe à la fin de cet ouvrage.
6. Marc Sageman, *Le Vrai Visage des terroristes*, Paris, Denoël, coll. « Impacts », 2005. Pour cette étude, Sageman a volontairement écarté les membres de mouvements en lutte pour leur propre territoire comme par exemple le Cachemire, la Tchétchénie ainsi que les Palestiniens.

en plusieurs groupes : le bureau central d'Al-Qaida, avec à sa tête Oussama ben Laden, la branche du Proche-Orient, celle du Sud-Est asiatique et celle qui nous intéresse plus spécialement dans le cadre de cet essai, la branche maghrébine au sein de laquelle il a inclus six Montréalais[7]. Fort de son expérience, l'auteur décortique la radicalisation en un processus à quatre branches[8] :

1) un **outrage moral** (massacres en Bosnie, en Irak, en Tchétchénie ou en Palestine ; brimades ou humiliations du genre de celles de la prison d'Abou Ghraïb) ;

2) interprété par une **idéologie spécifique** (qui place cet outrage dans un contexte : c'est une guerre contre l'islam) ;

3) qui vient conforter une **expérience personnelle antérieure**, par exemple de la discrimination lors d'une recherche d'emploi ou de logement (l'idéologie permet de la mettre en contexte dans un environnement plus vaste) ;

4) le tout étant propagé, instrumentalisé dans un **réseau** entre amis, ou en ligne sur le Web.

Marc Sageman préfère le terme de branches, et non pas d'étapes, car il estime que toutes les autres chronologies sont possibles, bien que plus longues dans le temps. Par exemple, il est possible, selon lui, que la radicalisation d'un individu prenne sa source au sein d'un réseau d'amis, qu'elle soit amplifiée par le choc d'un outrage moral, outrage lui-même interprété par une idéologie auquel s'ajoute le souvenir d'expériences personnelles.

---

7. Les noms cités par Sageman sont : Atmani, Hannachi, Labsi, Kamel, Ouzghar et Ressam.

8. Entretien avec Marc Sageman.

Si l'on devait dresser un portrait-robot du djihadiste du début des années 2000 en se basant sur les résultats de l'étude de Marc Sageman, nous obtiendrions ceci :

- son âge moyen : 26 ans ;
- il a suivi des études (comme 60 % de ses congénères, dont 33 % jusqu'au niveau universitaire) ;
- il a reçu une éducation laïque (comme les trois quarts de ses congénères) ;
- il n'a jamais été emprisonné et il fait partie de la classe supérieure ou moyenne ;
- il a été recruté au sein de la diaspora locale (68 % de l'échantillonnage de Sageman s'est engagé dans la voie du djihad entre amis) ;
- il souffre rarement d'un désordre de la personnalité. Prétendre qu'il faut être malade ou dérangé pour commettre de tels actes est un raisonnement hâtif et simpliste, estime le psychiatre ;
- s'il est d'origine maghrébine, il y a de fortes chances qu'il soit peu qualifié et qu'il ait commis des petits délits ;
- il a choisi l'islam salafiste (dans 97 % des cas). La quasi-totalité des djihadistes étaient plus fervents au moment de rejoindre le djihad à l'âge adulte que dans leur enfance ;
- enfin, sa précarité d'emploi est manifeste. Même si, comme Sageman le fait remarquer, toutes les personnes qui en souffrent ne deviennent pas terroristes, il est évident que la précarité crée un légitime sentiment d'injustice et de frustration qui peut devenir à la longue un des éléments déclencheurs de la radicalisation.

Dans un document secret publié en 2005[9], le SCRS a étudié lui aussi le profil de plusieurs Canadiens[10] ayant adopté les

---

9. « Processus de radicalisation des musulmans canadiens », étude 2005-6/11. Archives de l'auteur.
10. Le chiffre exact a été censuré sur le document obtenu en vertu de la Loi sur l'accès à l'information.

principes de l'extrémisme islamique pour cerner les principaux facteurs de radicalisation. Ces personnes cibles sont membres de cellules ou de réseaux de soutien de groupes terroristes notoires comme Al-Qaida ou encore se sentent « inspirés par l'idéologie et le discours » de ces organisations. Elles sont issues de différentes communautés ethniques, de toutes les couches de la société et « épousent des causes de portée tant locale que régionale ou mondiale ».

Plus inquiétant encore, l'étude dénote un changement de visage de la menace avec cet « avènement d'une nouvelle génération de terroristes » canadiens :

> Dans le passé, des extrémistes cherchaient à obtenir le statut de réfugié au Canada parce qu'ils faisaient l'objet d'enquêtes par les services de sécurité nationaux dans les pays respectifs à cause des activités qu'ils y menaient. De plus en plus, nous voyons qu'un nombre croissant d'extrémistes viennent d'ici.

Les analystes de l'organisme gouvernemental constatent eux aussi que le processus de radicalisation n'est pas uniforme. Chacun devient extrémiste à sa façon.

Parmi les facteurs prédominants recensés par le SCRS figurent la filiation et l'influence de la famille, l'influence d'un « chef spirituel », la conversion à une interprétation extrémiste de l'islam, la sympathie pour la communauté. Le pèlerinage à La Mecque serait aussi un facteur à prendre en compte[11].

« Tel père, tel fils »

Cet adage bien connu est aussi le titre d'un rapport rédigé en 2004 par le SCRS qui se dit gravement préoccupé par la

---

11. La conversion au salafisme et la fréquentation du mouvement pacifiste missionnaire Tabligh seraient considérés par plusieurs observateurs comme autant de viviers prolifiques pour les recruteurs d'organisations djihadistes.

La guerre de Bosnie a été une des premières causes à mobiliser de nombreux
militants islamistes et djihadistes dans le monde. En 2001, les autorités
bosniaques ont procédé à plusieurs séries d'arrestations de djihadistes
recherchés pour terrorisme, en particulier Saïd Atmani.
L'hebdomadaire bosniaque Lobodna Bosna a publié
une longue enquête sur ce sujet en octobre 2001.
(Collection de l'auteur.)

présence sur le sol canadien de «nombreux jeunes [...] fils d'extrémistes islamiques connus» qui ont eux aussi «adopté la philosophie des djihadistes». Un «véritable danger» (*sic*) pour la sécurité du pays et de ses alliés, estiment sans détour les espions canadiens. Ceux-ci insistent surtout sur le fait que ces personnes, qui sont nées ici ou ont émigré très jeunes, ont grandi comme des citoyens ordinaires au sein de la «mosaïque canadienne», mais dans une «atmosphère caractérisée par la plus stricte observation des préceptes de l'islam». Ces jeunes soumis à l'autorité du père par respect de la tradition, sont réputés bien éduqués, parlent anglais couramment, sont habiles en informatique, ont des papiers d'identité et de voyage en règle, connaissent tous les rouages ainsi que les us et coutumes de la société occidentale, bref, de parfaits caméléons aux yeux des recruteurs d'organisations terroristes comme Al-Qaida.

Le cas le plus connu et le plus spectaculaire au Canada est certainement la famille torontoise Khadr. Très proche d'Oussama ben Laden, le père Ahmed Khadr, tué par les forces pakistanaises en 2003, a embrigadé successivement ses jeunes enfants, les emmenant avec lui dans les camps afghans d'Al-Qaida alors que certains avaient tout juste une dizaine d'années.

Influence d'un guide spirituel et charismatique

Richard Reid, Zacharias Moussaoui, Ahmed Ressam et bien d'autres encore ont été influencés par les discours extrémistes de certains imams. Pour Richard Reid, ce processus se serait développé dans les années 1990 par l'intermédiaire de l'imam de la prison où il était détenu, Abdul Ghani Qureshi. Une fois libéré, sa radicalisation s'est accentuée dans des mosquées londoniennes au contact d'autres extrémistes, tel

Zacharias Moussaoui, le Français considéré par les Américains comme le vingtième pirate de l'air du 11 septembre 2001. L'exemple de Richard Reid illustre le fait que le terme «guide spirituel» n'englobe pas seulement un imam ou toute personne qui aurait fait des études religieuses.

Drapés dans leur costume de pseudo-Robin des Bois, des personnages charismatiques qui projettent un idéal d'héroïsme ont un rôle à jouer non négligeable dans le processus de radicalisation. Un vétéran de la guerre en Bosnie ou en Afghanistan, par exemple, pour peu qu'il soit un habile communicateur, peut susciter à son tour des vocations. À Montréal, un des noms les plus cités est Abderraouf Hannachi, qui aurait convaincu Ressam de se rendre dans les camps d'Al-Qaida en Afghanistan[12]. Selon le Département d'État américain, Hannachi aurait été lui-même «recruté» puis accompagné en Afghanistan par un autre Montréalais du nom de Abousofian Abdelrazik. Autre cas très médiatisé, celui de Fateh Kamel, considéré par les autorités françaises comme le maître-recruteur de la «cellule islamiste» de Montréal, bien que le principal intéressé s'en défende avec vigueur.

Dans le dossier du complot de Toronto (qu'il convient toutefois de prendre avec des réserves sachant que la cause est toujours devant les tribunaux), plusieurs sources dans la communauté musulmane ont rapporté que le chef présumé du groupe, Qayyum Abdul Jamal, profitait de ses occupations de chauffeur d'autobus scolaire et de bénévole dans le centre islamique Ar-Rahman de Mississauga pour prêcher l'intolérance et l'extrémisme aux jeunes musulmans qu'il côtoyait. Une attitude radicale qui a aussi pour effet de faire

---

12. Interrogés par l'auteur, les proches d'Hannachi ont nié que ce dernier ait un lien avec le terrorisme et se soit rendu en Afghanistan.

fuir les musulmans ayant fait le choix de vivre en harmonie avec la société canadienne dans son ensemble.

Quant aux jeunes justement, c'est souvent leur ordinateur qui remplit désormais ce rôle, prétend le SCRS : «Les djihadistes plus jeunes utilisent Internet pour repérer ces guides virtuels qui sont une source d'inspiration. Cette "virtualisation" de la radicalisation a pour effet de créer un guide spirituel qui peut être consulté 24 heures sur 24, 7 jours sur 7[13].»

Sympathie pour la communauté

Marc Sageman utilise le terme d'«outrage moral». L'ex-agent de la CIA constate que le conflit irakien a été un catalyseur de la radicalisation en 2002-2003 alors qu'au même moment le phénomène Al-Qaida avait plutôt tendance à s'amenuiser. Chaque conflit qui agite une terre musulmane suscite en fait une souffrance qui dépasse les frontières du pays et se propage telle une onde de choc pour secouer l'*oumma*, la communauté des croyants, comme ce fut le cas lors du conflit bosniaque au milieu des années 1990.

«Certains musulmans sont persuadés que l'Occident menace l'islam; voilà le plus important facteur de radicalisation», pense le SCRS.

> Les djihadistes croient devoir défendre l'islam de manière préventive et avec violence contre ce qui menace leur foi à leur avis. Ils voient également ce qui se passe dans le monde musulman et sont témoins de nombreux conflits auxquels participe l'«Occident» et dans lesquels il y a agression : la Palestine, le Cachemire, l'Irak, la Tchétchénie, l'Afghanistan, etc. En réaction, quelques-uns appuient le terrorisme ou commettent des attentats dans le but de modifier la politique étrangère ou militaire de l'Occident.

---

13. Étude «De la radicalisation à la djihadisation», 24 octobre 2006.

Pour eux, la défense violente de l'islam est un objectif personnel et une obligation religieuse. La nécessité de défendre leur religion contre les agresseurs est une longue tradition. Les djihadistes ont accès à beaucoup d'ouvrages pour défendre leurs actes[14].

Dans son livre *Soldats de lumière*, une Belge reconvertie connue sous le nom de Malika parle abondamment de cette souffrance infligée à différents peuples musulmans qui serait partagée par toute la communauté. Son témoignage est d'autant plus pertinent qu'il ne s'agit pas d'un énième rapport officiel «froid», mais du récit d'un vécu. En effet, Malika est la veuve d'Abdessatar Dahmane, l'un des deux kamikazes qui ont assassiné le commandant Massoud dans son fief afghan, le 9 septembre 2001, en se faisant passer pour deux journalistes. Elle est aussi une djihadiste convaincue[15].

Née dans une famille musulmane, Malika a mené une vie d'ado rebelle, écartant les interdits de l'islam du revers de la main. Puis vient le temps de la redécouverte de l'islam, mais dans sa version «pure». Mariée, Malika accompagne son mari en Afghanistan où il trouvera la mort. Installée aujourd'hui en Suisse où elle opère un site Internet bien connu des djihadistes, Malika a pris la plume pour tenter de convaincre ses lecteurs de la justesse de la cause de ces «soldats de lumière», des «soldats de Dieu» et non des terroristes. Elle raconte que le sujet de conversation préféré de son défunt mari était les «musulmans opprimés à travers le monde». Malika, elle, se dit persuadée de

---

14. *Idem.*
15. Malika a connu plusieurs démêlés judiciaires depuis, tant en Belgique qu'en Suisse, dans des dossiers relatifs au terrorisme. Sa vie est racontée dans l'ouvrage *Son mari a tué Massoud*, de Marie-Rose Armesto aux Éditions Balland.

l'existence d'un complot «occidental» visant à l'extermination des musulmans[16]. Tout est dit.

Pour Louis Caprioli, l'ancien sous-directeur de la section antiterroriste de la DST (Direction de la surveillance du territoire) française, il apparaît évident que «beaucoup de gens dans la communauté musulmane se sentent persécutés et ont des rancœurs». Un des foyers extraordinaires de ressentiment, selon lui, est non pas l'Irak, mais la Palestine : «Désormais, la situation des Palestiniens fédère tout le monde. Alors que jusqu'à ces dernières années, la Palestine n'était pas un sujet de préoccupation pour les communautés musulmanes contrairement à la Bosnie dans les années 1990 et auparavant, l'Afghanistan du temps des Soviétiques. Le tournant a été la deuxième intifada en juillet 2000, même si le 11 septembre 2001 a occulté les opérations terroristes du Hamas, du Djihad islamique palestinien et les représailles israéliennes qui ont suivi.»

La présence de l'armée canadienne en Afghanistan est-elle vraiment une épine dans le pied du Canada? Plusieurs des interlocuteurs que j'ai interrogés sur ce point sont moins pessimistes maintenant qu'au début de la mission «militaire» en 2001. «Il y a moins de chaleur, concède un policier, mais ça n'élimine pas totalement la haine chez certains musulmans radicaux.» Le fait que l'armée canadienne n'ait pas été à l'origine de désastres médiatiques, de grosses bavures et de scandales semblables à celui d'Abou Ghraïb y est certainement pour quelque chose. Le nom du Canada est cité de temps en temps dans les forums de discussion réputés d'obédience islamiste à cause de l'Afghanistan, mais le ton employé n'a rien à voir avec la haine viscérale suscitée par les États-Unis. Gare

---

16. Jean-François Meyer, « "Les soldats de lumière" : une autre image du djihad ». Site Internet www.terrorisme.net.

toutefois aux excès de confiance, cette situation est précaire ; un faux pas militaire est si vite arrivé.

Par contre, l'inquiétude a été palpable au Canada pendant l'été 2006 alors que Tsahal (l'armée israélienne) et le Hezbollah s'affrontaient au Liban. Chaque jour ou presque, le SCRS et le Centre intégré d'évaluation des menaces (CIEM) ont rédigé des notes d'information et des rapports classés « secret » et « très secret ». Cruel hasard, une des plus grosses bavures israéliennes a décimé une famille entière de huit Montréalais, dont quatre enfants, qui avaient décidé de passer l'été ensemble dans la maison familiale d'Aitroun, près de la frontière israélo-libanaise. Dès lors, le SCRS affiche clairement ses craintes :

> La nature explosive du conflit, qui déchaîne également les passions, pourrait inciter les deux camps à passer à l'acte [au Canada]. Par le passé, les tensions israélo-arabes ont donné lieu à des actes de violence au pays. À titre d'exemple, l'attentat à la bombe incendiaire contre une école juive de Montréal en 2004 a été perpétré en représailles à l'assassinat du chef du Hamas, cheikh Ahmed Yassine[17].

Un autre document à en-tête du CIEM s'intéresse de près aux réseaux canadiens du Hezbollah, organisation chiite soutenue par l'Iran et la Syrie et classée terroriste au Canada en décembre 2002. Ici, comme aux États-Unis, les activités du Hezbollah semblent se « limiter » à une présence logistique. Le Hezbollah y récolte des fonds par le biais de dons ou de rackets, de contrebande de cigarettes et même de Viagra, de fraudes de cartes de crédit et de débit, de faux papiers, d'achat d'équipement militaire, etc.

Des partisans du mouvement auraient-ils pu lancer une attaque au Canada pour viser des intérêts israéliens ou punir le

---

17. Extrait d'une note confidentielle du SCRS, référence 06/171. Archives de l'auteur.

gouvernement Harper de son soutien inconditionnel à Israël ? Non, estiment certains experts et policiers. « Le Hezbollah, résume Louis Caprioli, c'est l'exemple type de la maîtrise d'un groupe par une organisation centrale et un État qui est en l'occurrence l'Iran. Tant qu'il n'y a pas de décision étatique, il ne se passera rien. C'est l'Iran qui décide. Il n'y a pas de dérive avec le Hezbollah ! »

Il n'empêche : même si le Hezbollah chiite n'est pas la priorité du Canada face à la menace « sunnite radicale », il y a fort à parier que les autorités américaines vont se montrer plus insistantes pour forcer ce dernier à accentuer sa pression sur le mouvement qui a déclaré la guerre à Israël, leur fidèle allié.

Accommodements pas vraiment raisonnables

Les accommodements raisonnables – un euphémisme poli(tiquement correct) – qui sont à la religion ce que les « frappes chirurgicales » ou les « dommages collatéraux » sont aux militaires, peuvent être considérés dans la plupart des cas comme un prétexte fallacieux utilisé par des groupes religieux qui n'ont rien de « raisonnables », eux, pour faire progresser insidieusement leur programme politique de radicalisation insidieuse. Une stratégie du petit pas.

À ce titre, les radicaux musulmans n'ont rien à envier aux extrémistes sikhs et hassidim : tous ont bien compris les avantages qu'ils pouvaient tirer de la désolante inertie des pouvoirs publics qui font preuve d'« aplaventrisme » ou qui, plus souvent, choisissent de s'en remettre aux juges, de peur d'être taxés de racisme, ou encore à des commissions.

Si les projets d'introduction de tribunaux d'arbitrage islamiques en Ontario et au Québec ont été contrecarrés ces derniers mois, essentiellement en raison de la portée symbolique et émotionnelle du mot *charia*, d'autres initiatives *a priori* anodines ont pu passer comme une lettre à la poste même si elles ont fait grogner la population et de rares politiciens.

L'arbre de vie a remplacé l'arbre de Noël devant l'hôtel de ville de Montréal, des examens à l'UQÀM sont déplacés au dimanche pour ne pas offenser les musulmans et les juifs, les vitres d'une piscine de la rive sud de Montréal sont occultées par des rideaux pour permettre à une poignée de femmes de se baigner en privé, des piscines publiques de Montréal permettent aux femmes musulmanes et hassidim de se baigner complètement habillées et aux sikhs de nager avec leur kirpan, la Commission scolaire de Montréal bannit le porc des menus de ses garderies et donne des congés supplémentaires à ses employés issus de différentes communautés religieuses ; autant de décisions absurdes décrétées à la suite de pressions provenant d'une clique extrêmement minoritaire dans leurs communautés respectives.

Combien en effet de musulmans, par exemple, ont exigé et profité de ces mesures ? Combien sur les quelque 100 000 musulmans qui résident dans la métropole ? Soyons généreux, quelques centaines au grand maximum ! Le ratio est certainement le même chez les juifs ou les sikhs.

Le véritable piège ne réside pas tant dans l'accommodement raisonnable en lui-même que dans les réactions que leur accumulation suscite désormais au sein de la population et des médias.

Une levée de boucliers contre ces mêmes accommodements tels qu'on le remarque depuis peu au Québec peut devenir à son tour un prétexte repris au vol par des extrémistes pour justifier leur rhétorique antioccidentale. Ce qui revient à déplacer un débat de société sur un plan strictement religieux, comme s'il s'agissait d'un choc des cultures ou des civilisations, pour reprendre une formule célèbre.

Lorsque la minuscule municipalité québécoise de Hérouxville adopte en janvier 2007 un code de conduite dans lequel il est expliqué aux éventuels immigrants qu'il est proscrit au Québec «de tuer les femmes par lapidation sur la place publique ou en les faisant brûler vives, les brûler avec de l'acide, les exciser[18]», elle croit employer la bonne méthode pour forcer les gouvernements à légiférer. Est-ce de la provocation ou de l'inconscience naïve? La deuxième hypothèse est la plus probable à mes yeux. Le problème est qu'en agissant ainsi, ces élus donnent plus de munitions encore aux extrémistes qui auront alors beau jeu de clamer aux oreilles de leurs coreligionnaires : «Regardez comment le Canada nous méprise, nous, les musulmans!»

Dans le même registre, mentionnons aussi le cas du bouillant imam montréalais Saïd Jaziri, qui a utilisé ses démêlés avec le ministère fédéral de l'Immigration pour tenter de faire croire à ses fidèles que le Canada est l'ennemi de l'islam. Faisant flèche de tout bois, il s'est aussi emparé du cas d'Hérouxville en décidant d'aller arpenter les rues du village accompagné d'une femme voilée. Gageons que si les habitants étaient tombés dans le panneau et avaient fait preuve d'agressivité à son endroit, Jaziri aurait eu là un énième prétexte à se mettre sous la dent pour alimenter son discours révolutionnaire.

Lors d'une présentation devant le Sénat en 2005, John Thompson, le président de l'Institut Mackenzie[19], dénonçait justement ce discours «victimiste» entretenu avec soin par certains extrémistes :

La guerre psychologique consiste à appuyer ses propres convictions et à miner celles de l'adversaire. Quand un

---

18. Site Internet : municipalite.herouxville.qc.ca/normes.pdf
19. Basé à Toronto, l'Institut Mackenzie est un organisme d'étude et de recherche qui s'intéresse entre autres aux dossiers relatifs au terrorisme.

djihadiste déclare que chaque fois qu'un partisan du mouvement est arrêté c'est à cause de profilage ethnique ou de racisme ou encore que chaque détenu a été torturé, il appuie les convictions communes aux autres djihadistes, soit qu'ils sont du bon côté et que les sociétés contre lesquelles ils luttent sont mauvaises et corrompues. Bien sûr, ces allégations sont reprises par nos médias et certains membres de notre propre société ont tendance à croire ces allégations, ce qui tend à miner notre propre engagement à nous défendre et notre confiance dans nos propres organismes de sécurité et nos propres services policiers[20].

La France, ardent défenseur de la laïcité, a été confrontée au même syndrome dès 1989 lorsque trois lycéennes ont été exclues de leur établissement scolaire pour avoir refusé d'ôter leur voile. Dès lors, plusieurs associations musulmanes réputées proches des islamistes sont montées aux barricades, pourfendant l'intolérance et l'islamophobie française. Le 10 février 2004, les députés français votaient une loi interdisant le port de tout symbole religieux ostentatoire dans les écoles, que ce soit le voile, la kippa, le kirpan ou les croix. Deux semaines plus tard, Ayman al-Zawahiri, l'idéologue égyptien et numéro deux d'Al-Qaida, s'en prenait violemment à la France dans un enregistrement audio pour cette initiative qui illustrerait «une fois encore la rancune des croisés occidentaux contre les musulmans». En septembre 2006, al-Zawahiri remettait ça en dénonçant les «fils mécréants de France» à qui il adressait des menaces claires. Ses flèches étant aussi destinées aux «mauvais» musulmans, «mendiants qui permettent à la France d'interdire aux femmes de couvrir leur tête à l'école

---

20. Allocution de John Thompson, président, Institut Mackenzie, Délibérations du comité sénatorial spécial sur la *Loi antiterroriste*. Fascicule 4, 14 mars 2005. www.parl.gc.ca/

et qui contribuent à tromper les musulmans, à les détourner et à les humilier[21] ».

Pour un haut responsable français de la lutte contre le terrorisme, il est clair que toute cette polémique autour du voile a servi de prétexte à Ayman al-Zawahiri pour menacer la France, alors que ce pays s'était pourtant positionné clairement sur l'échiquier politique mondial en refusant de participer à l'invasion de l'Irak.

Le saut vers la « djihadisation »

De la radicalisation, il n'y a plus qu'un dernier pas à franchir pour sombrer dans ce que les experts du SCRS nomment la «djihadisation». «Il y a djihadisation, disent-ils, lorsqu'un musulman radicalisé estime qu'il est légitime de commettre des actes de violence préventifs pour défendre l'islam[22]. »

Marc Sageman parle d'incubation prolongée suivie d'un passage à l'acte qui peut être très rapide : «Ils parlent, ils parlent... Mais dès qu'ils ont les moyens techniques de passer à l'action, cela va très vite. Les attentats de Londres ont été élaborés dans un laps de temps d'à peine huit semaines. » Entre-temps, ces électrons libres auront rejoint d'une façon ou d'une autre une organisation cadre. C'est du moins la théorie élaborée par Louis Caprioli : «Les gens se radicalisent, mais ils ont besoin d'appartenir à cette communauté terroriste. Il faut qu'ils trouvent un lien pour rejoindre cette communauté. Je n'ai jamais cru que les attentats de Londres étaient l'œuvre d'individus complètement déconnectés d'Al-Qaida. Il y a un maillon qui les relie à cette mouvance. Certes, la cellule va se

---

21. «Les fils de mécréants de France », article publié le 14 septembre 2006 sur le site lefigaro.fr.
22. Étude «De la radicalisation à la djihadisation », 24 octobre 2006.

développer, mais ne peut pas vibrionner seule. Ces personnes vont alors partir en Irak, en Afghanistan ou au Pakistan développer des contacts. Sans cela, ils sont perdus. Ils ont besoin de cette aura de l'Organisation. »

Dans les heures qui ont suivi la nouvelle du démantèlement de la présumée cellule terroriste de Toronto, en juin 2006, le président du Forum musulman canadien, Bachar Elsolh, exprimait sa hantise de voir une frange de la jeunesse musulmane canadienne sombrer dans la violence : « Il y a un consensus pour délivrer un message uniforme et conforme aux valeurs de la société québécoise et canadienne dans les écoles privées et dans les centres musulmans, me disait-il alors. Mais ça n'empêche pas les cas isolés. Les événements dramatiques qui se passent dans le monde et le message médiatique qui est véhiculé peuvent faire réagir ces jeunes-là de deux façons : repli sur soi et frustration, ou bien démarche plus agressive. La frustration peut aussi mener ces jeunes vers la haine, vers des actes de violence que l'on désapprouve. Le fait est qu'il est de plus en plus évident que cette génération se sent de plus en plus marginalisée. »

CHAPITRE 2

Fateh Kamel

« Quand le chasseur tue le lion, c'est du sport, mais
quand le lion tue le chasseur, c'est de la férocité.
Le musulman n'a pas le droit de se défendre. »
Fateh Kamel, Montréal, novembre 2006.

Aéroport de Dorval, 29 janvier 2005. Un passager pas comme les autres débarque du vol d'Air France n° 344 en provenance de Paris. Comme seul document de voyage, il a en main le passeport provisoire EC0188066 signé la veille par André Charbonneau, le consul du Canada à Paris. Les trois policiers français qui l'ont « accompagné » durant le voyage remettent un volumineux dossier à une fonctionnaire canadienne. L'homme, lui, est libre. Dans quelques minutes, il va retrouver sa femme et son fils qu'il n'a pas vus depuis presque sept ans. Libre ? Pas tout à fait. Policiers et agences de renseignements l'ont placé en bonne position sur leur liste de Canadiens « sujets d'intérêt », pour reprendre leur jargon. En d'autres mots, il doit s'attendre à être filé, surveillé, écouté.

Un mois à peine après son retour au Canada, le dossier de ce Montréalais rebondit sur la colline parlementaire, à Ottawa. Le député Peter MacKay, alors critique du Parti conservateur en matière de sécurité publique, demande au gouvernement d'enquêter pour déterminer si la présence de cet individu sur le territoire constitue ou non une menace pour la sécurité publique. Il pousse même plus loin le raisonnement en suggérant une révocation de sa citoyenneté canadienne.

Novembre 2006. Vêtu d'une longue veste de cuir, l'homme jette un œil furtif à gauche et à droite, traverse la rue Bélanger d'un pas assuré avant de pénétrer dans un café-restaurant italien. Même si la salle est déserte à cet instant de la journée – c'est un endroit réputé pour ses délicieuses crèmes glacées –, j'ai choisi pour cette première entrevue une table dans un coin à l'écart afin d'éviter les oreilles indiscrètes. Derrière le comptoir, un employé met en route une sorbetière dont le ronronnement lancinant vient troubler la quiétude des lieux.

L'allure de mon interlocuteur est fidèle au portrait dressé par tous ceux qui l'ont rencontré. Grand, 1,80 mètre, il porte fièrement ses 46 ans. Bien habillé, l'allure sportive, il laisse ses cheveux noirs mi-longs flotter au vent. Sa barbe est impeccablement taillée. Ses yeux bruns sont toujours en mouvement, trahissant peut-être une certaine inquiétude, une nervosité. Pour un de ses fidèles amis, un truculent homme d'affaires montréalais, «c'est Richard Gere et Jésus-Christ réunis». Un charisme incontestable, ai-je entendu à plusieurs reprises au cours de la longue enquête qui a précédé l'écriture de ce livre. Du charisme, oui, c'est évident, et de l'allure aussi, ajouterais-je, après l'avoir côtoyé à plusieurs reprises.

Cet homme qui s'assoit à ma table gagne sa vie comme simple chauffeur de taxi dans les rues de Montréal en attendant de se lancer à nouveau en affaires, dans l'import-export. Ses clients, comme tous ceux qui le croisent dans la rue, ne connaissent ni son nom – à moins d'observer la petite fiche d'identification réglementaire du Bureau du taxi placardée derrière son siège – ni son histoire. Il fuit les caméras et la publicité. Il se nomme Fateh Kamel. Au Canada, il a longtemps

EMERGENCY PASSPORT FOR A SINGLE JOURNEY ONLY — **PASSEPORT PROVISOIRE VALABLE POUR UN SEUL VOYAGE**

No EC018066

PARTICULARS OF BEARER – SIGNALEMENT DU TITULAIRE

Family Name / Nom: KAMEL

Given Names / Prénoms: FATAH

Date of Birth / Date de naissance: 14 MAR/MARS 1960

Place of Birth / Lieu de naissance: ALGER D29

Colour of Hair / Couleur des cheveux: Chatain — Eyes / Yeux: Brun

Height / Taille: 178 — Weight / Poids: 75 kgs

Citizenship status of bearer / Citoyenneté du titulaire: Canadien / Canadienne

PHOTOGRAPH · PHOTOGRAPHIE

Signature of bearer / Signature du titulaire

PARTICULARS OF PASSPORT – DONNÉES DU PASSEPORT

Issued for a single journey to / Émis pour un seul voyage à destination de: Canada — Country/Pays

via / Countries/Pays: — Mode of Transport / Moyen de transport: VOL AF344 Paris/Montréal

Arriving at / Arrivée à: Montréal — Port of Entry/Point d'entrée — on / le: 29 Jan/Jan 2005 — Date

Purpose of trip / But du voyage: Retour au domicile

THIS EMERGENCY PASSPORT EXPIRES ON / CE PASSEPORT PROVISOIRE EXPIRE LE: 30 Jan/Jan 2005 — Date

Issued at / Émis à: Paris France — on / le: 28 Jan/Jan 2005 — Date

Signature of Issuing Officer / Signature de l'agent émetteur

Title/Titre: Consul

OBSERVATIONS

André CHARBONNEAU
Consul

Passeport provisoire émis par le consul du Canada à Paris pour permettre à Fateh Kamel de rentrer au Canada le 29 janvier 2005. (Collection de l'auteur.)

été considéré comme un homme ordinaire, citoyen canadien, marié, père d'un enfant, qui a habité successivement dans les arrondissements Saint-Léonard, Outremont puis sur l'île Perrot. Il a été le propriétaire d'une boutique d'artisanat sur le boulevard Saint-Laurent et a aussi rempli des petites missions commerciales à l'étranger pour le compte d'un de ses amis.

Mais ce quadragénaire sera aussi associé à jamais à ce que l'on a appelé dans les années 1990 «la cellule islamiste de Montréal».

Pas un livre sur Al-Qaida, sur le terrorisme, sur les islamistes sans que son nom soit évoqué, quand ce n'est pas un chapitre entier qui lui est consacré. Tapez «Fateh Kamel» dans n'importe quel moteur de recherche, et le résultat sera le même. Interrogez un policier, un agent de renseignements, un juge antiterroriste, que ce soit ici ou en Europe. Le discours est toujours le même : Fateh Kamel a été un redoutable «terroriste» lié au GIA (Groupe islamiste armé) algérien, un djihadiste de haut calibre qui s'est entraîné en Afghanistan, un «cadre de l'internationale de la terreur [...] dont le boss n'est autre qu'Oussama ben Laden[1]», qui a combattu en Bosnie[2], puis a monté un réseau basé à Montréal et rayonnant, entre autres, en Turquie, en Italie et en France. Ce que l'ex-membre de la CIA et psychiatre, Marc Sageman[3], décrit comme la branche maghrébine du *djihad* salafiste mondial.

Parmi les membres allégués du groupe figure un autre Montréalais du nom d'Ahmed Ressam. Celui-ci purge actuellement une peine de 22 ans de prison aux États-Unis pour avoir tenté de faire sauter l'aéroport de Los Angeles le 31 décembre 1999. Ce qu'on a appelé le complot du Millénaire.

---

1. Ali Laïdi et Ahmed Salam, *Le Jihad en Europe*, Paris, Seuil, 2002, p. 225.
2. La Bosnie-Herzégovine, territoire à majorité musulmane de l'ex-Yougoslavie, a été déchirée par une guerre civile après avoir proclamé son indépendance en mars 1992. Les hostilités ont cessé en novembre 2005 à la suite des Accords de Dayton qui ont entraîné une partition en deux entités : la Fédération de Bosnie-Herzégovine et la République serbe de Bosnie.
3. Marc Sageman, *Le Vrai Visage des terroristes*, *op. cit.*, p. 101 et 344.

La première rencontre

La série d'entrevues que Fateh Kamel accepte de me donner – la première de cette importance à un journaliste – est le fruit de plusieurs mois de recherches, de contacts directs et indirects par l'intermédiaire d'un de ses plus fidèles amis qui a su le convaincre d'accepter ce tête-à-tête, de rendez-vous reportés en rencontres annulées. Depuis sa sortie de prison, Kamel est tiraillé entre le souhait de vivre sa vie de citoyen ordinaire dans un anonymat complet, afin de ne pas faire ressurgir les fantômes du passé, et une volonté farouche de laver sa réputation en livrant sa version des faits.

Alors que l'été tire à sa fin et que je multiplie les démarches pour le rencontrer, par un hasard incroyable je l'aperçois traversant la rue devant moi. Je venais tout juste de sortir de la mosquée Al-Qods, rue Bélanger. Impossible de me tromper. Il ressemble comme deux gouttes d'eau à l'homme qui apparaît tout sourire sur une photo des années 1990, la seule qui circule de lui dans les médias. Le temps de garer ma voiture en catastrophe, il s'est déjà engouffré dans une petite pâtisserie orientale, La Main d'or (déménagée depuis). Assis sur un banc à l'arrêt d'autobus tout proche, un brin nerveux, j'attends patiemment qu'il sorte. À peine a-t-il parcouru quelques mètres en direction de la rue Iberville, le pas décidé, une boîte de gâteaux dans chaque main, que je l'interpelle :

— Monsieur Kamel?

Il s'arrête puis se retourne, surpris :

— Oui?

Je me présente. Il sait qui je suis car je lui ai déjà écrit et son ami lui a parlé de moi à plusieurs reprises. Debout, au coin des rues Iberville et Bélanger, la discussion s'engage. Sur le trottoir de la rue Bélanger, c'est un homme amer et volubile qui s'épanche pendant une quarantaine de minutes.

Une conversation à bâtons rompus, qui débouchera sur sa promesse de nous revoir, après le Ramadan pour une entrevue. Il tiendra parole.

Mais avant que nous nous quittions, Kamel me parle de sa vie brisée, explique qu'il ne pardonnera jamais aux médias d'avoir frappé à sa porte, étalé sa vie privée au grand jour et surtout dévoilé publiquement le nom de sa femme, une Gaspésienne. Il ne comprend pas l'attitude des autorités canadiennes qui refusent, depuis décembre 2005, de lui délivrer un passeport pour un motif de sécurité nationale. Le Montréalais clame son innocence à plusieurs reprises et dénonce avec force les «calomnies» propagées à son sujet : «Certains [journalistes] ont raconté n'importe quoi sur moi, proteste-t-il. On a même dit que, pendant la guerre en Bosnie, je jouais au football [soccer] avec des têtes de Serbes.»

De Roubaix à Montréal

L'histoire de ces parties de soccer macabres a fait surface à au moins deux reprises ces dernières années lors de procès d'islamistes en France. Mais, sauf erreur, jamais le nom de Fateh Kamel n'y a été associé. Celui qui semblait en raffoler en revanche, d'après plusieurs témoignages concordants, s'appelait Christophe Caze.

À ce stade, il est nécessaire de se pencher sur le cas de ce Français, car son destin incarne la genèse des ennuis futurs de Kamel. Sans Caze, il n'y aurait peut-être jamais eu d'histoire Kamel ou de cellule islamiste de Montréal.

Caze, étudiant en médecine converti à l'islam – et surnommé Abou Wallid – est considéré comme le fondateur et le chef du gang de Roubaix, groupe avec lequel Fateh Kamel aurait entretenu des liens étroits dès la fin de la guerre en Bosnie, en 1995, assurent les autorités françaises. Au début de l'année 1996, cette bande ultraviolente a multiplié les braquages à la AK-47 et au lance-roquettes pour financer le *djihad*, supposait-on. En quelques semaines, ces vétérans de la guerre civile en Bosnie pour la plupart transforment une paisible bourgade du nord de la France en véritable zone de guerre, n'hésitant pas à tirer sur tous ceux qui leur résistent. Et comme si cela ne leur suffisait pas, ils tentent de faire exploser une Peugeot 205, piégée avec trois bouteilles de gaz de treize kilos chacune, devant le commissariat de police de Lille – la ville voisine –, menaçant tout le quartier. Le carnage est évité de justesse grâce au détonateur qui fait long feu. Or, nous sommes le 28 mars 1996 et un sommet du G7 doit s'ouvrir trois jours plus tard dans cette même ville. La police n'a plus le choix, elle doit intervenir. Elle donne l'assaut à la maison qui sert de refuge à la bande.

Les policiers du Raid (le Swat français) sont accueillis par des tirs d'armes de guerre, de grenades offensives et aux cris de «Allah Akbar! Allah Akbar! Nous ne nous rendrons jamais[4]...» La panique s'empare du quartier. C'est le chaos total. Un incendie se déclare. Quatre membres du groupe sont retrouvés morts dans les décombres du 59, rue Henri-Carette. Deux autres, Christophe Caze et Omar Zemmiri, l'occupant de la maison, choisissent de fuir en Belgique toute proche, mais sont interceptés à peine la frontière franchie près de la ville de Courtrai. Nouvelle fusillade. Les fuyards sont lourdement armés : lance-roquettes, pistolets-mitrailleurs, grenades... Des armes yougoslaves récupérées peu de temps auparavant en Bosnie. Zemmiri est arrêté après une courte prise d'otages; Caze est abattu par la police.

Les enquêteurs français trouvent dans les poches de Caze un agenda électronique avec la mention FATEH-CAN «suivi du numéro de Mohamed Omary (à Montréal), autre proche

---

4. Ali Laïdi et Ahmed Salam, *Le Jihad en Europe, op. cit.*

de Fateh Kamel », peut-on lire dans un document judiciaire français[5]. Ce numéro de téléphone sera le point de départ d'une vaste enquête qui mènera le juge antiterroriste français Jean-Louis Bruguière sur la piste de la présumée cellule islamiste de Montréal... Lors de son procès devant la Cour d'assises de Douai (France), en octobre 2001, Zemmiri brosse un portrait « sanguinaire » de Christophe Caze : « Il m'a raconté des choses incroyables. Il était fanatique, fou furieux. En Bosnie, il jouait au football avec la tête des Serbes. » Nous y voilà !

Cette anecdote refait surface en décembre 2005, lors du procès d'un autre membre de la bande, Lionel Dumont, dit Abou Hamza. Décrit par sa sœur comme un « idéaliste, rêveur et ne supportant pas l'injustice », on lui connaît au moins trois points communs avec son copain Caze : il est étudiant en médecine, il s'est converti à l'islam (après une mission sous l'uniforme des Casques bleus en Somalie en 1992-1993) et s'est engagé aux côtés des musulmans bosniaques. Dumont est arrêté une première fois en Bosnie en 1997 à la suite de braquages de banques et condamné à vingt ans de prison. Il s'évade en 1999 juste avant d'être extradé en France. S'ensuit alors une folle cavale qui va le mener en Malaisie, en Indonésie, au Japon puis en Allemagne, où il sera finalement arrêté en 2003.

Lors des audiences, Dumont a nié s'être engagé dans une guerre sainte : « Je tiens à recadrer le procès. Je me démarque complètement de l'image de djihadiste qu'on m'a accolée. Je ne me suis jamais reconnu là-dedans[6]. » Dumont et Caze étaient membres du bataillon des moudjahidin internationaux basés à Zenica, à 70 kilomètres au nord de Sarajevo. Ces « mercenaires » venus du Maghreb, d'Europe, d'Amérique

---

5. Tribunal de grande instance de Paris, jugement du 6 avril 2001.
6. Geoffroy Deffrennes, « Lionel Dumont braqueur, musulman et "idéaliste", récuse son "image de djihadiste" », *Le Monde*, 7 décembre 2005.

du Nord, etc., étaient intégrés à la 7ᵉ Brigade de l'armée musulmane bosniaque. «Je ne mange pas de ce pain-là», aurait protesté Lionel Dumont en réponse aux témoignages évoquant la barbarie de Caze (qui offrait alors ses services à l'hôpital de Zenica), entre autres histoires, celle des têtes de Serbes transformées en ballons sanguinolents. Et d'ajouter : «Mais il y a d'autres témoignages qui m'ont beaucoup plus marqué, ceux des camarades bosniaques passés par les camps de concentration serbes[7]. »

Ligue majeure

«Avec Kamel, on rentre en plein dans la ligue majeure», m'a lancé un jour un ex-policier québécois chargé de la lutte antiterroriste. Voici comment le SCRS résumait en 2001 la vie de Fateh Kamel. Une biographie peu complaisante :

Fateh Kamel, alias Mustapha

Fateh Kamel est né à El Harrach (Algérie) le 14 mars 1960. Il a vécu en Algérie jusqu'en 1987, avant de venir s'installer au Canada. En 1988, Kamel a épousé une Canadienne, avec laquelle il a eu un enfant. Il est l'ancien propriétaire de la boutique Artisanat Nord-Sud à Montréal. Pendant son séjour à Montréal, il est devenu le chef d'une cellule du *djihad*. Saïd Atmani, Ahmed Ressam et Mourad Ikhlef, entre autres, faisaient partie de sa cellule.

À l'intérieur du réseau extrémiste islamiste international, Kamel était associé de près au recrutement de volontaires : il était chargé d'organiser leurs déplacements pour leur permettre d'aller participer au *djihad* en Bosnie. Bien qu'il vécût surtout de ses prestations de bien-être social et de ses maigres revenus de propriétaire de boutique, Kamel

---

7. Krystell Lebrun, «Lionel Dumont, le va-t-en-guerre», lexpress.fr, 5 décembre 2005.

voyageait énormément. À la fin des années 1990, il est allé en Bosnie, en Slovénie, en Autriche, en Hollande, en Italie, en Turquie, en Syrie, en Arabie Saoudite et en Jordanie.

Kamel était un membre clé du réseau terroriste islamiste de «moudjahidin, ou combattants de la guerre sainte, se déplaçant librement, déterminés à frapper l'ordre mondial occidental qu'ils considèrent comme corrompu et immoral». En outre, il a joué un rôle central dans la vague d'attentats terroristes qui a déferlé sur la France vers le milieu des années 1990, notamment dans le complot visant à commettre des attentats à la bombe dans le métro de Paris et dans la série d'attentats perpétrés dans la ville de Roubaix[8], dans le nord de la France. D'après les autorités, Kamel a assuré une direction religieuse et un soutien à des groupes islamiques, en France, qui ont commis des vols qualifiés et terrorisé la ville française pendant trois mois au début de 1996.

Kamel a aussi été associé à Oussama ben Laden étant donné ses liens avec Abou Zoubeida, proche collaborateur de Ben Laden.

Kamel a quitté le Canada en mars 1999, a été arrêté et a été extradé vers la France le 16 mai 1999. Malgré la peine d'incarcération qui lui a été imposée le 6 avril 2001, il nie avoir dirigé le réseau qui fournissait de faux passeports et autres documents à des militants islamistes afin qu'ils puissent se déplacer librement[9].

«Mensonges!» s'insurge mon interlocuteur qui cherche aujourd'hui à blanchir sa réputation en livrant sa version des faits à l'occasion de cette entrevue promise quelques semaines auparavant lors de notre rencontre à l'improviste sur le trottoir de la rue Bélanger. «L'histoire que j'ai vécue

---

8. Erreur grossière : comme il est rapporté plus haut, il n'y a jamais eu d'attentats à Roubaix, mais une tentative avortée.

9. Cour fédérale, Canada contre Mourad Ikhlef, Annexe G, 17 décembre 2001.

est pire que celle de Maher Arar. Six ans de prison, six ans de calvaire. C'est tellement gros, me dit-il avec calme, qu'il y a des choses qui m'échappent. Je suis allé en Bosnie, j'étais donc le bouc émissaire idéal. Je crois que ça vient du juge Bruguière. Il voulait accroître sa réputation et m'a taillé un costume sur mesure. […] Moi, je ne comprends pas ça, le mot "islamiste"… Moi, je ne suis pas islamiste, je suis musulman. Nous sommes tous exposés à cet amalgame. Si on fait les cinq prières, automatiquement on est classé extrémiste.»

Un argument balayé du revers de la main, on s'en doute, outre-Atlantique : «M. Kamel a été condamné sur la base d'un dossier solide, me rétorque un haut responsable de la lutte antiterroriste en France qui tient à préserver son anonymat. Le problème qu'il oublie mais que le Canada n'oublie pas, c'est qu'il était le responsable de la cellule d'Ahmed Ressam. Et qu'Ahmed Ressam est devenu un *bomber* qui voulait faire sauter l'aéroport de Los Angeles. C'est la première tentative d'Al-Qaida sur le sol américain.»

Ahmed Ressam, qui résidait à Montréal depuis son arrivée au Canada, en février 1994, a été intercepté par une douanière américaine, le 14 décembre 1999, près de Seattle, alors qu'il venait de débarquer du traversier en provenance de l'île de Vancouver. Il avait dissimulé dans le coffre de son auto une soixantaine de kilos d'un mélange explosif. C'est son comportement suspect qui l'a trahi, ont toujours argué les autorités. Agité, perlant de sueur, Ressam exhibe une carte du magasin Costco au lieu de son permis de conduire. Gaffe fatale… Un autre Montréalais, Abdelmajid Dahoumane, son complice présumé dans l'élaboration de ce complot, mais qui l'avait laissé tomber au dernier moment, a été arrêté en mars 2001, en Algérie, à son retour d'Afghanistan. Une prime de cinq millions de dollars pour sa capture avait été offerte par les Américains en avril 2000.

«Ahmed Ressam n'est pas un copain, jure Kamel. Il n'a même jamais cité mon nom. Vous savez, nous ne sommes pas dix mille Algériens à Montréal. C'est une petite communauté. On se connaissait comme ça. Quand je suis revenu blessé de la Bosnie, beaucoup de gens comme lui sont venus me rendre visite à l'hôpital à Montréal. [...] Ressam, il s'est bien fait avoir. C'est une machination. Comme par hasard, le type qui devait faire ça [l'attentat] avec lui a disparu en Algérie. Ce n'est pas possible que la douanière américaine lui soit tombée dessus par hasard. Ils cherchaient un prétexte avant le 11-Septembre.» Évoquant le même sujet, un ancien policier canadien suggère quant à lui l'hypothèse d'un renseignement obtenu par les Américains peu avant son arrestation. Ressam a-t-il été trahi par son complice? Est-il tombé dans un piège tendu par un agent double? Était-il filé? La question demeure sans réponse.

Guerre humanitaire

Lorsque je demande à Fateh Kamel la raison de son engagement aux côtés des musulmans bosniaques, au début des années 1990, il devient loquace, invoque l'aide humanitaire, la solidarité entre coreligionnaires:

> J'avais la musique mais pas les paroles. Dans notre religion, on doit faire les choses avec la bouche, les mains, le cœur. C'était la moindre des choses d'aider les Bosniaques, des gens très pacifiques. J'ai aidé autant que j'ai pu aider. J'ai reçu plus que je leur ai donné. J'ai compris [en rentrant] qu'il fallait que j'arrête de chialer. [...] Ils m'ont plus réglé un problème dans ma tête. La plus grande aide que j'aie pu leur donner, elle n'était pas matérielle.

Alors que je lui demandai quels étaient les souvenirs qui le hantent le plus aujourd'hui, il me répondit: «J'ai vu des choses atroces, l'odeur du sang, de la mort. Des enfants, des femmes... J'ai été blessé, moi aussi [à la jambe]. J'ai été recousu sans anesthésie. C'étaient des volontaires qui avaient tout juste une première année de médecine. J'ai vu des gens se faire couper la jambe avec une scie sans anesthésie. Ça se passait en Europe, à quatre heures de route de l'Italie. Quand les Bosniaques criaient, on les entendait presque de l'autre côté de la frontière... C'étaient des horreurs devant les caméras du monde entier. Même les soldats canadiens ont vécu cet enfer. » Mon interlocuteur m'interrompt lorsque je commence à lui parler de sa rencontre déterminante avec Christophe Caze à l'hôpital de Zenica : «Je n'ai jamais été soigné par Lionel Dumont ou Christophe Caze. J'étais dans un petit village nommé Pazaric. C'était impossible à l'époque de mettre les pieds à Zenica. »

En écoutant le récit de Kamel, je me remémore mon séjour en Bosnie aux côtés des militaires canadiens de Valcartier, intégrés au sein de la SFOR (Force de stabilisation en Bosnie-Herzégovine/ONU). La guerre était finie, mais la mort était omniprésente. Il était évident que chaque belligérant en cause, qu'il soit croate, serbe ou bosniaque, avait autant sa part de responsabilité dans certains de ces massacres qu'il en avait été la victime dans d'autres. La loi du talion, le principe du «œil pour œil, dent pour dent», fonctionnait alors à plein régime... Dans les villages dévastés, des vieillards rescapés des massacres – les «nettoyages ethniques», comme les appelaient pudiquement certains commentateurs – erraient comme des zombies au milieu des décombres. Pieds nus ou en chaussettes dans la neige, ils tentaient de survivre dans des conditions pathétiques. Les centaines de douilles de tous calibres qui jonchaient le sol témoignaient de la violence des combats qui s'y étaient déroulés. Des champs de mines antipersonnel rendaient tout déplacement périlleux. Celui qui partait chercher du bois n'était jamais certain de revenir vivant, ou avec ses deux jambes. Pas une semaine ne se passait sans que l'on retrouve un charnier, souvent dans une des nombreuses mines de la région. Ces cadavres en décomposition avaient une histoire épouvantable : certaines de ces victimes sont mortes dans des camps de concentration – ou d'autres dits de «viols» pour les jeunes filles livrées en pâture aux soldats – ou ont été exécutées en masse avant la déroute. D'autres, y compris des enfants, auraient été allongés vivants sur la route puis écrasés par des chars avant d'être précipités dans des trous et ensevelis par l'explosion de mines. Cette vision de centaines de corps étendus dans un gymnase, et les habits de ces suppliciés séchant au soleil sur un grillage à l'extérieur sont autant d'images que je n'oublierai moi non plus jamais.

Il y a aussi ces soldats canadiens qui ont été rapatriés d'urgence au Canada après avoir vu, en entrant dans un village, des enfants crucifiés sur les portes des granges. «Ils ne peuvent rien faire contre ceux qui viennent de faire ça, à part noter les faits sur un carnet et transmettre leur rapport en haut lieu, me racontait alors un officier. Puis décrocher ces petits corps en pensant à leur propre enfant. Les gars sont devenus presque fous…» Une autre enquête du Tribunal pénal international évoquait le cas de centaines de civils brûlés vifs, toujours dans une mine située en territoire serbe.

Fateh Kamel plaide la naïveté. Jamais, ajoute-t-il, il n'aurait imaginé que ses séjours sur la terre bosniaque lui vaudraient une étiquette de terroriste. Il insiste sur le fait qu'il était du côté des victimes, pas des agresseurs. «Pourquoi les Canadiens et les Français du Front national qui se sont battus avec les Serbes n'ont-ils pas été inquiétés ? [...] C'est là que je comprends qu'il y a quelque chose de dogmatique. C'est presque une croisade. Quand le chasseur tue le lion, c'est du sport, mais quand le lion tue le chasseur, c'est de la férocité. Le musulman n'a pas le droit de se défendre. J'aurais souffert de ne pas y aller.»

Que faisait-il au fait en Bosnie? En quoi consistait cette aide humanitaire? Fateh Kamel mentionne qu'il travaillait pour une association enregistrée auprès du quartier général du Haut Commissariat des Nations unies pour les réfugiés (UNHCR) à Zagreb. Il a ainsi pu obtenir une carte d'identité de cet organisme onusien afin de circuler dans la région. «Quand j'allais dans les camps de réfugiés, tient-il à préciser, je ne m'occupais pas de la nationalité ou de la religion des gens, du fait qu'ils soient serbes, croates ou bosniaques.»

La thèse de l'humanitaire fait sourire policiers antiterroristes et agents de renseignements. «Ils disent tous ça...», ai-je souvent entendu. Certains conviennent que l'engagement bosniaque pris isolément ne fait pas pour autant de chaque moudjahidin étranger, adepte d'une forme de *djihad* défensif, un terroriste. Dans le jugement rendu le 6 avril 2001 à Paris, entre autres contre Fateh Kamel, le juge écrit qu'il «importe de préciser que la seule participation à des entraînements militaires en Bosnie entre 1992 et 1996, ne peut en elle-même et à elle seule être analysée comme une action préparatoire à des actes de terrorisme».

L'adversaire des Bosniaques dans ce conflit ne partage pas tout à fait ce point de vue. Dans une lettre datée d'octobre 1995[10], quelques jours après l'entrée en vigueur d'un cessez-le-feu, l'ambassadeur de la République fédérative de Yougoslavie (Serbie et Monténégro) auprès de l'Office des Nations unies à Genève se plaint de la présence d'une «brigade internationale» à Pazaric, là même où Fateh Kamel reconnaît s'être trouvé.

---

10. «Rapport sur la question de l'utilisation de mercenaires comme moyen de violer les droits de l'homme et d'empêcher l'exercice du droit des peuples à disposer d'eux-mêmes», Commission des droits de l'homme de l'ONU, 17 janvier 1996.

Le diplomate affirme qu'elle est «composée de quelque six cents mercenaires, originaires essentiellement de pays islamiques, et d'un petit nombre de délinquants originaires de l'Allemagne, de la France et d'autres pays européens. Des membres de cette brigade ont mené l'action subversive qui s'est déroulée le 23 août 1994 dans le village de Babin Do, sur le mont Igman, tuant trois soldats serbes de Bosnie et capturant deux d'entre eux». Dans ses commentaires, le rapporteur spécial de l'ONU a toutefois demandé aux auteurs de plaintes «de les étayer par des documents plus solides».

Le 5 décembre 2005, au deuxième jour de son procès pour son implication dans le gang de Roubaix, Lionel Dumont a invoqué, lui, le concept de «guerre humanitaire[11]». Deux mots pourtant *a priori* infréquentables… Son témoignage à la barre reflète bien la férocité de ce conflit: «C'était David contre Goliath. Quand nous, étrangers, nous sommes arrivés, on a été accueillis à bras ouverts, comme des messies. Pour moi, cette guerre était une guerre humanitaire. […] C'était comme le pays, c'était rustique. Ça finissait au combat d'homme à homme, c'était un peu comme en 1914-1918. […] Il y avait des tranchées et on s'arrosait d'insultes et de balles. Quand venait le moment de prendre la montagne adverse, il n'y avait pas de bombardements, c'était à l'ancienne.»

Les Accords de Dayton, signés en fait à Paris en décembre 1995, marquent la fin du conflit en Bosnie-Herzégovine. Le texte signé par les trois belligérants, Serbes, Bosniaques et Croates, prévoit le départ des centaines de combattants étrangers. De nombreux moudjahidin, ceux qui n'avaient pas pu obtenir la nationalité bosniaque quittent la région à contrecœur, sans même une poignée de main de remerciement. Frustrés, déçus, ils retournent dans leurs pays respectifs pour tenter de reprendre

11. «Lionel Dumont, le va-t-en-guerre», lexpress.fr, 6 décembre 2005.

une vie normale. Certains vont plutôt choisir de poursuivre la lutte sur des terres en paix… «Quand la guerre s'est terminée, moi j'étais déjà rentré, assure Kamel. L'être humain est comme un Kleenex. Quand on n'a plus besoin de lui, on le balance. Mais je ne veux pas leur jeter la pierre; nous aurions peut-être fait comme les Bosniaques dans la même situation.»

Fin de cavale

Traqué dans le monde entier à la suite du démantèlement du gang de Roubaix, la cavale de Fateh Kamel a pris fin en avril 1999, à un poste frontière en Jordanie. De retour d'un pèlerinage à La Mecque, il est arrêté, puis emprisonné à Amman, la capitale. Mis au courant de la capture de son gros poisson, le juge Jean-Louis Bruguière met en branle l'appareil judiciaire pour le faire extrader en France. Presque deux mois plus tard, Fateh Kamel est réveillé en pleine nuit dans sa cellule, on lui bande les yeux, puis il est jeté dans une Mercedes, direction l'aéroport. Arrivé à Paris par un vol régulier, parce que «les avions de la CIA n'existaient pas à l'époque», ironise-t-il, un imposant dispositif policier l'attend de pied ferme pour le transférer au palais de justice, sur l'île de la Cité, en plein cœur de Paris. «C'était un dimanche. Il y avait des policiers partout. Trois ou quatre véhicules d'escorte armée. Manquait juste l'hélicoptère au-dessus. […] Je me suis retrouvé dans le bureau du juge Bruguière qui m'a dit : "Vous savez pourquoi vous êtes là?" Après, c'est le juge Ricard qui a pris le relais. Ricard, c'est le caniche de Bruguière. J'aurais préféré Bruguière, finalement!»

Kamel est incarcéré à la prison de la Santé, une prison «très vieille et très sale». Parmi ses compagnons de détention, le célèbre activiste, ou terroriste, vénézuélien Ilich Ramírez Sánchez, connu sous les pseudonymes de Carlos, le Chacal ou encore Salim. Cet ex-membre du Front populaire de libération de la Palestine (FPLP), aussi mythique que Ben Laden à son époque, a fait trembler le monde dans les années 1970. Suspecté d'être l'organisateur de trois attentats sanglants en France en 1982 et 1983[12], on doit surtout à celui que le provocateur président Hugo Chavez considère comme son bon ami, la retentissante et sanglante prise d'otages de onze ministres de l'Opep à Vienne, en Autriche, en décembre 1975. À Paris, au mois de juin de la même année, il exécute de sang-froid trois personnes dont deux policiers français de la DST venus l'interroger, et en laisse un pour mort. Arrêté au Soudan en 1994, il est livré à la France – enlevé, affirment certains – puis condamné en 1997 à la prison à perpétuité pour ces deux assassinats. Fidèle jusqu'au bout à son image de combattant révolutionnaire, il accueille ce verdict en lançant un tonitruant « *Viva la revolucion, Allahou Akbar!* », le poing bien levé. Carlos, qui se dit marxiste-léniniste converti à l'islam en 1975, n'a jamais renié le « titre » de terroriste. Bien au contraire. Dans son livre *L'Islam révolutionnaire*, il décrit le terrorisme islamique comme un combat révolutionnaire, un « outil politique » qui vaut la peine, même s'il le déplore, de sacrifier quelques vies humaines innocentes.

> Le terrorisme, cela va vous surprendre, est une sorte d'hymne à l'humain parce qu'il replace l'homme de chair et de sang au centre de la bataille, écrit Carlos. Il n'est pas question de robot, de bombardier furtif, de drones de combat; le *shahid* [martyr] qui se sacrifie pour déclencher sa ceinture est un homme, seul, confronté à la peur dans un environnement hostile, son choix est essentiellement humain, ce n'est ni celui d'un fou ni d'un fanatique, mais celui de l'homme confronté à la toute-puissance de la machine[13].

12. Carlos sera jugé en 2007 pour ces trois attentats (un à Paris et deux dans des trains) qui ont causé la mort de 11 personnes et en ont blessé près de 200.
13. Ilich Ramírez Sánchez, dit Carlos (avec Jean-Michel Vernochet), *L'Islam révolutionnaire*, Paris, Éditions du Rocher, 2003.

Ce qui est intéressant, inquiétant, diront certains, c'est que Fateh Kamel et Carlos se sont fréquentés assidûment pendant leur détention. C'est aussi à cette époque que Carlos rédigeait son ode à la révolution islamique. Kamel n'a pas peur de le qualifier d'ami. Ces deux personnages emblématiques ont aussi en commun de parler l'arabe et le russe. Ami, mais pas au point, prévient Kamel, d'endosser sa vision de l'islam comme outil politique pour faire avancer la révolution ou sa vision du terrorisme : « Carlos n'est pas une référence, mais il assume ce qu'il dit… Pour moi, l'islam ce n'est pas une doctrine. » Et de me citer cet exemple : « Même pendant la guerre, les musulmans n'ont pas le droit d'abattre des arbres, de tuer des femmes et des enfants… Pendant la guerre ! Alors, imaginez en temps de paix. »

Et Carlos, lui, comment perçoit-il Fateh Kamel, quel souvenir a-t-il conservé de son ancien codétenu ? Dans un témoignage de deux pages qu'il m'a adressé depuis la prison de Clairvaux, un établissement situé dans le nord-est de la France (dans le département de l'Aube), le « Chacal » situe les premiers échanges avec son « frère Fateh » en 2002 lorsqu'ils se « croisaient » à la bibliothèque de la prison de Saint-Maur. Une bibliothèque tenue alors par un « faux prisonnier palestinien » en mission d'espionnage auprès des « barbus » :

> J'ai compris que Fateh et l'autre frère Algérien [le nom n'est pas précisé] étaient des vrais militants, propres. Contrairement à la plupart des « islamistes » en prison, qui sont plutôt rustres et débraillés, à la barbe hirsute, Fateh était éduqué et présentable, toujours poli et pondéré, avec un discours intelligent et politique, rien du « barbu illuminé ».

Carlos conclut sa missive ainsi :

> Mes vœux les meilleurs pour mon frère Fateh Kamel et sa famille, à l'occasion de notre AÏD EL ADHA 1427 EL MOUBARAK ! Clairvaux, janvier 2007

FATEH KAMEL

La Santé, Été 2002. 8 années d'isolement total!
Un prisonnier social qui 20 ans auparavant avait
été emprisonné avec mon camarade Anis Nacca-
-che et ses fédayine, et avec un FAUX prisonnier
paléstinien qui les espionnait, m'informe avoir
rétrouvé à St. Maur le même faux prisonnier pa-
-léstinien, en mission auprès des "barbus".
Octobre 2002, lendemain de la visite officielle du
Président Hugo Chávez, je suis transféré à St. Maur
(260 Kms de Paris) en détention dite normale au bâtiment C.
Le jour après, des Maghrébins qui sortaient de la
prière du vendredi, m'approchent, parmi eux Fateh
Kamel, autre jeune frère algérien (aussi du bâtiment B),
et le faux prisonnier paléstinien ...
Dans la semaine m'arrivent des "instructions" du
Liban, de ne pas assister aux prières du vendredi dirigées
par le faux prisonnier paléstinien.
Je croisais Fateh quand il allait à la bibliothèque
(tenue à la fin de sa "peine" par le faux prisonnier), et
nous échangeons des bribes de conversation; j'ai
compris que Fateh et l'autre frère algérien étaient des
vrais militants, propres.
Contrairement à la plupart des "Islamistes" en prison,
qui sont plutôt prestes et débraillés, à la barbe hirsute,

1/

Lettre manuscrite adressée à l'auteur par Carlos depuis sa cellule de la prison de Clairvaux (France). (Collection de l'auteur.)

Fateh était éduqué et présentable, toujours poli
et pondéré, avec un discours intelligent et poli-
-tique, rien du "barbu illuminé".
ANECDOTE : un jour, près de la porte intérieure de
la détention, je vois Fateh très, très énervé, parlant
à très haute voix, presque hors de lui, en discussion
avec une jeune Sub-Directrice stagiaire (jolie et très
gentille, une fille vraiment adorable), accompagnée
d'un vieux Surveillant Chef qui était affable et poli,
et de plusieurs surveillants interloqués. Fateh avait
une demande légitime, rejetée arbitrairement
par l'Administration Pénitentiaire, mais les fonc-
-tionnaires interpellés par lui n'étaient pour rien.
Voyant la situation déraper, j'interviens en
-truant : « Il faut rien donner à ce terroriste,
avant qu'il se rase la barbe, et se convertisse au
Judaïsme ! » Tout le monde éclate en rires,
Fateh compris, desamorçant une situation
devenue explosive. -

Mes voeux les meilleurs pour mon frère Fateh
Kamel et sa famille, à l'occasion de notre
    AÏD EL ADHA 1427 EL MOUBARAK !

Avec mes compliments pour Fabrice De Pierrebourg,
                                        Carlos
    2/2   Clairvaux, janvier 2007

Le procès

Le procès de Fateh Kamel ainsi que celui de 23 autres
«islamistes» associés au gang de Roubaix s'ouvre le 7 février
2001 à neuf heures du matin au Tribunal de grande instance de
Paris, sous la présidence de Me Bernard-Requin. Le Montréalais
est poursuivi pour participation à une association de malfaiteurs
en vue de la préparation d'un acte de terrorisme; complicité
de faux dans un document administratif constatant un droit,
une identité ou une qualité; complicité d'usage de faux dans
un document administratif constatant un droit, une identité,
une qualité.

Plusieurs autres Montréalais figurent sur la liste des
accusés : Adel Boumezbeur domicilié rue Sherbrooke Est,
à Montréal, «en fuite» au moment du procès; Abdellah
Ouzghar, qui a résidé à Montréal avant de s'établir à Hamilton,
en Ontario. «En fuite» lui aussi lors du procès et visé par un
mandat d'arrêt international signé le 4 août 2000[14]; Ahmed
Ressam, autre Montréalais bien connu pour son projet
d'«attentat du Millénaire» à Los Angeles, «en fuite» à cette
époque; Saïd Atmani, qui partageait le logement d'Ahmed
Ressam à Anjou, «en fuite» lors du procès. Il est présenté
comme l'adjoint de Kamel[15].

La justice française leur reproche de faire partie de «filières
directement inspirées par un islamisme radical et violent. Ces
réseaux, déterminés à agir et à préparer des actes de terrorisme
(transfert d'armes) tout en facilitant les fuites transfrontalières

---

14. Au moment d'écrire ces lignes, Ouzghar, 41 ans, qui vivait en liberté,
    tentait désespérément d'empêcher son extradition vers la France afin
    qu'il y purge sa peine de cinq ans de prison.
15. Arrêté par la police bosniaque en avril 2001, il a été extradé quelques mois
    plus tard vers la France où il a été condamné à cinq ans de prison. Dès sa
    libération, il est retourné en Bosnie. En février 2006, il a de nouveau été
    arrêté, déchu de sa nationalité bosniaque puis expulsé vers le Maroc.

des individus impliqués (faux passeports) étaient animés par certains leaders se déplaçant en permanence», affirme-t-on dans le volumineux jugement.

Huit pages sont consacrées dans ce document au cas Fateh Kamel. En voici de larges extraits, afin de mieux comprendre l'ampleur de ce que policiers et juges antiterroristes français lui reprochaient :

> Fateh Kamel a toujours contesté les faits. [...] Lors des audiences des 22 et 23 février 2001, il s'est affirmé étranger à tout mouvement d'activistes islamistes à visées terroristes. [...] Il a déclaré ne pas être concerné par les mentions de son nom (sous diverses formes) face aux numéros de téléphone de ses amis du groupe du Canada, mentions qui figuraient sur les agendas de personnages comme Christophe Caze ou Lionel Dumont. Il a contesté s'être jamais rendu à Zenica et y avoir connu le bataillon des moudjahidin. [...]
>
> Il a limité ses relations avec Mohamed Omary, Saïd Atmani, Ahmed Ressam, Mourad Ikhlef à quelques rencontres avec de simples connaissances. [...]
>
> Il a nié être surnommé «El Fateh», «Mustapha» ou «le frère Fateh». [...]
>
> Il a nié connaître ou avoir connu Caze, Dumont [...].
> Il a nié avoir organisé l'envoi de combattants en Bosnie en 1994-1995 [...].
>
> Tous ses propres voyages étaient soit humanitaires et commerciaux (Bosnie, Croatie), soit familiaux (Maroc, Pays-Bas), soit religieux (son pèlerinage de 1999) [...].

Montréal, et en particulier l'appartement de la place Malicorne, dans l'arrondissement Anjou, où résidaient ceux que le SCRS avait surnommés de façon désinvolte – parce que jugés plus «pathétiques» que «réellement dangereux» – les *Bunch of guys* ou BOG (bande de gars[16]), soit Atmani, Ressam,

---

16. Marc Sageman, *Le Vrai Visage des terroristes*, *op. cit.*

Labsi et Boumezbeur, est décrit comme l'une des «places essentielles» de l'organisation.

La justice française recense aussi dans le détail les multiples voyages que Kamel aurait effectué, selon l'enquête, entre les années 1994 et 1998 :

> L'engagement personnel et ancien de Fateh Kamel dans des entraînements militaires en Bosnie et Afghanistan n'a pas été reconnu par lui [...]. Cependant Fateh Kamel, en 1994 et 1995 apparaît comme l'un des principaux responsables, en lien avec l'ICI (Institut culturel islamique) de Milan, du recrutement de volontaires pour la Bosnie dont il organisait le transport et l'accueil. [...] Certains propos comme «il ne faut envoyer personne sans l'accord de El Fateh» sont particulièrement éloquents. [...] Les multiples voyages entre 1996 et 1998 effectués par Fateh Kamel ne peuvent s'expliquer par les seules activités commerciales de celui-ci. [...] Le financement de ces multiples voyages demeure donc obscur alors que Fateh Kamel passait plus de la moitié de son temps hors du Canada [...].

Quelles étaient ces activités commerciales? Il faut se replacer dans le contexte de l'après-guerre en ex-Yougoslavie, m'a expliqué un homme d'affaires canadien pour le compte duquel Kamel a voyagé. «Tout était détruit, Fateh Kamel connaissait des ex-généraux bosniaques qui sont devenus des ministres. Il m'a expliqué leurs besoins, entre autres du matériel pour remettre en service l'aéroport de Sarajevo. De mon côté, j'avais des contacts à Cuba. Ils avaient du vieux matériel dont ils voulaient se débarrasser. Je lui ai remis un devis. Il y avait aussi du matériel pour des fermes laitières. »

«Tuer est facile pour moi»

Les transcriptions d'écoutes électroniques effectuées en avril et août 1996 par la section antiterroriste de la police italienne dans l'appartement de Rachid Fettar[17] situé 6 via Scherillo à Milan, et déposées en preuve, sont troublantes. Les Français affirment que le «Mustapha» qui y est enregistré à plusieurs reprises n'est autre que Fateh Kamel. «[Il] s'identifie lui-même en évoquant son âge (36 ans) l'âge de son fils (4 mois) le fait que sa femme est seule au Canada et la multiplicité de ses déplacements qui lui interdisent toute vie de famille...», résume-t-on dans le document judiciaire français.

Les enquêteurs dévoilent aussi des propos attribués à Kamel qui font froid dans le dos. Nous sommes le 21 avril 1996. Extraits : «Je n'ai pas peur de la mort! Et quand je le veux, personne ne m'arrêtera! Car la *djihad*, c'est la *djihad* et tuer est facile pour moi! Et seul le destin peut me condamner (juger)! Personne ne doit me juger! Moi je déteste les traîtres! C'est mieux de les tuer, car c'est une honte [...].»

En août de la même année, «Mustapha» et plusieurs autres individus semblent prêts à passer à l'action. Ils utilisent un langage codé :

> Mustapha : — Pour la poudre, tu as regardé? [...] De quoi as-tu peur, que tout explose chez toi? Dis-moi au moins si Mahmoud a pris la bouteille de gaz. [...] Nous envoyons les chaussures [armes] [...] Les tomates [grenades, explosifs] il faut les faire sortir obligatoirement, et beaucoup, même, en France. [...] En France, je rentre et sors quand je veux clandestinement [...].
>
> Tanout : — Évidemment, vous vous promenez avec des armes [...] Et toi Fateh, tu veux me faire croire que tu n'es pas armé?

---

17. Rachid Fettar (alias Amine del Belgio ou Djaffar), né à Boulogin (Algérie) le 16 avril 1969, est placé depuis 2003 par le Conseil de sécurité de l'ONU et l'Union européenne sur une liste d'individus et d'entités liés à Al-Qaida.

Mustapha (à propos d'un certain Ben Salim) : — Il fait trembler tout Montpellier. C'était un spécialiste des câbles et pour les faire plus puissants il utilisait des freins de vélo. [...] Il faisait l'aller et retour quand ils avaient besoin de lui! Il a tué et ils l'ont tué.

Le document judiciaire relate qu'une perquisition menée le 7 novembre suivant dans l'appartement milanais a permis de découvrir la présence de deux bonbonnes de gaz et de matériel permettant la fabrication des engins explosifs destinés à commettre des attentats en France.

Ces propos, et en particulier la phrase choc : «Tuer est facile pour moi», continuent aujourd'hui de coller à la peau de Kamel. Le Service canadien du renseignement de sécurité (SCRS) la cite dans ses rapports, on la retrouve dans les ouvrages sur le terrorisme islamique. «Je n'ai jamais dit ça, me jure Kamel, je ne suis pas le Mustapha dont ils parlent, et je n'étais pas dans cet appartement. Ils n'ont jamais trouvé de bombes non plus. Allez en Italie, vérifiez le mandat de perquisition et vous le constaterez. C'est un scénario qui a été écrit. C'est très difficile de se défendre lorsqu'il y a une injustice voulue. [...] La preuve, c'est que nous n'avons jamais pu écouter la cassette (des enregistrements) pendant le procès», proteste-t-il. Le 23 février 2001, l'avocat de Fateh Kamel a effectivement demandé au tribunal «l'audition des enregistrements phoniques» effectués dans l'appartement de Milan entre le 6 et 12 août. La poursuite s'y est opposée. La Cour a rejeté la demande en arguant son caractère «tardif sinon dilatoire». Elle a aussi estimé que les traductions et transcriptions des enregistrements étaient suffisantes pour la «manifestation de la vérité». Dans ses réquisitions, le ministère public suggère que l'absence d'antécédents judiciaires justifie «une légère modération de la peine qui doit intégrer son rôle de principal animateur de réseaux internationaux déterminé à préparer des attentats et à procurer des armes et des passeports à des terroristes agissant partout dans le monde».

Le 6 avril, le verdict tombe. Fateh Kamel est déclaré coupable sur toute la ligne. Il est condamné à huit ans d'emprisonnement – la peine la plus élevée des membres du groupe – ainsi qu'à une interdiction définitive du territoire français en vertu des articles 422-4 et 131-30 du code pénal. «Les autres se sont balancés entre eux! Je savais déjà que je prendrais le maximum. J'avais l'étiquette de chef collée sur le front. Un titre de chef, c'est huit ans automatique. [...] En prison, si par hasard nous marchions à trois, celui qui était au milieu était considéré comme le chef par les autorités. C'est comme ça!» L'avocate parisienne Isabelle Coutant-Peyre[18], qui défend de nombreux «islamistes», proteste avec véhémence contre la multiplication de cas de «gens» condamnés pour d'hypothétiques projets au nom du «principe de précaution». «C'est une manipulation, me dit-elle en entrevue [...]. Les Américains, Algériens et Français établissent des listes de gens qu'il faut mettre à l'écart. La nouvelle technique, c'est d'utiliser des déclarations préalablement obtenues sous la torture en Syrie ou ailleurs. Il n'y aurait pas d'avocats de la défense que cela ne changerait rien à leur sort!»

Le 11 mai 2001, une fonctionnaire du ministère des Affaires étrangères et du Commerce international (MAECI) basée à Paris transmet à ses homologues d'Ottawa la note suivante:

Venons d'être informés officieusement par agent du Solliciteur général à Paris que sujet aurait été condamné à 8 ans de prison avec interdiction définitive du territoire français. Nous lui transmettons par courrier un dossier de demande de transfèrement[19].

---

18. Me Coutant-Peyre est aussi l'épouse de l'activiste vénézuélien «Carlos» évoqué dans ce chapitre.

19. MAECI, note n° 34, 11 mai 2001.

DFCLARE Farid BENOUMEUR COUPABLE de PARTICIPATION A UNE ASSOCIATION DE MALFAITEURS EN VUE DE LA PREPARATION D'UN ACTE DE TERRORISME, (faits commis depuis 1996 et jusqu'en août 1996, à ROUBAIX (Nord) et en tout cas sur le territoire national.

LE CONDAMNE A LA PEINE DE SEIZE MOIS D'EMPRISONNEMENT DONT QUINZE MOIS D'EMPRISONNEMENT AVEC SURSIS.

La Présidente, suite à cette condamnation assortie du sursis simple, a donné au condamné l'avertissement, prévu à l'article 132-29 du code pénal.

Vu l'article 422-3 et 131-26 du code pénal, prononce à son encontre l'INTERDICTION DES DROITS CIVIQUES PENDANT UNE DUREE DE CINQ ANS.

DECLARE Fateh KAMEL COUPABLE de PARTICIPATION A UNE ASSOCIATION DE MALFAITEURS EN VUE DE LA PREPARATION D'UN ACTE DE TERRORISME, (faits commis depuis 1996 et jusqu'en 1998, à ROUBAIX (Nord) et sur le territoire national ainsi qu'au CANADA, en TURQUIE, en BOSNIE, en BELGIQUE et en ITALIE, de COMPLICITÉ de FAUX DANS UN DOCUMENT ADMINISTRATIF CONSTATANT UN DROIT, UNE IDENTITE OU UNE QUALITE, (faits commis courant 1996, à ROUBAIX (Nord) et sur le territoire national, ainsi qu'au CANADA, en TURQUIE, en BOSNIE et en BELGIQUE et de COMPLICITÉ d' USAGE DE FAUX DANS UN DOCUMENT ADMINISTRATIF CONSTATANT UN DROIT, UNE IDENTITE OU UNE QUALITE, (faits commis courant 1996, à ROUBAIX (Nord) et sur le territoire national, ainsi qu'au CANADA, en TURQUIE, en BOSNIE et en BELGIQUE,.
Avec cette circonstance que l'infraction ci-dessus spécifiée est en relation à titre principal ou connexe avec une entreprise individuelle ou collective ayant pour but de troubler gravement l'ordre public par l'intimidation ou la terreur.

LE CONDAMNE A LA PEINE DE HUIT ANS D'EMPRISONNEMENT.

ORDONNE SON MAINTIEN EN DÉTENTION

Vu les articles 422-4 et 131-30 du code pénal, prononce à son encontre l'INTERDICTION DEFINITIVE DU TERRITOIRE FRANCAIS.

DECLARE Lilf BENBAHLOULI COUPABLE PARTICIPATION A UNE ASSOCIATION DE MALFAITEURS EN VUE DE LA PREPARATION D'UN ACTE DE TERRORISME, (faits commis depuis 1995 et jusqu'en 1997, à ROUBAIX (Nord), TOURCOING (Nord), VILLENEUVE LA GARENNE (Hauts de Seine), NICE (Alpes Maritimes) et sur le territoire national, ainsi qu'en TURQUIE, BELGIQUE et u YEMEN, de COMPLICITÉ de FAUX DANS UN DOCUMENT ADMINISTRATIF CONSTATANT UN DROIT, UNE IDENTITE OU UNE QUALITE, (faits commis courant 1996, à ROUBAIX TOURCOING avec PARIS, ROISSY (Seine St Denis) et sur le

Extrait du jugement rendu par le tribunal de grande instance de Paris,
le 6 avril 2001, condamnant Fateh Kamel à huit ans d'emprisonnement.
(Collection de l'auteur.)

Ce transfert de Kamel vers le Canada afin qu'il y purge le reste de sa peine sera refusé par la France en décembre 2003.

« C'est une décision politique parce que tout le monde était de mon côté en prison, que ce soit dans la direction ou l'administration », estime Kamel.

Le silence des agneaux

Le 1er octobre suivant, Fateh Kamel est transféré de la vétuste prison parisienne de la Santé à la prison centrale de Saint-Maur, au centre de la France (Indre). Carlos, « l'islamiste révolutionnaire », le rejoindra un an plus tard, presque jour pour jour. Décidément en retard sur l'actualité, les autorités canadiennes n'apprendront le changement de résidence de leur ressortissant que le 14 décembre. Dans la note n° 42 transmise au MAECI à Ottawa ce jour-là par leurs correspondants parisiens, on apprend qu'un juge italien a demandé son extradition vers l'Italie. Le fonctionnaire auteur du document ajoute :

> Greffe est en possession de la c. de cit. [carte de citoyenneté], p. de conduire de Kamel, mais n'arrivons pas à localiser ppt [passeport] de sujet […] émis le 11 octobre 1995 et valable pour 5 ans. Ppt est donc expiré. Allons envoyer un fax au Tribunal de grande instance de Paris, Juge Bruguière, afin qu'il nous aide à retrouver ppt de sujet même s'il est expiré. Vous tiendrons au courant des développements.

Kamel ne sera finalement jamais extradé vers l'Italie. Le Montréalais interprète cette décision comme une dénégation par la justice italienne des accusations de leurs confrères français.

Construite en 1975, la prison de Saint-Maur héberge 260 détenus considérés comme des cas difficiles. « J'étais avec plein de personnes qui avaient le même dossier que moi. [...] J'ai tout de suite été respecté là-bas. Aujourd'hui encore un détenu (musulman) m'a appelé parce qu'ils ont un problème pour faire la prière pendant la promenade. » Dans son témoignage, Carlos me confie une anecdote cocasse qui jette un nouvel éclairage sur la cohabitation en prison, où chaque petite misère du quotidien, *a priori* banale à l'extérieur, peut rapidement prendre des proportions dramatiques :

> Un jour, près de la porte intérieure de détention, je vois Fateh très, très énervé, parlant à très haute voix, presque hors de lui, en discussion avec une jeune sous-directrice stagiaire (jolie et très gentille, une fille vraiment adorable), accompagnée d'un vieux surveillant chef qui était affable et poli et de plusieurs surveillants interloqués. Fateh avait une demande légitime, rejetée arbitrairement par l'Administration pénitentiaire, mais les fonctionnaires interpellés par lui n'y étaient pour rien. Voyant la situation déraper, j'interviens tonitruant : « Il faut rien donner à ce terroriste avant qu'il se rase la barbe et se convertisse au judaïsme ! » Tout le monde éclate en rires [*sic*], Fateh compris, désamorçant une situation devenue explosive.

Mais si Saint-Maur sert de prison aux individus condamnés pour terrorisme et à des criminels endurcis condamnés à perpétuité, elle compte aussi entre ses murs de vrais psychopathes. Le 4 juillet 2004, il va se jouer en plein cœur de la campagne française un effroyable *remake* du *Silence des agneaux*. Nous sommes à l'heure du dîner. Deux détenus distribuent les repas de cellule en cellule.

En temps normal, c'est Kamel qui joue le rôle d'assistant lors de cette routine quotidienne. Mais cette fois, il est occupé à essayer un vêtement. C'est alors qu'un autre détenu âgé de 56 ans, condamné pour « meurtre avec acte de barbarie », profite de l'ouverture de la porte de sa cellule pour bondir, un cendrier dans la main, sur ses deux malheureux codétenus. Les gardiens effrayés se sauvent pour chercher du renfort. Enragé, le monstre défonce le crâne de sa victime âgée de 36 ans, extirpe sa cervelle et se met à la dévorer. La veille au soir, l'assassin et sa victime jouaient aux cartes ensemble. Cet acte de pur cannibalisme survenu à «San Muerte» – surnom donné par les prisonniers à Saint-Maur – hante encore Fateh Kamel. «C'était un malade, un fou! Sa place était en hôpital psychiatrique. Il a tué la personne qu'il aimait le plus. C'était effrayant... Il trempait ses doigts dans le crâne et se léchait les doigts ensuite. J'ai ramassé la cervelle de mon ami... Je vois encore tout ce sang couler dans mes mains [...]», me raconte-t-il en me tendant ses deux mains jointes, paume vers le haut et les doigts écartés. «À la blague, il me surnommait "mon garde du corps" parce que lorsque j'étais avec lui, les détenus ne faisaient pas de trouble.» Il prend un temps d'arrêt, avant de poursuivre avec une citation dont il a le secret : «L'être humain n'est pas fait pour être enfermé. Mais j'ai grandi. Je suis rentré comme une chenille, je suis sorti comme un papillon.» Il boit une gorgée de café et ajoute : «J'ai commencé à pardonner aux Français pour tout ce qui m'est arrivé. Imaginez un attentat dans le métro ici, personne ne trouverait ça drôle. Je suis contre ces choses-là.» Kamel fait ici référence à la vague d'attentats meurtriers qui ont frappé Paris, en particulier dans le métro, en 1985, 1986 puis 1995.

Privé de passeport

«Le pire, aujourd'hui, est que j'ai connu la libération [en janvier 2005] mais pas la liberté.» C'est ainsi que Fateh Kamel interprète le refus par les autorités canadiennes de lui délivrer un passeport.

| Foreign Affairs Canada | Affaires étrangères Canada |

NOV 3 0 2005

DCB-02576-2005
PPTC-31-05

1er décembre 2005
Recommandation approuvée
par le ministre.

Action Memorandum for:
The Minister of Foreign Affairs

ISSUE: Application of Fateh Kamel for a Canadian passport

RECOMMENDATION:

1.   That you refuse to issue a passport to Fateh Kamel under section 10.1 of the Canadian Passport Order in light of the information contained in the unclassified background material available to you in this memorandum.

Marie-Lucie Morin
Associate Deputy Minister

V. Peter Harder
Deputy Minister of Foreign Affairs

Canada

Le 30 novembre 2005, Passeport Canada recommandait au ministère des Affaires étrangères de refuser d'émettre un passeport à Fateh Kamel. (Collection de l'auteur.)

Plus d'un an après son retour au pays, le chauffeur de taxi montréalais mène la vie de M. Tout-le-Monde auprès des siens. Il peut se promener dans la rue sans risque d'être reconnu; les médias l'ont oublié. Jusqu'au jour où il est rattrapé par son passé.

Le 10 avril 2006, nous sommes une poignée de spectateurs assis dans la salle 309 de la Cour fédérale, rue McGill, dans le Vieux-Montréal. À mes côtés, des avocats et un célèbre confrère de la télévision de Radio-Canada spécialisé dans les faits divers. Pendant presque une heure, nous assistons à une bataille judiciaire aussi rébarbative que soporifique opposant les avocats représentant le procureur général du Canada et Me Johanne Doyon, l'avocate de Fateh Kamel. Me Doyon conteste le refus de Passeport Canada de délivrer un passeport à son client[20]. L'avocate exige aussi qu'on lui remette divers documents, rédigés par la section des enquêtes de Passeport Canada, qui feraient défaut dans le dossier. L'avocate du gouvernement s'y oppose, jugeant la demande trop large. « Ma consœur fait une partie de pêche », lance-t-elle avant de rappeler que Fateh Kamel « suscite un intérêt » parce qu'il a été condamné en France pour terrorisme et usage de faux papiers.

Quelques jours plus tôt, dans les couloirs de ce même tribunal fédéral, un membre du SCRS qui assistait à une audience concernant Adil Charkaoui – un Marocain visé par un certificat de sécurité car considéré par les services de renseignements canadiens et marocains comme un agent dormant d'Al-Qaida – m'avait lancé, le sourire en coin : « Non seulement M. Kamel a été condamné pour usage de faux passeports, mais comme par hasard il en a perdu plusieurs [canadiens], les siens, lors de ses séjours à l'étranger, en Bosnie notamment. »

Autant de motifs qui auraient incité le ministre des Affaires étrangères, le libéral Pierre Pettigrew, à approuver le 1er décembre 2005 la recommandation de ses deux sous-ministres. À savoir refuser l'émission de ce passeport « parce

---

20. Au moment d'écrire ces lignes, son dossier était toujours devant les tribunaux.

que cela est nécessaire à la sécurité nationale du Canada ou à celle d'un autre pays». Dans la note de synthèse (*background*) transmise au ministre, les fonctionnaires invoquent aussi le fait que le Montréalais avait mentionné lors sa demande en juin 2005 qu'il avait besoin d'un passeport pour se rendre en Thaïlande. Or, notent-ils, ce pays est considéré comme le paradis des passeports contrefaits. De plus, le groupe terroriste Jemaah Islamiyah, dont Kamel serait proche, soutiennent-ils, est bien implanté dans la région[21]. Kamel réagit avec vigueur lorsque je lui demande de commenter ce document. «J'ai un neveu en Thaïlande, proteste-t-il. C'est pour le voir et faire de l'import-export que je veux aller là-bas. Incroyable... On a choisi l'argument du terrorisme. Et pourquoi je ne serais pas un pédophile tant qu'à y être? Il y a bien des Canadiens ou des Français qui vont en Thaïlande pour se faire masser par des petits garçons... Je n'ai jamais perdu mon passeport! Ce n'est pas vrai! [...]» La tension retombe. Il reprend: «J'ai vu pire que ça mais j'ai la foi dans le cœur.» Fateh Kamel est avisé de cette décision dans une lettre qui lui est adressée par messagerie prioritaire le 14 décembre 2005 par le directeur général de la sécurité de Passeport Canada. Dans une lettre de deux pages, le haut fonctionnaire lui rappelle que son dossier a fait l'objet d'un examen par la Direction générale de la sécurité. «Parmi les renseignements qui ont retenu notre attention, écrit-il, figurent vos condamnations en France pour des infractions reliées au terrorisme et à des fraudes en matière de passeports ayant servi à appuyer des activités terroristes. De plus, vos dossiers de passeports antérieurs révèlent de nombreux remplacements de passeports valides[22].» En fait de «nombreux», j'en déduis, après avoir tenté de m'y retrouver

---

21. Cour fédérale, Fateh Kamel/Procureur général du Canada.
22. *Idem.*

dans cet imbroglio administratif, qu'il s'agirait plutôt au maximum de deux passeports en cinq ans.

Dans la note de synthèse évoquée plus haut, Passeport Canada affirme que Kamel a obtenu un premier document de voyage en janvier 1993, qui a été déclaré volé deux ans plus tard. Son nouveau passeport émis en octobre 1995 (valide jusqu'en 2000), aurait été remplacé, à la demande de Kamel, lit-on, moins de deux ans plus tard, en juillet 1997, par un troisième valable jusqu'en juillet 2002 et qu'il avait en poche lors de son arrestation en Jordanie[23]. En novembre 2005, dans une correspondance adressée à la Direction générale de la sécurité, l'intéressé a nié fermement avoir fraudé, utilisé quelque document que ce soit pour des activités dites «terroristes», et aussi avoir joué «quelque rôle que ce soit dans de supposées fraudes de documents comme le prétendait la police française sans preuve aucune». Fateh Kamel explique ensuite avoir par erreur déclaré volé son passeport à la suite du cambriolage de son appartement de la rue Rockland à Outremont. Lorsqu'il a finalement mis la main dessus, se rendant compte de sa méprise, il aurait immédiatement remis le document en question au Bureau des passeports qui, entre-temps, venait de lui en émettre un nouveau. Kamel affirme alors que l'agent du bureau lui aurait «recommandé de retenir les deux pour [lui en] émettre un en règle et régulier sans indication aucune pour [lui] permettre de voyager sans problèmes car l'indication de remplacement de passeport volé me créerait des complications non nécessaires», écrit-il dans cette lettre figurant dans le mémoire adressé au ministre des Affaires étrangères en novembre 2005.

---

23. Ce passeport étant périmé à sa sortie de prison en janvier 2005, le consul du Canada à Paris a alors émis un «passeport d'urgence valable une journée» pour lui permettre de revenir à Montréal.

«*Terroriste un jour, terroriste toujours ?*».

Neutralisé, filé, écouté, «brûlé» même comme on dit en jargon policier, Fateh Kamel représente-t-il vraiment une menace aux yeux des autorités canadiennes? N'a-t-il pas le droit à une réhabilitation, ayant purgé sa peine comme l'a dit son avocate? Par sa simple présence, oui, il peut être dangereux, va jusqu'à suggérer un ancien policier québécois : «Un gars comme lui ne passera plus à l'acte, croit-il, mais les jeunes qui le fréquentent à la mosquée le voient comme un martyr de l'Occident et une source d'inspiration.»

Un confrère toujours en exercice pousse plus loin le raisonnement. Dressant un parallèle avec Maurice «Mom» Boucher, le chef des Nomads-Hells Angels, et d'autres gros bonnets de la Mafia, il est persuadé que, «comme toutes les icônes du crime, Fateh Kamel se croit invincible. [...] Kamel, c'est un idéologue; alors je ne vois ni de début, ni de fin à sa croyance. Il peut rester sous le radar pendant une longue période puis répondre subitement à un appel. Les services de lutte contre le terrorisme devront impérativement être dans les estrades à cet instant précis pour réagir. N'oublions pas que ces gars-là passent de 0 à 100 km/h en une fraction de seconde. C'est là la différence majeure avec les membres du crime organisé qui progressent par étapes, avec comme seul objectif l'appât du gain».

Louis Caprioli, ancien sous-directeur de la section antiterroriste de la DST (Direction de la surveillance du territoire) française abonde dans le même sens. S'il était en poste au Canada en ce moment, il mettrait «de la surveillance 24 heures sur 24 sur Fateh Kamel», déclare-t-il. «Il a été surmédiatisé. Mais il a un passé. Il est le martyr, puisqu'il a été condamné injustement. C'est une victime, et nous, les Français, des salopards. [...] Il peut probablement par le discours, et non par l'action, créer des embryons de cellule, être ce que l'on appelle un "facilitateur" pour que les gens puissent se rendre en Bosnie avant de se rendre plus loin. [...] Il va agir en ayant pris d'infinies précautions parce qu'il ne peut avoir confiance en personne. Je ne le vois pas s'engager à la légère connaissant son passé.» Et ce n'est pas son séjour en prison qui a pu le faire changer de trajectoire, croit-il. «Aucune rédemption n'est possible entre les quatre murs d'une cellule, poursuit Caprioli, c'est même plutôt l'inverse, il y a radicalisation. [...] Moi, j'ai le sentiment que ce garçon, compte tenu de son engagement passé, à moins de se renier complètement, il doit faire quelque chose [...] par l'intermédiaire de tiers pour éviter que l'on remonte jusqu'à lui.»

Son cas est aussi traité dans un rapport secret[24] du SCRS (Service canadien du renseignement de sécurité), dans le chapitre au titre évocateur de «Terroriste un jour, terroriste toujours?» Un point d'interrogation incongru et hypocrite, à entendre la réflexion que m'a faite un agent de ce service de renseignements lorsque je lui ai demandé de commenter ce document : «La médiatisation judiciaire ne va pas neutraliser la menace. Même s'ils se sentent surveillés, ces gens-là vont continuer leurs activités. Ce serait une erreur coûteuse de penser qu'un individu qui se sait sous surveillance ne peut pas représenter de menace à la sécurité nationale.»

Les auteurs du rapport en question – que nous reproduisons presque *in extenso* compte tenu de l'intérêt qu'il présente – écrivent aussi ceci :

> – 5) [...] Au moins 10 détenus libérés de la prison de Guantanamo Bay après que les autorités américaines eurent décidé qu'ils n'étaient pas bien dangereux ont été capturés

---

24. «Extrémistes islamiques et détention : combien de temps durera la menace?» Référence : BR 2005-6/10. Archives de l'auteur.

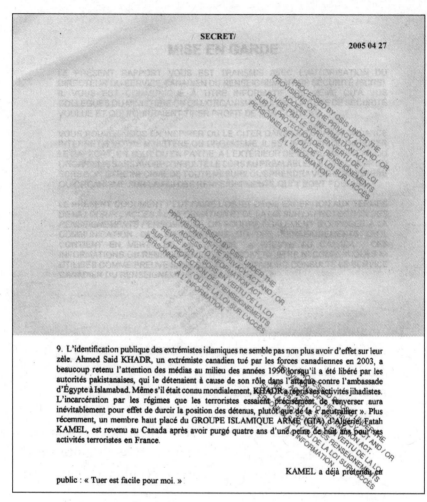

SECRET/ 2005 04 27

9. L'identification publique des extrémistes islamiques ne semble pas non plus avoir d'effet sur leur zèle. Ahmed Said KHADR, un extrémiste canadien tué par les forces canadiennes en 2003, a beaucoup retenu l'attention des médias au milieu des années 1990 lorsqu'il a été libéré par les autorités pakistanaises, qui le détenaient à cause de son rôle dans l'attaque contre l'ambassade d'Égypte à Islamabad. Même s'il était connu mondialement, KHADR a repris ses activités jihadistes. L'incarcération par les régimes que les terroristes essaient précisément de renverser aura inévitablement pour effet de durcir la position des détenus, plutôt que de la « neutraliser ». Plus récemment, un membre haut placé du GROUPE ISLAMIQUE ARMÉ (GIA) d'Algérie, Fatah KAMEL, est revenu au Canada après avoir purgé quatre ans d'une peine de huit ans pour ses activités terroristes en France.

KAMEL a déjà prétendu en

public : « Tuer est facile pour moi. »

*Pour le SCRS, « terroriste un jour » veut dire « terroriste toujours ».
Selon les auteurs de ce rapport « secret » rédigé en 2005, aucune rédemption
n'est possible même après un séjour en prison. (Collection de l'auteur.)*

de nouveau ou tués dans des combats contre les forces américaines ou coalisées au Pakistan ou en Afghanistan, et l'un des prisonniers rapatriés court toujours après avoir pris la tête d'une faction militante au Pakistan et s'être aligné sur Al-Qaida.

– 6) D'autres pays ont aussi été témoins du dévouement d'extrémistes qui ont été incarcérés dans le passé et se sont joints de nouveau au *djihad* au moment de leur libération. Le gouvernement espagnol a relâché un extrémiste algérien, Allekema Lamari, qui plus tard est devenu l'«émir» des attentats du 11 mars 2004, à Madrid. Les autorités espagnoles ont découvert que Lamari n'était pas devenu moins dangereux pendant son incarcération; au contraire, sa haine envers les autorités espagnoles s'est accentuée et l'a amené, en partie, à décider de planifier les attentats à la bombe contre le réseau ferroviaire de Madrid. Lui et six autres individus se sont suicidés lorsque des agents de sécurité espagnols se sont approchés de leur appartement dans une banlieue de Madrid en avril 2004. [...] En août 2004, un tribunal de Paris a rejeté l'appel pour la libération de quatre citoyens français qui font l'objet d'une enquête en bonne et due forme en France après avoir été relâchés de la base navale américaine de Guantanamo Bay à Cuba et ces derniers font l'objet d'une enquête judiciaire formelle pour conspiration criminelle reliée au terrorisme. Le radicalisme de Saïd Qutb [...] a pris forme en grande partie pendant son incarcération en Égypte, où il était détenu en raison de son appartenance aux Frères Musulmans. [...] Le terroriste jordanien Abou Moussab al-Zarkaoui a passé plus de sept ans dans une prison jordanienne parce qu'il prônait le renversement de la monarchie, et une fois libéré, il est devenu l'un des terroristes les plus recherchés. Le lieutenant d'Oussama ben Laden, Ayman al-Zawahiri, a passé trois ans dans une prison égyptienne à cause de son rôle dans l'assassinat du président égyptien Sadate en 1981. Ses activités à la suite de sa libération montrent que la prison n'a pas d'effet sur la mentalité djihadiste. [...]

– 7) À propos de la réhabilitation, les deux conditions générales de l'harmonie sociale dans la société civilisée sont les suivantes : a) la plupart des citoyens sont guidés par un sens moral, croyant que le recours à la violence contre autrui va à l'encontre de l'éthique ; b) pour ceux qui n'ont pas ce sens moral, le risque d'être puni par l'État, en vertu de la loi, pour tout acte de violence contre autrui a un effet dissuasif. Ces paramètres sociaux ne s'appliquent pas à l'extrémiste islamique. Dans le premier cas, il est en fait admis sur le plan moral de commettre des actes de violence pour remplir ses obligations religieuses, et la moralité suprême est celle d'un martyr. Dans le deuxième cas, la peur d'être puni n'est pas pertinente si l'on veut mourir ou si l'on est tué en commettant un acte violent. Si l'extrémiste est capturé et détenu, sa souffrance sera récompensée après la détention. Ainsi les méthodes traditionnelles utilisées à des fins dissuasives dans les sociétés civilisées pour contrer l'extrémisme religieux constituent tout un défi. Par ailleurs, Al-Zawahiri a déclaré publiquement à plusieurs occasions que la prison n'a pas d'effet dissuasif sur les djihadistes. Un autre responsable d'Al-Qaïda, Abou Oubeid Al-Qurashi, a déclaré en janvier 2002 que « la dissuasion disparaît complètement lorsqu'on a affaire à des gens qui se soucient peu de la vie et n'aspirent qu'à devenir des martyrs… Comment ces personnes, qui veulent la mort plus que tout, peuvent-elles être dissuadées ? »

[…]

– 9) L'identification publique des extrémistes islamiques ne semble pas ne plus avoir d'effet sur leur zèle. Ahmed Said Khadr, un extrémiste canadien tué par les forces canadiennes en 2003, a beaucoup retenu l'attention des médias au milieu des années 1990 lorsqu'il a été libéré par les autorités pakistanaises, qui le détenaient à cause de son rôle dans l'attaque contre l'ambassade d'Égypte à Islamabad. Même s'il était connu mondialement, Khadr a repris des activités djihadistes. L'incarcération par les régimes que les terroristes essaient précisément de renverser aura inévitablement pour effet de durcir la position des détenus, plutôt que de la « neutraliser » Plus récemment, un membre haut placé du Groupe islamique armé (GIA) d'Algérie, Fateh Kamel, est revenu au Canada après avoir purgé quatre ans d'une peine de huit ans pour ses activités terroristes en France.

Comment les auteurs de ce rapport perçoivent-ils Fateh Kamel depuis sa sortie de prison? Impossible de le savoir. La dizaine de lignes qui suivent cette citation ont été masquées par les fonctionnaires du département d'accès à l'information du SCRS. Seule la fameuse phrase évoquée auparavant a échappé à la censure : « Kamel a déjà prétendu en public : "Tuer est facile pour moi." »

Dans leur conclusion, les analystes de l'agence de renseignements font preuve de peu d'optimisme et ne croient pas à une possible rédemption :

– 10) Les individus qui ont fréquenté des camps d'entraînement terroriste ou qui ont opté isolément pour l'islam radical doivent être considérés, pour un avenir indéterminé, comme des menaces pour la sécurité publique au Canada. Il est peu probable qu'ils abandonnent leurs opinions sur le *djihad* et la pertinence de recourir à la violence. [...] Compte tenu des longues périodes de planification habituellement nécessaires pour les actes terroristes, les extrémistes peuvent rester « sous le radar » pendant des mois ou des années avant de mener des opérations. L'incarcération n'est certes pas une garantie que l'extrémiste adoucira avec le temps; c'est plutôt le contraire. [...]

– 11) Il est communément admis que dans toute la gamme des extrémistes, il y a ceux qui apportent leur soutien et, à l'autre extrémité, ceux qui acceptent de mener des opérations, y compris des attentats suicide. Dans ce dernier cas, les extrémistes s'engagent à fond pendant de nombreuses années et leur dévouement dure longtemps.

Épilogue

Aujourd'hui, lorsque Fateh Kamel prend le temps d'analyser son parcours et les conséquences néfastes de son engagement passé sur sa vie personnelle et familiale, retournerait-il quand même en Bosnie? Ce quadragénaire élégant aux allures de play-boy, intelligent et vif d'esprit, tantôt gêné et même timide, tantôt survolté, qui semble avoir toutes les cartes en main pour réussir, ne préférerait-il pas plutôt savourer la quiétude montréalaise plutôt que de s'engager à fond dans une cause parsemée d'embûches? Il semble que non. Kamel est un homme de conviction. «J'étais là pour mes principes que je défendrai jusqu'à la dernière goutte de sang. C'est ça le mérite du paradis. [...] Je ne regrette rien. Si c'était à refaire, je le referais.»

À ce stade de la conversation, je ne peux m'empêcher d'évoquer avec lui la situation actuelle en Afghanistan où les Forces canadiennes affrontent presque quotidiennement les talibans. Une mission au caractère offensif qui suscite des débats dans l'opinion publique canadienne et beaucoup de questions, de rancœur ou de colère au sein de la communauté musulmane. Qu'en pense-t-il? Irait-il en Afghanistan? Sa réponse est lapidaire : «La Bosnie, ce n'est pas pareil que l'Afghanistan. Les Afghans sont capables de se défendre seuls», tranche-t-il. Il se hasarde plus loin encore sur ce terrain de discussion «miné» : «Le Canada est en train de perdre sa crédibilité, on se fait détester. Les politiciens auront des comptes à rendre.»

Quel personnage intrigant tout de même, ce Fateh Kamel. S'il est vraiment ce que les «officiels» disent de lui, nous sommes bien loin de l'image stéréotypée du djihadiste avec longue barbe, cheveux hirsutes, les yeux remplis de haine prêt à bondir sur le premier Occidental mécréant venu! Après plusieurs heures de discussions passionnantes sur des sujets les plus divers, Fateh le «moudjahidin» montréalais, demeure pour moi une énigme. Est-il vraiment cet ennemi public numéro un? Si oui, est-il un révolutionnaire flamboyant à la façon d'un Che Guevarra, dimension religieuse en prime, un autre Carlos? Ou bien un mercenaire idéaliste embarqué au hasard de ses rencontres dans une nébuleuse où des dizaines d'électrons libres venus de tous les horizons oscillaient entre activisme religieux et gangstérisme?

Dans nos conversations, Fateh Kamel a insisté sur le fait qu'il n'a jamais été reconnu coupable de quoi que ce soit au Canada, son pays. Un autre paradoxe. Effectivement, la seule trace que l'on retrouve de son nom dans les archives judiciaires locales concerne une minable affaire de vol d'un sac à main appartenant à une dame âgée de 62 ans. Une agression survenue le 12 septembre 1996, dans le stationnement du centre commercial Beaumont, à Mont-Royal, qui lui vaudront deux accusations de vol et complot[25]. Alors qu'à la même période les policiers européens le recherchent déjà activement, Kamel, qui a plaidé non coupable, est acquitté le 12 mai 1997 par le juge de la Cour municipale John Darcy Asselin. «C'est clair que l'accusé était présent sur les lieux, mais il est clair aussi que ce n'est pas lui qui a volé», déclare-t-il lors de l'énoncé du verdict[26].

Il n'a jamais rien avoué lors des procédures judiciaires en France, a toujours contesté ce qui lui était reproché, se disant «étranger à tout mouvement d'activistes islamistes à visées

---

25. Le 19 septembre 1996, lors de sa première comparution, deux des conditions de sa remise en liberté étaient de déposer son passeport au Greffe «dans les 96 heures» et de «ne pas quitter la province de Québec». Ces deux conditions ont été rayées et remplacées par : «Aviser par écrit la Cour de son départ et de son retour à chaque fois qu'il quitte le Québec.»

26. André Noël, «Le réseau Montréal», La Presse, 5 décembre 2001.

ITC

PROVINCE DE QUÉBEC
District

Localité — de Montréal

Dossier — 500-01-032762-962

Corps policier — CUM 31 960912-039

**PROMESSE REMISE À UN
JUGE DE PAIX OU À UN JUGE**
(Articles 515, 520, 521, 522,
524, 525, 679, 680 C.cr.)
Formule 12

ORDONNANCE DE LIBÉRATION DANS
CE DOSSIER

Je, KAMEL, Fatah , prévenu
né le 60-03-14
domicilié au
comprends que j'ai été inculpé de art. 334b)ii) et.al du C.Cr.
Afin de pouvoir être remis en liberté, je m'engage à être présent au tribunal le 06 novembre 1996
au palais de justice de Montréal , salle 4.07 , à 09h30 heures,
et, par la suite, à être présent selon les exigences du tribunal, afin d'être traité selon la loi.

Je m'engage également à:

1 ☐ me présenter ☐ me rapporter entre 9 h et 17 h

2 ☐ rester dans les limites du district de

3 ☒ habiter ☐ avec mes parents ☐ chez moi ☐ chez
à l'adresse suivante:
979, Rockland, OUTREMONT

4 ☐ rester à l'adresse indiquée ci-dessus entre heures et heures

5 ☒ informer le tribunal par écrit et préalablement de tout changement d'adresse

6 ☒ m'abstenir de communiquer en aucune façon avec Elvira HOOD SDELNIC

7 ☒ garder la paix et avoir une bonne conduite

8 ☐ m'abstenir de fréquenter tout débit de boissons

9 ☒ respecter les conditions suivantes:
   A) Déposer son PASSEPORT dans les 96 heures de sa libération auprès du Greffe;
   B) NE PAS QUITTER LA PROVINCE DE QUÉBEC;
   C) Interdit d'aller au Centre d'Achats Beaumont;
   par écrit aviser la cour de son départ & de son retour à chaque fois qu'il quitte le Québec

Je comprends que l'omission, sans excuse légitime, d'être présent au tribunal conformément à cette promesse, de même que le défaut de me conformer à toute condition y énoncée, constitue une infraction en vertu des paragraphes 145(2) ou (3) du Code criminel. (Voir texte intégral de 145(2) et (3) C.cr. au verso).

Promesse reçue par moi
le 19 septembre 1996

_____
JUGE DE PAIX/JUGE

À Montréal , le 19 sept. 1996

_____
Signature du prévenu

• SJ-246 (95-09)

Au Canada, Fateh Kamel n'a été poursuivi que pour une banale affaire de vol de sac à main en septembre 1996. Il a été acquitté. (Collection de l'auteur.)

terroristes[27] ». « C'est facile d'être injuste et de faire du mal. Moi, j'ai la conscience tranquille, je sais que je n'ai rien fait. »

La seule certitude que j'ai acquise est que Fateh Kamel résume bien à lui seul l'expérience vécue tout au long de cette enquête. Un travail de moine qui m'a permis de réaliser que j'évoluais dans un monde obscur, secret, où chaque clan, chaque joueur, qu'il soit chasseur ou proie, tente toujours de cacher son jeu, d'en dire le moins possible, et de semer le doute dans l'esprit du journaliste ou de l'entraîner dans des impasses. L'histoire de Kamel est digne des meilleurs romans d'aventures. Elle reflète aussi toute l'ambiguïté de la notion de « terrorisme » que l'on a peut-être le tort de vouloir réduire de façon simpliste en un monstre à une facette, en une lutte du Bien contre le Mal, en un choc des civilisations, diront certains. Dans ces conditions, départager objectivement le vrai du faux, le fantasme de la réalité, n'est pas une tâche aisée.

Reste dans mon esprit cet aveu énigmatique que Fateh Kamel lâchera au cours d'un de nos entretiens :

> Si j'ai terrorisé les méchants, [...] les Serbes, tant mieux. Si c'est ça, je suis le plus grand terroriste.

---

27. Tribunal de grande instance de Paris, jugement du 6 avril 2001. Archives de l'auteur.

CHAPITRE 3

Le Montréalistan salafi des purs... et durs

« Les musulmans au Canada ou ailleurs, avant d'être citoyens, ils sont musulmans. Et la loi qui vient d'Allah et du messager est toujours au-dessus des lois qui sont faites par les hommes. »
Abou H., imam montréalais.

Il faut éviter de passer ses journées à dormir, devant la télévision, ou bien [...] écouter de la musique. La musique c'est *haram* illicite. Le prophète a interdit les instruments de musique. J'ai vu certaines affiches devant les magasins des musulmans qui appellent à venir à des soirées [...] « les nuits du Ramadan ». Ces gens-là n'ont pas de honte [...] en mélangeant les hommes et les femmes. Ces gens-là devraient avoir honte. Et ceux qui font la promotion de ces spectacles [...] doivent retirer les affiches de leurs magasins. Lorsque vous mettez des affiches [...] et que des gens les prennent vous risquez de prendre les péchés de toutes les personnes qui participent à ce péché-là. Craignez Allah. [...]

On laisse la parole au « peuple » bête et ignorant et on le laisse dire n'importe quoi. Des émissions comme Claire

Lamarche, *Droit de parole* et bien d'autres sont toutes des exemples de cette démocratie stupide [...].

Les femmes qui se prétendent musulmanes et qui nient le *hijab* [...], qui attaquent les femmes voilées en les traitant d'intégristes [...] travaillent pour les ennemis d'Allah [...].

Il est clair que la religion d'Allah et la *charia* doivent être suprêmes sur toute la terre et que toutes les autres religions, systèmes, idéologies [...] doivent être humiliées et rabaissées sous le jugement de l'Islam.

[...] les paysans abrutis de la ville d'Hérouxville. Qu'Allah fasse tomber sur eux sa punition.

Où se trouve l'homme qui tient un tel discours? En Afghanistan? En Arabie Saoudite? Non, à Montréal, au Québec. L'auteur de ces propos est l'imam Abou H. Sa mosquée Dar al-Arkam est située rue Jean-Talon en plein cœur du nouveau Maghrebtown[1], dans le quartier Saint-Michel. Son quartier général n'a rien de fastueux. Juste un petit duplex ordinaire en briques blanches entouré d'une multitude de petits commerces arabes, d'une église baptiste et même d'une librairie érotique.

Chaque vendredi, la journée de repos sacrée dans la religion musulmane, des dizaines de pratiquants, dont des Québécois convertis, s'y pressent pour boire les paroles de l'imam. Un auditoire âgé en moyenne dans la trentaine. Quelques rares individus arborent le *look* afghan, avec pantalons bouffants, sandales et longue barbe. Sur le trottoir devant la porte, un vendeur à la sauvette propose des cartes d'appel sur un petit étal de fortune.

L'imam se présente comme un frère salafi (de l'arabe *Salaf As-Salih* : les Pieux Prédécesseurs). En reprenant la

---

1. Jean-Christophe Laurence, «Bienvenue à "Maghrebtown"», *La Presse*, 27 octobre 2006.

terminologie de Gilles Kepel[2], Abou H. peut être défini sous le vocable de salafi « cheikhiste », c'est-à-dire un fondamentaliste qui suit à la lettre la doctrine des savants d'Arabie Saoudite tout en condamnant la violence et le terrorisme par opposition aux révolutionnaires ultraminoritaires, les salafis djihadistes.

Né à Montréal de parents d'origine haïtienne, il a reçu une éducation catholique, était lui-même un pratiquant qui se rendait avec assiduité à l'église. « Malgré cela, je n'étais pas convaincu par le dogme catholique, m'explique-t-il, que ce soit la Trinité, les statues, les croix, les saints... J'ai alors commencé à lire des ouvrages sur l'islam, le Coran, Malcolm X[3], etc. Et surtout un livre, écrit par un juif, qui a pour titre *From Babylone to Tombouctou*. Le Prophète y est décrit comme un jeune homme très intelligent capable d'inventer une religion tirée de la Bible. » De l'avis de l'imam Abou H., cette affirmation a été comme une sorte de déclic qui l'a incité à s'aventurer sur le chemin de l'islam.

Dès 1991 et la fin de la première guerre du Golfe, le jeune étudiant montréalais se sent prêt. Il se convertit en récitant le témoignage de foi rituel, la *chahada* : « Je témoigne qu'il n'existe rien qui mérite d'être adoré excepté Allah, lui seul et il n'a aucun associé et je témoigne que Mohammad est son messager. » Quatre ans plus tard, il est accepté à l'Université islamique de Médine, en Arabie Saoudite, où il obtient un certificat en langue arabe.

Aujourd'hui, son projet est de quitter le Canada pour « faire le *hijrah* vers un pays musulman ». Ce qui peut se traduire par s'enfuir de la terre de mécréance ou de la guerre

---

2. Gilles Kepel est professeur à l'Institut des études politiques (IEP) de Paris et l'auteur de nombreux ouvrages sur l'islam.
3. Intellectuel américain, converti à l'islam et ardent défenseur du nationalisme noir, assassiné à New York le 21 février 1965.

(*Dar-ul-Harb*) vers la terre d'islam. En attendant que son rêve se réalise, il explique les écrits de ses maîtres à penser salafis lors de cours hebdomadaires dispensés en français. Pour assurer leur diffusion dans le monde entier, l'imam utilise toutes les ressources de la modernité occidentale : il enregistre ses conférences en numérique puis les diffuse en direct via la messagerie instantanée Paltalk, ou les archive sur son site Internet afin que les personnes intéressées puissent les télécharger. Il écrit aussi régulièrement des messages sur différents sites salafis afin de rabattre les internautes vers sa bibliothèque virtuelle. L'imam compte d'ailleurs de nombreux auditeurs en France.

Un de ses sujets de cours est articulé autour du livre *L'Orientation vers la croyance correcte*, rédigé par le cheikh saoudien Salih al-Fawzaan, membre du haut comité des oulémas [théologiens] en Arabie Saoudite. Ce savant s'en prend régulièrement à ceux qui sont favorables à l'émancipation des femmes. «Les femmes doivent être là [à la maison] pour soulager l'époux qui rentre exténué de son travail», a déjà décrété l'ouléma[4]. Il est aussi connu pour avoir plaidé en faveur de l'esclavage.

L'autre auteur dont il décortique la prose est Ibn Taymiyah (1263-1328), aussi appelé chaykh al-islam. Un théologien qui ne fait pas l'unanimité au sein de la communauté, au grand dam de l'imam Abou H. : «Beaucoup de gens détestent Ibn Taymiyah, l'attaquent, font de lui un ennemi numéro un [...]. Des Ahbashs[5] avertissent leurs élèves et leurs fidèles [...], leur font même peur.» En fait, ce dont

---

4. *Al-Watan*. Revue de presse du 26 juin 2006 de l'ambassade de France en Arabie Saoudite.

5. Aussi écrit Abachs. Ce mouvement a été créé au Liban dans les années 1980 par un cheikh soufi d'origine éthiopienne, Abdallah al Habachi.

ces détracteurs auraient peur, précise-t-il à son auditoire du jour, c'est que leurs fidèles commencent à lire les écrits de Ibn Taymiyah et « qu'ils réalisent alors qu'il a raison ».

Pourquoi donc Ibn Taymiyah, ce « grand savant » aux yeux de notre imam montréalais, est-il si controversé en particulier au sein de la communauté musulmane ? Tout simplement parce qu'il est considéré comme « une des principales références théologiques des islamistes radicaux[6] ». Les journalistes Ali Laïdi et Ahmed Salam soulignent que « ses textes sont largement utilisés, parfois détournés de leur sens, par les islamistes[7] ». La liste de ceux qui se réclament ouvertement de cet « alibi religieux » pour justifier leurs actions violentes, déclarer la guerre sainte, comporte les noms de Oussama ben Laden et de son mentor Ayman al-Zawahiri, ainsi que du Groupe islamique armé algérien (GIA).

Apparu au xixe siècle alors que l'Empire ottoman amorce son déclin, le salafisme est considéré de nos jours comme une des tendances les plus rétrogrades et conservatrices de l'islam sunnite. Cela dit, Ali Laïdi et Ahmed Salam avancent qu'à ses débuts le salafisme était un mouvement réformiste « qui n'a rien à voir avec un islam fermé et intégriste ». Il aurait été imaginé par Jamal al-Afghani, un Iranien aux idées révolutionnaires, qui vantait les mérites de la philosophie, de la clairvoyance et de la science et ne manquait pas de rappeler que le Prophète blâmait « en termes sévères l'ignorance, l'aveuglement, et l'obscurantisme ». Un salafisme éloigné, font remarquer les auteurs, de celui des islamistes radicaux contemporains qui pourtant s'en réclament.

---

6. Michel Guérin (sous la direction de), *Les Fabriques du djihad*, Paris, PUF, 2005.
7. *Le Jihad en Europe*, Paris, Seuil.

Le politologue français Olivier Roy, directeur de recherche au CNRS (Centre national de la recherche scientifique) et auteur de nombreux ouvrages sur l'islam, le définit comme «un courant de pensée très orthodoxe et non pas une organisation». L'idée directrice du salafisme est qu'il faut revenir à la lettre de la révélation et de la tradition du Prophète; c'est-à-dire le Coran et la *sunna*.

Les salafis se plaisent aussi à s'identifier comme le «groupe sauvé». Un credo obsessionnel, une signature que l'on retrouve dans de nombreux forums de discussion et sites Internet. Toutes les autres tendances (ou sectes) de la religion musulmane, tels les soufis par exemple, sont assimilées à des égarés, des mécréants qui vont connaître l'enfer.

Extrait à ce sujet d'une *fatwa* du cheikh Ibn Baz[8] :

– Celui qui invite les gens à suivre le livre d'Allah et la Sunna de Son messager ne fait pas partie des sectes égarées. Il appartient plutôt aux groupes sauvés cités dans les propos du Prophète : «Les Juifs se sont divisés en 71 sectes et les Chrétiens en 72. Ma communauté, elle, se divisera en 73 groupes dont tous iront en enfer sauf un seul.

– Lequel, ô Messager d'Allah?

– Celui qui se conduira comme nous le faisons, mes compagnons et moi-même […].

Il s'agit ici d'expliquer que le groupe sauvé est la communauté restée fidèle à la tradition du Prophète et de ses Compagnons en matière de la foi en l'unicité absolue d'Allah; celle qui observe strictement ses ordres et abandonne ses interdits. Celle qui s'y conforme dans ses propos, dans ses actes et dans ses croyances. Ses membres sont les partisans de la vérité qui invitent les autres à suivre la bonne direction.

---

8. www.ribaat.org

Le mal est partout

Dans sa petite mosquée, l'imam salafi distribue les bonnes notes, rarement, et les mauvaises notes, surtout, à son auditoire. Tout y passe. Une chose est certaine, c'est un refus total de la modernité, une vision de la vie qui se partage entre le bien et le mal. Le gris n'a pas sa place. Quant au mal, il l'emporte sur le bien comme on s'en doute. En arabe, on dit *haram* et *halal*, soit l'illicite et le licite. En dehors du *halal*, point de salut. Cet habile orateur n'appelle pas à la violence, mais jette l'anathème sur les mécréants et les «innovations» (*bidah*), pourfend les «déviances» des autres écoles de pensée musulmane, les lois civiles, le théâtre, la mixité, la mode des *kouffars* (impies). Il trouve scandaleux que les enfants ne jeûnent pas pendant le Ramadan sous prétexte qu'ils ont des examens. Toutes ces déviances ne sont que des péchés, martèle-t-il à répétition dans ses discours ensuite mis en ligne sur divers sites Internet salafis. «On dirait, s'indigne-t-il, que dans ce pays [le Canada] tout est devenu une excuse pour désobéir à Allah. Quand les *shouyoukh* [cheikhs] du Yémen sont venus récemment à Toronto, ils ont dit : "Qu'est-ce que vous attendez ? Quand est-ce que vous allez commencer à mettre votre religion comme une priorité ?" »

Les fidèles, eux, semblent apprécier cette approche dogmatique et ultrarigoureuse : «C'est un bon imam, m'avoue avec le sourire un jeune père qui se prépare à entrer dans la mosquée en compagnie de son petit garçon. Il en sait plus que nous sur la religion», précise-t-il, l'air admiratif.

Mais pourquoi cette doctrine a-t-elle un si fort potentiel d'attraction surtout chez les jeunes et les convertis ? Parce qu'elle est entièrement et uniquement «normative», analyse Olivier Roy en entrevue. «Le salafisme, me confie-t-il, ça vous dit exactement ce qu'il faut faire à chaque minute de votre vie.

Comment il faut manger, s'habiller, faire l'amour, comment il faut aller aux toilettes. Ça fonctionne sur le mode "gourou". C'est la même dimension charismatique du gourou que l'on retrouve dans les sectes, chez certains rabbins hassidim et pasteurs évangélistes. Il est clair qu'à notre époque, ce sont ces formes de religiosité qui marchent. Le problème, à part celui de son intégration dans l'espace public abordé plus haut, est le risque du passage au radicalisme politique, voire au terrorisme. Une dérive qui concerne essentiellement les musulmans. »

Olivier Roy se hâte, avec raison, de préciser que tous les salafis ne sont pas terroristes. Sauf que la plupart des terroristes islamistes seraient passés par le salafisme. Le psychiatre et professeur Marc Sageman, ex-agent de la CIA, a étudié le profil de 172 moudjahidin impliqués dans ce qu'il appelle le *djihad* salafiste mondial. Leur parcours révèle qu'ils ont acquis une nouvelle ferveur au moment de leur entrée dans le *djihad* et que, pour 97 % d'entre eux, « cette foi nouvelle s'est portée sur la version salafiste de l'islam[9] ». Dans un rapport particulièrement bien étoffé traitant de la menace islamiste, les services de renseignement et de sécurité néerlandais estiment quant à eux que cette doctrine, qui considère que le vrai musulman doit se référer au Coran et à la *sunna* pour chacun des actes qu'il accomplit, « conduit souvent à une intolérance envers d'autres religions et idéologies[10] ».

Un des plus ardents pourfendeurs de la doctrine wahhabite dans son ensemble – ce qui englobe son jumeau le salafisme –, est Abd Samad Moussaoui, le frère de Zacharias Moussaoui, le Français condamné à la prison à vie par un tribunal de Virginie en mai 2006 pour son implication dans les attentats du 11 septembre 2001. Dans son livre, un véritable pamphlet

9. Marc Sageman, *Le Vrai Visage des terroristes*, *op. cit.*
10. « Jihad violent aux Pays-Bas », mars 2006.

au vitriol, l'auteur n'a pas de mots assez durs pour dépeindre ce « groupe sectaire », une pieuvre aux multiples tentacules qui a « embrigadé » lentement mais sûrement son frère lors de son séjour à Londres après l'avoir isolé physiquement et psychologiquement de sa famille. Une secte qui, ne supportant ni la moindre contestation ni la moindre remise en cause, a la mécréance facile envers tous ceux qui se mettent en travers de sa route. Une secte qui joue avec les mots et les sentiments, ce qu'il appelle la « technique de la confusion », en concoctant une bouillie prête à mâcher où l'on mixe sciemment, proteste l'auteur, des ingrédients *a priori* hétérogènes. Dans leurs prêches, ces imams incendiaires ajoutent au sentiment d'exclusion, la douleur de l'Algérien qui se fait égorger par son voisin avec celle du Palestinien enseveli sous sa maison par un char israélien alors que ces deux douleurs ne seraient pas comparables, affirme Abd Samad Moussaoui. Il emploie aussi les mots de « pure divagation, falsification, mensonge » à propos des *fatwas* de certains oulémas d'Arabie Saoudite qui dénoncent la mixité ou la liberté de mouvement de la femme[11]. Sa conclusion est éloquente : « Plus le jeune musulman ignore sa religion, plus il est vulnérable. »

Les femmes à la maison

La femme et sa place dans la société occidentale est aussi l'un des thèmes favoris de l'imam Abou H. Son discours est résolument machiste, voire misogyne. Extraits choisis :

> On trouve que beaucoup de femmes [...] pensent leurs projets de vie exactement comme un homme. Elles se voient étudier, [...] passer le bac, et après la maîtrise, le doctorat et

---

11. Abd Samad Moussaoui, avec Florence Bouquillat, *Zacarias Moussaoui, mon frère*, Paris, Gallimard, Folio documents, 2002.

après je vais travailler, avoir la maison, la voiture et après ça je vais penser à me marier. Et le mari il va acheter quoi, va faire quoi? [...] Il va venir habiter chez la femme. C'est le monde à l'envers. [...] Certaines femmes disent : «Je veux être indépendante. Je ne veux pas dépendre d'un homme.» On dépend d'Allah. Il a fait que l'ordre de la société est comme ça. On ne peut rien y changer les ordres que Allah a déterminés. Notre vie doit être basée sur la religion.

Très prolixe dans ses écrits, l'imam Abou H. est l'auteur d'un ouvrage très instructif intitulé *L'Islam ou l'intégrisme* presque totalement consacré aux femmes. Un petit bijou de 372 pages, téléchargeable gratuitement sur Internet[12], qui recèle des perles de ce genre :

[...] les mécréants ont interdit de tuer parce que c'est un crime qui fait un mal immédiat. Par contre, ils ont permis l'adultère, l'alcool, l'intérêt dans les banques [...], l'homosexualité, et [...] l'idolâtrie.

Il semble surtout obsédé par les libertés accordées aux femmes canadiennes qu'il décrit comme de vraies perverses : «Voyez par exemple comment au nom de la liberté les mécréants [canadiens] permettent à leurs femmes de marcher nues sur les trottoirs et dans les rues.» Un peu plus loin : «Le Canada est en effet unique. Il n'existe aucun pays industrialisé où les femmes peuvent se promener les seins nus dans les rues.» Le ton monte d'un cran dans un chapitre consacré à la «libération de la femme». L'auteur, qui reconnaît en introduction que ses propos peuvent choquer certains de ses lecteurs, dresse la liste des châtiments prévus pour des crimes prescrits dans l'islam bien qu'autorisés par les «mécréants» : cent coups de fouet pour le crime de la fornication, autant

---

12. *L'Islam ou l'intégrisme? à la lumière du Qor'an et de la Sounnah*, 1999, 2006. http://www.box.net/public/sg0md3l5iy

pour l'adultère entre personnes mariées plus la lapidation! Quant aux homosexuels, on leur «coupe la tête». Le même sort, rappelle-t-il, est réservé à celui qui quitte l'islam ou qui se déclare prophète ou qui l'insulte, citant au passage l'exemple de l'écrivain Salman Rushdie : «Nous avons mentionné plus tôt la sentence de l'islam pour celui qui insulte le prophète et qu'il doit être exécuté.»

Toujours sur le même thème de la femme, il a aussi rédigé en février 2006 un document d'une vingtaine de pages intitulé *Les Preuves claires de l'interdiction de la mixité entre les hommes et les femmes, selon le qor'an et la sounnah et la réfutation des gens de l'ignorance et des passions.* Un pamphlet dans lequel il dénonce ceux qui veulent rendre *halal* (licite) la mixité dans l'islam. Et d'affirmer : «C'est donc un signe de la fin des temps.»

Pour le professeur et sociologue Rachad Antonius, cet imam va clairement à l'encontre de l'esprit et de la lettre du Coran qui permet aux femmes d'être économiquement autonomes. La première femme du Prophète même était commerçante, ajoute-t-il.

Dans le même document, l'imam décoche aussi au passage des flèches contre les Frères musulmans[13], des «gens déviés du droit chemin», écrit-il, qui ont pour objectif «l'atteinte du pouvoir politique par tous les moyens même ceux contraires à la *charia* : comme la démocratie, les coups d'État, les manifestations et le terrorisme, etc.» L'Égyptien Saïd Qutb (1906-1966), leader des Frères musulmans exécuté par le président Nasser après une tentative d'attentat, auteur de nombreux ouvrages, considéré comme le maître à penser et

---

13. Cette confrérie islamiste qui a pour slogan «L'islam est la solution» a réalisé une percée significative aux dernières élections législatives en Égypte, raflant 88 sièges sur 444. Elle est devenue la principale force d'opposition.

l'inspirateur des islamistes radicaux, ne trouve pas plus grâce à ses yeux. Pour lui, Qutb n'est qu'«un journaliste ignorant qui a rassemblé dans ses livres les pires formes d'égarement[14]». Selon Olivier Roy, il s'agit d'une réaction normale, parce que les salafis ne croient pas en l'État islamique. «C'est pour cette raison, poursuit-il, qu'ils se détournent du politique. Ils veulent une *oumma*[15] non territorialisée. C'est leur mondialisation à eux. Pour résumer, ils veulent juste vivre entre bons musulmans, sans s'occuper de la société autour, de la politique mais juste de plaire à Dieu.»

Abou H. ne se gêne pas pour s'aventurer sur le terrain politique, social et économique. Là encore, ses propos ont de quoi surprendre : «Allah a clairement réfuté les idées des socialistes, les gens qui prétendent qu'il faut rayer la pauvreté... Le socialisme, [...] l'État, il prend l'argent des riches pour le rendre aux pauvres. C'est une injustice pour les riches. Allah, il a voulu qu'il y ait des différences entre les gens pour les tester. La richesse, elle vient d'Allah. Et la pauvreté, elle vient d'Allah. Les *kouffars*[16] disent si souvent : "Si Dieu existe, pourquoi il y a des pauvres ? Des gens qui meurent de faim ?" En fait, c'est parce qu'ils rejettent la parole d'Allah.»

Haro sur la députée

Sur le site Internet de l'imam Abou H., on trouve aussi deux longues diatribes menées à fond de train contre Fatima Houda-Pepin. Née au Maroc, la députée libérale de La Pinière mène un combat acharné et courageux contre l'islam radical et extrémiste, «réductionniste», véritable «cancer» qui gangrène la communauté musulmane. Une semaine après

14. *L'Islam ou l'intégrisme ? à la lumière du Qor'an et de la Sounnah*, p. 3.
15. *Oumma* : communauté des croyants.
16. *Kouffar* : impie, mécréant, non-musulman.

le démantèlement d'une cellule de présumés terroristes à Toronto, elle s'en est prise notamment aux imams «formés à l'étranger, payés par l'étranger, pour promouvoir au Québec et au Canada un islam de l'étranger qui n'a aucun rapport avec la réalité et les contextes proprement québécois et proprement canadiens». Et la députée québécoise de conclure : «Tant et aussi longtemps qu'on laissera des gens ici faire des endoctrinements et lancer des messages de haine à l'encontre des autres parce qu'ils sont d'une autre religion, d'une autre culture, d'une autre idéologie ou d'une autre pratique religieuse, nous aurons des problèmes[17].»

Un an auparavant, le 26 mai 2005, Mme Fatima Houda-Pepin gagnait une autre bataille, contre la *charia* cette fois, en faisant adopter à l'unanimité à l'Assemblée nationale la motion suivante : «Que l'Assemblée nationale du Québec s'oppose à l'implantation des tribunaux dits islamiques au Québec et au Canada.»

Dans un communiqué publié le jour même, Mme Houda-Pepin écrivait : «Les membres de la communauté musulmane, dont la présence au Canada remonte à 1871, font des efforts considérables pour s'intégrer, malgré les stigmates et les amalgames dont ils font l'objet, mais ces efforts d'intégration, consentis par des dizaines de milliers de musulmans, sont anéantis par une mouvance islamiste minoritaire mais agissante, qui cherche à imposer son système de valeurs, au nom d'une certaine idée de Dieu[18].»

Quelques jours après, Abou H. tirait à boulets rouges sur la députée dont le tort est de préférer la «loi des hommes» à la *charia*. Même s'il se défend de l'attaquer personnellement,

---

17. Cité par Antoine Robitaille, *Le Devoir*, 8 juin 2006.
18. Communiqué «L'Assemblée nationale adopte une motion sur les tribunaux islamiques», Portail Québec, 26 mai 2005.

il prend soin de rappeler les écrits de la députée, diffuse des extraits d'entrevues qu'elle a accordées à Marie-France Bazzo et Joël Le Bigot sur les ondes de Radio-Canada, puis démolit patiemment un par un son argumentation contre la *charia*, programme politique de la mouvance intégriste et de ses imams autoproclamés. Un prétexte en or pour l'imam de critiquer la société canadienne, ses valeurs et ses lois. Le discours est édifiant, inquiétant même :

> Les musulmans, au Canada ou ailleurs, avant d'être citoyens, ils sont musulmans. Et la loi qui vient d'Allah et du messager est toujours au-dessus des lois qui sont faites par les hommes [...]. Si un pays permet dans ses lois des choses qui sont interdites par Allah ou qui interdit des choses qui ont été permises ou ordonnées par Allah, la règle est que les musulmans doivent se limiter aux lois qui viennent d'Allah et non aux lois de ce pays[19].

Appel à la désobéissance civile ou plutôt au séparatisme vis-à-vis de la société civile? Olivier Roy tranche en faveur de la deuxième option. Il pousse plus loin le raisonnement en trouvant des points communs, sur le fond, entre les discours des salafis, des hassidiques, des Témoins de Jéhovah, ou encore des catholiques traditionalistes ou évangélistes. «Ça fait partie de ce courant de religiosité moderne où l'on place la communauté religieuse en dehors et au-dessus», conclut le chercheur.

«*Le juif Raël*» est un diable

Comme on peut s'en douter, certains fondements de la société canadienne tels les droits de l'homme ainsi que

---

19. «Réfutation d'une musulmane laïque (Fatima Pepin)», discours tenu en juin 2005 par l'imam Abou H.

la Charte des droits et libertés ne trouvent pas davantage grâce à ses yeux. Un paradoxe, sachant que ce sont souvent sur la base de ces mêmes principes démocratiques que des groupes religieux – pas seulement musulmans, doit-on le rappeler –, revendiquent des faveurs particulières et des dérogations. En langage politiquement correct : les fameux accommodements raisonnables qui font couler tellement d'encre depuis quelques mois. Dans son ouvrage *L'Islam ou l'intégrisme* évoqué plus haut, l'imam s'en prend aussi spécifiquement au Québec. Une province qui est devenue comme l'Inde «avec des milliers de religions et de croyances différentes», déplore-t-il, parce qu'elle permet à «n'importe quel fou [...] d'enregistrer sa secte, avoir des subventions, et avoir toute la liberté qu'il désire pour prêcher ses mensonges». Même Claude Vorilhon, alias Raël, subit ses foudres en ces termes : «Le juif Raël n'est qu'un exemple [...]. Ce diable et ses semblables sont protégés par la Déclaration des droits de l'homme "mécréant[20]"!» Le paragraphe suivant débute ainsi : «Celui qui insulte le prophète Mohammad, on le tue, qu'il soit musulman ou non[21].» S'agit-il de son opinion? D'une citation empruntée à un autre auteur? Ce n'est pas clair.

Dans son discours consacré à la «répudiation» de Mme Houda-Pepin, l'imam s'en prend pêle-mêle au «droit d'être homosexuel», à «l'égalité de l'héritage des garçons et des filles contrairement à la loi divine qui donne au garçon le double de la part de la fille», aux lois du divorce qui donnent trop de latitude aux femmes, aux mariages permis entre les femmes musulmanes et des mécréants, à l'âge de la majorité pour les jeunes filles à dix-huit ans et non pas à sa puberté, etc. Puis il monte le ton en s'adressant à la députée : «Je la défie de

---

20. *L'Islam ou l'intégrisme? à la lumière du Qor'an et de la Sounnah*, p. 238.
21. *Idem*.

venir devant les musulmans dans une mosquée pour répéter ses paroles. Aucune femme musulmane ne combat la *charia*, ne fait des choses pareilles. »

D'un même souffle, il dénonce les musulmans modérés qu'il décrit de cette façon : « Une infime minorité ignorante de l'islam qui s'est occidentalisée et qui prend l'Occident et tout ce qui vient des mécréants comme étant supérieur à l'islam. Ils ne représentent pas une majorité de la population. Ce sont des radicaux, des marginaux. » Cet argument mettant le modéré en position d'extrémiste est récurrent dans ses discours. Lorsqu'il en a l'occasion, l'imam salafiste se plaît à répéter à son auditoire que l'extrémiste, dans la religion, peut être aussi celui qui n'en fait pas assez. « Un discours typique du salafiste avec le zèle du converti en prime », tranche Olivier Roy.

Même si la communauté dans son ensemble n'y adhère pas, et qu'à peine 15 % des musulmans fréquenteraient les mosquées, cette vision de la séparation poussée activement par un certain nombre de leaders musulmans québécois demeure inquiétante. La mouvance radicale est bien présente à Montréal et ne se limite pas seulement aux institutions officielles que sont les mosquées. Seule une petite minorité suit ce type de discours extrêmement radical, croit pour sa part Rachad Antonius. Cependant, poursuit-il, il ne faut pas sous-estimer son impact. Cette frange établit une pression constante sur ceux qui ont une lecture plus ouverte de leur religion, en leur faisant croire qu'ils ne sont pas de vrais musulmans. Certains de ces modérés peuvent alors percevoir cette vision radicale comme un idéal, tandis que d'autres vont la rejeter, parce qu'ils la jugeront excessive, mais n'oseront pas se prononcer par crainte d'augmenter l'islamophobie ou les antagonismes.

Rachad Antonius pèse ses mots lorsque je lui demande l'impact de ce genre de discours « à la limite », ses conséquences éventuelles :

> Que ce soit lui ou certains autres à Montréal, ces imams prennent ce qu'ils disent pour la vérité absolue. C'est grave. Cela génère une atmosphère qui permet ensuite que des visions plus radicales et plus violentes se développent. Tant que l'on a affaire à quelques marginaux, la démocratie peut le tolérer. Quand le groupe de sympathisants croît, cela crée un autre niveau de danger.

Un Montréalais d'origine marocaine, qui se rend de temps en temps pour prier dans cette mosquée, relativise l'impact du discours salafi sur la communauté. Pour la plupart des pratiquants, le choix d'une mosquée se fait souvent par convenance, pour des raisons pratiques – de transport par exemple –, pour se retrouver lors de la prière et non parce qu'ils endossent à cent pour cent le discours de l'imam. « Ils ne se sentent pas obligés de prendre ces paroles à la lettre. » Leur attitude est plus le reflet d'une colère conjoncturelle contre les Américains par exemple, d'un rejet de leurs actes en Irak, etc., que l'approbation d'une doctrine ultraorthodoxe, d'un mode de vie, qu'ils jugent difficile à appliquer dans un pays occidental comme le Canada. Le voile, c'est une chose ; la lapidation des femmes adultères sur la place publique en est une autre...

« Retournez dans vos pays »

Assis en tailleur, dos appuyé contre le mur, un livre sur les genoux, l'imam se prépare à livrer, comme chaque samedi soir, son « explication du livre *Al-Ousoul Ath-Thalaathah* de l'imam

Muhammad ibn Abd al-Wahhab[22] ». Face à lui, une quinzaine d'hommes, dont la moitié en djellaba, patientent fébrilement dans le silence le plus total. L'imam lève la tête et m'aperçoit, hésitant, en haut de l'escalier.

— Venez, entrez, asseyez-vous, me lance-t-il avec un large sourire[23].

Le temps de vérifier si son casque-micro est bien relié à son enregistreuse numérique et le voilà parti pour un marathon d'une heure trente autour du thème de la *hijrah*. L'imam lit d'abord en arabe un long passage de l'ouvrage dans lequel l'auteur mentionne qu'il est interdit de quitter un pays musulman pour vivre dans un pays de *kouffars*, excepté pour acquérir des connaissances non étudiées dans son pays, pour un traitement médical, ou bien dans le but de prêcher l'islam et de convertir les non musulmans (*dawah*). Dans ce cas, précise l'orateur, le bienfait est plus grand que le méfait de se mélanger aux mécréants! Mais ces exceptions ont un caractère temporaire. Pas question de s'installer confortablement et encore moins de devenir citoyen de la terre d'accueil, acte qualifié de «grave péché», *fatwa* à l'appui. S'habiller comme ses compatriotes mécréants n'est pas toléré non plus.

Quant au tourisme, c'est un grand danger... L'explication de l'imam est entrecoupée d'anecdotes personnelles, souvent savoureuses et drôles, et de commentaires divers et variés. «Pour devenir immigrant, se désole-t-il, tout l'argent que tu dépenses va dans les coffres des *kouffars* et tu renforces leur économie.» Il se penche aussi sur le sort des jeunes immigrés français de la troisième ou quatrième génération qui ne se

---

22. Al-Wahhab (1703-1792) a donné son nom au wahhabisme, un islam sunnite fondamentaliste et puritain, dont se réclament les salafis. C'est l'islam officiel de l'Arabie Saoudite.
23. L'imam sait que je suis journaliste et connaît le but de ma visite.

sentent ni français, ni algériens ou marocains ou tunisiens. «Pour eux, la seule solution est de revenir à l'islam.»

La fin de son intervention ce jour-là est consacrée au *djihad*. Le mot qui fait peur... Les *djihad* devrait-on dire puisqu'il existe à «treize degrés différents» avec chacun ses règles, rappelle l'imam salafi : «Le *djihad* contre soi-même, contre les ennemis, les hypocrites, les non-croyants, etc.» Dans un numéro de haute voltige intellectuelle, il dénonce les «groupes qui ont dévié» du vrai *djihad*. Les soufistes qui l'ont nié, les modernistes qui l'ont cantonné dans un rôle défensif et à l'opposé «ceux qui disent que le *djihad* est une obligation extrême et que tout est permis». Certainement aiguillonné par la présence d'un journaliste, Abou H., décidément très en verve, se lance alors dans un réquisitoire improvisé au cours duquel il s'en prend à des «groupes de gens», des «anarchistes», qui «mettent des bombes» pour «attaquer les *kouffars*». «Personne ne leur a donné le droit d'attaquer des innocents [...]. Il faut qu'un dirigeant musulman l'ait ordonné. [...] Ces actions-là sont contraires à l'Islam.»

Sur sa lancée, le tribun dénonce les attaques de groupes terroristes qui tuent des «femmes, des enfants et des vieillards» dans des lieux publics en Irak. «C'est *haram*, strictement interdit [...]. Toutefois le *djihad*, quand il est fait dans les règles, [...] il est accepté, il fait partie de l'islam, que ça plaise aux non-musulmans ou que cela ne leur plaise pas.» Quant à «ceux qui s'en vont en plein centre-ville de Tel-Aviv [...] qui se font sauter devant des non-musulmans et même des musulmans, et qui pensent qu'ils sont des martyrs, ils sont dans l'égarement le plus total». Pour appuyer sa démonstration, l'imam rapporte que des *fatwas* ont été émises par des théologiens musulmans décrétant que les auteurs de ces attentats visant des innocents sont des suicidaires qui finissent en enfer et point des martyrs. Fin de l'explication. Silence. L'imam referme son livre puis débranche son système d'enregistrement.

« On a fait un bon bout de chemin aujourd'hui...! » se félicite l'orateur.

Avec malice, il me fait comprendre que je n'ai pas perdu mon temps en assistant à son intervention. Son allusion vise essentiellement sa dénonciation du terrorisme...

La séance est finie. Certains se lèvent et quittent les lieux sans dire un mot. D'autres se plongent dans la prière. L'imam Abou H. est un homme affable, souriant, éloquent, qui accepte de bonne grâce la discussion et la contradiction. Tout un contraste avec la doctrine musclée qu'il enseigne avec abnégation. Hermétique aux critiques, il assume parfaitement son choix du salafisme, ses propos et ses écrits. « La première personne qui m'a enseigné l'islam à Montréal, c'était un salafi, me raconte-t-il. Le salafisme, c'est l'islam que les compagnons du Prophète ont suivi après sa mort. Même dans le christianisme, je ne pouvais pas être autre chose que salafi. La lapidation, par exemple, est souvent citée dans l'Ancien Testament! » Par la suite, poursuit-il, au contact d'autres religions, ce vrai islam a été dévoyé par une succession « d'innovations et de déformations ».

Questionné sur la mauvaise réputation du salafisme dans la société occidentale, il jette le blâme sur des « groupes » au sein de la communauté qui « travaillent » pour accroître cette image négative. « Pourquoi ces musulmans-là agissent-ils ainsi, déforment-ils les choses? La vérité est pourtant claire. On doit se regrouper pour la vérité. » Hormis les Frères musulmans, son autre bête noire est le controversé intellectuel musulman Tariq Ramadan (petit-fils du fondateur des Frères) à qui il a adressé plusieurs missives pour l'affronter sur la question de l'islam[24]. Heureusement, se réjouit Abou H., le salafisme

---

24. Tariq Ramadan était de passage à Montréal le 20 décembre 2006, à l'UQÀM, pour une conférence sur le thème « Le Prophète Muhammad

fait de plus en plus d'adeptes dans le monde, et Montréal n'échapperait pas à cette vague. Selon lui, l'Occident n'est pas visé par la «réforme» salafi et n'a donc rien à craindre. «Ça se passe à l'intérieur de l'islam. Nous voulons faire le ménage dans notre maison.»

Quand je lui fais remarquer que beaucoup de musulmans immigrés rejettent cette doctrine en raison de son aspect réducteur, parce qu'elle stigmatise tous ceux qui ne suivent pas la même voie et, plus préoccupant encore, compromet tous les efforts d'intégration, l'imam se montre cinglant : «S'ils viennent ici pour lécher les pieds et se mettre à quatre pattes pour supplier qu'on les accepte, c'est leur problème! Nous, nous ne voulons pas vivre ici. Nous disons aux musulmans, retournez dans vos pays!»

Que dire de plus... Le choc passé, je suis curieux de savoir quelles sont ses intentions; lui qui n'est pas un immigré mais un Canadien né à Montréal. «Je suis ici pour diffuser la connaissance. Je compte partir moi aussi. Où? Là où je pourrai me rendre. Je ne me suis jamais senti canadien, vous savez. Je ne me suis jamais retrouvé dans les valeurs québécoises et canadiennes.»

Au moment de conclure notre conversation, mon interlocuteur, imperturbable, m'invite à me convertir sans délai à l'islam. Si je venais à mourir avant, prévient-il, je finirais «dans les flammes de l'enfer».

Cette rhétorique de l'inévitable et nécessaire antagonisme entre l'islam et la citoyenneté m'est revenue subitement à l'esprit quelques jours plus tard alors que j'assistais à la conférence de Tariq Ramadan venu à Montréal pour présenter son dernier ouvrage *Muhammad. Vie du Prophète*. Ramadan et

---

et son message : au cœur de l'actualité, pour mieux cerner les enjeux sociaux, politiques et spirituels de notre monde».

son détracteur l'imam Abou H. ont en commun d'être des charmeurs, des magiciens du verbe et des mots. Ceux qui s'en méfient diront aussi qu'ils sont habiles, qu'ils tiennent un discours difficile à décoder, un double langage qui vous file entre les doigts tel un poisson insaisissable. Mais la comparaison s'arrête là.

Devant une salle comble, en majorité des musulmans jeunes, et même des enfants, l'intellectuel suisse a saisi son auditoire lorsqu'il a invité les musulmans canadiens dont la vie quotidienne est faite de tensions et de doutes, à vivre en musulmans dans leur société d'accueil, sans préciser davantage sa pensée, mais en même temps d'en accepter les valeurs, d'assimiler ce que cette société a de bon en elle et... de respecter sa Constitution! L'islam n'est pas un système clos, assure-t-il. Dans un texte publié sur son site Internet, Ramadan revient sur cette identité «hybride» en ces termes : «Il n'y a aucune contradiction à être musulman et belge [...] ou suisse; [...] mon identité rayonne sur ma citoyenneté et l'enracine chaque jour davantage en lui imposant le sérieux, la vigilance et l'honnêteté. »

Il s'en prend aussi à cette «tentation "communautariste" qui tracerait les contours d'un ghetto [...] modèle exactement opposé à la dynamique pour laquelle nous devons nous engager[25] ». À méditer...

Au début de sa conférence, cet orateur qui figure au palmarès dressé par le magazine *Time*[26] des 100 personnalités les plus influentes et élu Européen de l'année 2006 par le magazine *European Voice*, a insisté aussi sur l'importance de ne jamais renier son passé. Un message que Tariq Ramadan

---

25. «Quelle présence musulmane? Identité et citoyenneté», www. tariqramadan.com.
26. 26 avril 2004, vol. 163, n° 17.

destine tout spécialement aux convertis qui se croient obligés, regrette-t-il, de couper tout lien avec leur passé et leur culture. Spirituellement, le cœur n'est plus le même, reconnaît-il, mais «ton passé est ton destin et il faut tout réutiliser [...]. Même les larmes du passé peuvent devenir des sourires pour le futur».

Les secrets de Magdy

De l'autre côté de la rue Jean-Talon, presque en face, dans la minuscule mosquée Errahma, l'imam d'origine égyptienne Magdy Soliman, donne un cours d'islam 101 à deux étudiantes. Deux autres attendent patiemment leur tour. Sa mosquée est en fait un ancien commerce d'une trentaine de mètres carrés situé à l'angle de deux rues. La vitrine est occultée par une grande photo de La Mecque sur laquelle court une guirlande lumineuse donnant à l'ensemble un caractère délicieusement kitsch. On accède à la modeste salle de prière en passant par la porte de service, côté ruelle. Avec son embonpoint et sa barbe grisonnante, ce quinquagénaire souriant projette une image de grand-père débonnaire. Magdy Soliman a dirigé pendant une dizaine d'années à Laval une agence de voyages spécialisée, entre autres, dans les voyages de groupe à La Mecque. Assis derrière son bureau en formica d'un autre âge, il répond avec une bonne volonté évidente à toutes les questions de ses deux visiteuses. Celles-ci notent pieusement ses explications sur les cinq piliers de l'islam, le pèlerinage à La Mecque, les avantages du *hijab* pour les femmes, la *zakat* (don obligatoire fixé à 2,5 % de l'épargne et destiné aux pauvres), etc.

L'imam Soliman a fondé sa mosquée en 1973. Il revendique fièrement son statut de «noyau» de ce nouveau Maghrebtown. Le problème est que son lieu de culte semble attirer beaucoup moins de monde que son tumultueux voisin du trottoir opposé, l'imam Abou H. Magdy Soliman, ne veut pas me dire de quel courant il se réclame. Sauf que les propos sectaires, totalitaires même de son bouillant collègue semblent, à première vue, lui rester en travers de la gorge : «C'est un discours trop réducteur. Il s'auto-exclut en se construisant des barrières en lui. [...] S'il n'est pas content de la vie au Canada, c'est simple, qu'il parte. La chose la plus importante est de vivre en paix et non pas de voir le mal et le mauvais partout.»

N'est-il pas inquiet de constater que ce discours salafi pur et dur trouve autant d'oreilles attentives à Montréal? Sent-il la frustration monter chez certains des fidèles, pour des raisons économiques, humaines ou bien en raison d'événements au Liban, en Palestine ou en Afghanistan? Il fronce les sourcils, puis répond par une pirouette : «Les gens qui viennent ici, dans ma mosquée, parlent de religion avant tout. Ce n'est pas la quantité qui compte. Ici, on ne fait pas du show-business.» Une pique qu'il adresse aussi tout spécialement à Saïd Jaziri, le célèbre imam de la mosquée Al-Qods, rue Bélanger, avec qui il a eu des différends dans le passé. «L'islamophobie dont il parle tout le temps, c'est du vent. Il y a des gens qui sont racistes, et d'autres pas; c'est tout.»

Ses yeux deviennent carrément noirs lorsque je lui parle de la présence d'extrémistes supposés ou confirmés dans la communauté à Montréal. «Vous posez les mêmes questions que la GRC!» réplique-t-il d'abord l'air agacé, avant de se reprendre. Il se dit conscient du problème que représentent ces quelques individus, non représentatifs de la communauté, qu'il compare carrément aux bandes de motards criminels.

Je découvrirai plus tard, au cours de mes recherches, les raisons pour lesquelles Magdy Soliman est monté sur ses grands chevaux : sa mosquée s'est retrouvée, il n'y a pas si longtemps que ça, dans la mire des autorités à cause de la présence remarquée, parmi ses fidèles, de certains Montréalais fichés comme terroristes ou présentant une menace à la sécurité nationale. Ce qui lui a valu d'être interrogé par le SCRS entre autres...

L'un de ses fidèles encombrants a pour nom Abousofian Abdelrazik. Ce citoyen canadien est né au Soudan en 1962, d'où son surnom de «Soudanais». Il a été placé le 21 juillet 2006 par le Département d'État américain sur sa liste des personnes présentant une grave menace pour la sécurité nationale. Le 9 août 2006, l'Union européenne a inscrit son nom sur la liste des personnes et entités liées à Oussama ben Laden, au réseau Al-Qaida et aux talibans auxquelles «s'applique le gel des fonds et des ressources économiques». Au Canada, le SCRS rapporte que des documents judiciaires français qualifient le Soudanais d'important activiste islamiste du *djihad* international proche du Palestinien Abou Zoubeida, l'ancien coordinateur des camps d'Al-Qaida. En plus de fréquenter Ahmed Ressam, Abdelrazik est aussi une connaissance du Marocain Adil Charkaoui, accusé par le Canada d'être un agent dormant d'Al-Qaida. Une relation préoccupante, ont estimé les juges de la Cour fédérale qui se sont penchés sur le dossier de Charkaoui ; assez du moins pour justifier à plusieurs reprises son maintien en détention. Adil Charkaoui aurait reconnu s'être rendu à quelques reprises avec Abdelrazik à la mosquée de Magdy Soliman. Ce dernier m'affirme, lui, ne pas connaître Charkaoui. Selon certains témoignages, Abousofian Abdelrazik a quitté le Canada pour le Soudan, en toute légalité, parce qu'il était harcelé constamment par les agents du SCRS. Ses enfants seraient toutefois restés au Canada[27].

L'autre événement qui a placé Magdy Soliman dans l'embarras remonte à la fin des années 1990. À cette époque, un certain Youssef Mouammar, en fait un Québécois converti du

---

27. Charkaoui (Re) (C.F.). Cour fédérale, juge Noël, Montréal, 2 et 3 juillet 2003 ; Ottawa, 15 juillet 2003.

nom de Joseph B., envoie des lettres de menaces entre autres à une journaliste britannique et au juge antiterroriste français Jean-Louis Bruguière (celui-là même qui a traqué Fateh Kamel et d'autres membres de la présumée cellule islamiste de Montréal). Plus fort encore, en mars 1998 il manque de créer une véritable panique en expédiant aux médias, dont *Le Journal de Montréal*, des lettres signées d'un groupe islamique dans lesquelles il menace de faire sauter une bombe bactériologique dans le métro de Montréal. La GRC et le SPVM qui se lancent à ses trousses ont ri jaune lorsqu'ils ont appris avec stupeur que M. Mouammar, qui se vantait d'avoir rencontré Oussama ben Laden dans les années 1990, était en fait un informateur du SCRS. Une découverte qui allait provoquer une véritable guerre entre la GRC et le SCRS, explique Michel Auger[28], le premier journaliste à avoir révélé la double casquette de Mouammar.

Toujours selon Auger, Mouammar n'a jamais été accusé pour les menaces d'attentat ni «pour ses communiqués pour le moins incendiaires». Cette taupe, qui clamait haut et fort recevoir 7 000 dollars par mois[29] de la caisse du Service de renseignement de sécurité canadien pour se déguiser en pseudo-islamiste et assouvir sa passion pour les machines à sous, était aussi le fondateur de la Fondation internationale musulmane du Canada. Un organisme connu pour avoir envoyé aussi des communiqués vengeurs. Jusqu'à sa radiation en mai 1999 du Registre des entreprises du Québec, cette association était domiciliée rue Jean-Talon Est, à la même adresse que la mosquée de Magdy Soliman. «Youssef, on le surnommait "l'homme à la valise", se souvient Charkaoui. À chaque fois qu'il venait là, ou à Assuna, il avait une valise.» L'imam Magdy

---

28. Michel Auger, *L'Attentat*, Montréal, Trait d'union, 2001, p. 188.
29. André Noël, *La Presse*, 14 décembre 2001.

Soliman est le dernier président et administrateur enregistré de cet organisme aussi étrange que son fondateur avec lequel il dit avoir cessé tout contact et dont il prétend n'avoir plus aucune nouvelle. «Tout ça est du passé, me dit-il. C'est plus tranquille aujourd'hui ici.»

Assuna Annabawiyah, mosquée sous surveillance

Mardi 17 janvier 2006. La campagne électorale fédérale aborde la dernière ligne droite. Plus que six jours avant que les Canadiens soient invités à exercer leur droit de vote. À Montréal, les communautés culturelles sont un vaste et prolifique vivier dans lequel les partis tentent jusqu'au dernier moment de pêcher le plus de votes possible. Les musulmans, avec plus de 100 000 individus recensés à Montréal, font forcément l'objet de toutes les convoitises, donc toutes les attentions. Le même jour, le correspondant montréalais du site Internet Oumma.com – une référence dans l'islam francophone – écrit ceci :

> En plein cœur de Montréal, la mosquée Masjed Essuna Nabawiya (d'une capacité d'accueil évaluée entre 2 500 et 3 000 fidèles) prépare l'événement avec fébrilité. Ce soir, à l'initiative de plusieurs grandes organisations musulmanes (notamment le Forum musulman canadien et le Conseil musulman de Montréal), la plus grande mosquée salafiste de la ville reçoit M. Gilles Duceppe.

Un mois plus tard, alors que la fronde anti-caricatures atteint les rues de la métropole, c'est au tour de la députée de Laurier-Dorion et porte-parole de l'opposition officielle en matière d'immigration et de communautés culturelles, la jeune Elsie Lefebvre, de se rendre à cette même mosquée du quartier Parc-Extension. Une visite qui se déroule dans le cadre des journées portes ouvertes organisées dans une poignée de mosquées montréalaises et lavaloises. Dans un communiqué, la députée salue, à juste titre, «l'initiative de la communauté musulmane d'ouvrir les portes de leurs mosquées afin de poursuivre un dialogue dans un cadre serein et de non-violence».

La veille, lors de la prière du vendredi, l'imam Omar Soufyane, maître des lieux, avait calmé ses ouailles et tenté de les convaincre de ne pas descendre dans la rue. Ce n'est pas en se laissant guider par ses émotions que cela fera avancer la cause du prophète Mahomet, a-t-il martelé[30]. «Ici, cela va nous faire plus de mal que de bien. [...] Nous ne devrions pas ouvrir la voie à ceux qui veulent nous haïr. Ils attendent que nous fassions un pas de travers pour se déchaîner contre nous. Nous devons montrer que nous sommes une communauté organisée, unie.» Il leur suggérait en revanche d'exprimer leur mécontentement en boycottant les produits du Danemark.

La mosquée Assuna Annabawiyah semble être aussi un point de passage obligé pour le Service de police de la Ville de Montréal (SPVM). En avril 2006, dans le bulletin d'information mensuel du service de police montréalais[31], une photo montre six policiers et policières du poste de quartier 33 arborant un large sourire dans la bibliothèque, aux côtés du responsable des lieux, Ali ben Fakha. Cela dans le cadre d'un article consacré au «rapprochement avec les communautés». Voilà pour le côté cour. Côté jardin, en revanche, le portrait serait plus sombre.

En effet, ce n'est pas la première fois que la mosquée en question, installée rue Hutchison, en face de la gare Jean-Talon, fait les manchettes. Non pas pour ses velléités

---

30. Laura-Julie Perreault et Caroline Touzin, «Les caricatures de Mahomet divisent les musulmans d'ici», *La Presse*, 11 février 2006.
31. Bulletin *L'heure juste*, vol. 13, n° 3, 28 avril 2006.

d'ouverture et de mains tendues vers les autres communautés et la société civile en général, mais pour des affaires relevant du terrorisme. Ce qui lui vaut de figurer parmi les lieux placés sous haute surveillance par diverses polices et services de renseignements. Un agent canadien dénonce au passage l'irresponsabilité des partis politiques qui vont parader dans des lieux hautement suspects. « On a vu la même chose avec le mouvement des Tigres de libération de l'Eelam Tamoul, ou TLET [inscrit par les Conservateurs en avril 2006 sur la liste des entités terroristes], dit-il, dépité. Les politiciens, libéraux surtout, ont longtemps été à plat ventre devant eux. Tout ça pour des votes ! »

C'est grâce à la générosité de donateurs locaux, mais surtout de riches bailleurs de fonds du golfe Persique, que cette mosquée a ouvert ses portes en octobre 1993 dans un ancien centre culturel. Bien que sa clientèle algérienne se sente plus proche d'un islam tolérant et pacifiste, ce lieu de culte qui peut accueillir des centaines de fidèles a rapidement opté pour la voie du salafisme[32]. En quelques mois, Assuna serait devenue le lieu de ralliement pour les apprentis djihadistes montréalais. Ces jeunes Maghrébins, des paumés pour la plupart vivant de petits larcins, y rencontrent des personnages clés, des mentors, qui dégagent une aura incontestable en raison de leur passé de combattants. Ces vétérans des maquis algériens ou des montagnes afghanes agissent alors en « facilitateurs ». C'est le cas du Tunisien Abderraouf Hannachi, une grande gueule au talent de conteur, dont le rôle ne se limitait pas à appeler les fidèles à la prière. Si l'on en croit le témoignage d'Ahmed Ressam devant la Southern District Court of New York le 3 juillet 2001, c'est ce personnage qui l'aurait convaincu de

---

32. Jason Burke, *Al-Qaida : la véritable histoire de l'islam radical*, Paris, La Découverte, 2005.

quitter la métropole en mars 1998 pour un petit stage d'environ six mois dans un camp d'Al-Qaida à Khaldan (ou Kalden), en Afghanistan. Hannachi aurait servi de recruteur auprès d'autres habitués de la mosquée, dont Saïd Atmani, Abdellah Ouzghar et Samir Ait Mohamed, membres de ce que l'on a surnommé quelques années plus tard la « cellule islamiste de Montréal ». Le nom de Hannachi apparaît aussi dans un des témoignages de Adil Charkaoui. Quant à Mohamad Walid Salahi (ou Mouhamedou Ould Slahi), qui fut imam à cet endroit à la fin de l'année 1999, il est actuellement détenu à Guantanamo sous le matricule 760. Les autorités américaines l'accusent d'avoir recruté deux des pirates de l'air du 11 septembre 2001 alors qu'il se trouvait en Allemagne.

Enfin, la mosquée Assuna est aussi citée dans un avis de recherche émis par le Département d'État américain concernant le Tunisien Faker Boussora, aussi connu sous le nom de Abou Youssef al-Tunisi. Une récompense de cinq millions de dollars est offerte pour retrouver celui qui est décrit comme un agent formé par Al-Qaida ayant fait part de son intention de devenir un martyr kamikaze. Boussora, apprend-on, est « devenu citoyen canadien en 1999 et il a fréquenté la mosquée El-Sunna [Assuna] à Montréal ». Les Américains le soupçonnent aussi de se déplacer en compagnie d'un autre individu, Abderraouf Jdey, alias Farouk al-Tunisi, recherché lui aussi. Sur sa fiche, on lit qu'il « a été étroitement lié à des agents d'Al-Qaida et impliqué dans la planification de piratages aériens et d'opérations terroristes. Jdey [...] a émigré à Montréal, au Canada, devenant citoyen canadien en 1995. Pendant qu'il se trouvait au Canada, Jdey a fait des études de biologie à l'université de Montréal et fréquenté la mosquée Assuna ».

Aujourd'hui, la mosquée Assuna a-t-elle perdu son statut de lieu de rencontre pour extrémistes ? La réponse est mitigée si l'on en croit plusieurs sources policières et du monde du renseignement que j'ai interrogées. Dans leur jargon, on appelle ça un lieu «sensible» ou «d'intérêt». Même si la situation semble moins préoccupante face à la multiplication des mosquées clandestines, plus difficiles à pénétrer.

Le journaliste d'origine algérienne Mohamed Sifaoui qui s'est rendu à cet endroit à deux reprises au cours de l'été 2006 pour le compte de Radio-Canada[33] y aurait constaté, lui, des choses pour le moins troublantes. L'auteur des ouvrages *Mes frères assassins*, *La France malade de l'islamisme* et plus récemment *L'Affaire des caricatures*[34] dénonce sans relâche les islamistes qui vont jusqu'à tuer, dit-il, pour une «idéologie, non pas une religion». Une croisade qu'il poursuit depuis le 11 février 1996.

Il était 15 h 15 ce jour-là à Alger lorsqu'une voiture piégée a explosé devant son journal *Le Soir d'Algérie*, tuant une trentaine de ses collègues. L'attentat sera revendiqué plus tard par le Groupe islamique armé.

Réfugié en France, ses écrits au vitriol et ses reportages choc font de lui, on s'en doute, un personnage controversé. Ses détracteurs dans la communauté musulmane ne manquent pas de vocabulaire lorsque vient le temps de le décrire comme j'ai pu le constater en parcourant plusieurs forums de discussion islamistes francophones : «Fournisseur officiel de barbus aux chaînes de télévision françaises qui louent ses services comme on loue ceux d'un traiteur pour une soirée d'anniversaire», fabricateur de complots terroristes bidons, mécréant, agent à la solde des services secrets algériens... et pire encore sur

---

33. *Zone Libre enquêtes*, reportage de Jean-François Lépine diffusé le 9 septembre 2006 à la télévision de Radio-Canada.
34. Mohamed Sifaoui, *Mes frères assassins*, Paris, Le Cherche-Midi, 2003 ; *La France malade de l'islamisme*, Paris, Le Cherche-Midi, 2002 ; *L'Affaire des caricatures*, Paris, Privé, 2006.

certains forums de discussion. À Montréal aussi, il est *persona non grata*. Combien de fois ai-je entendu que Sifaoui était un « traître ». Un interlocuteur m'a déjà simulé, avec son pouce, le geste caractéristique du couteau qui tranche la gorge en évoquant son nom...

Mais ce que Mohamed Sifaoui soutient avoir vu et entendu lors de ses deux incursions à la mosquée Assuna n'a rien de rassurant non plus. Le 21 juillet, alors que la guerre fait rage au Liban, l'imam Omar Soufyane, « très en colère, a évoqué la crise au Proche-Orient et a terminé son discours en priant Dieu de tuer tous les ennemis de l'islam jusqu'au dernier », affirme-t-on dans le reportage de Sifaoui. Des propos qualifiés d'irresponsables par Mohamed Sifaoui, compte tenu du contexte. Trois semaines plus tard, c'est un autre discours tenu par un étudiant, remplaçant de l'imam qui attire son attention. Pendant son allocution, Israël est qualifié de « traînée ou de bâtard ». Il incite les jeunes à se mobiliser en leur rappelant que les « premiers musulmans, les premiers compagnons du prophète, avaient une moyenne d'âge de 17 à 18 ans », à prendre part à ce que les islamistes appellent « la guerre sainte », rapporte Sifaoui. L'imam aurait alors lancé cette phrase plus qu'ambiguë : « Vous êtes les munitions de notre communauté[35]. »

Le journaliste n'est pas au bout de ses surprises. Dans la bibliothèque de la mosquée, là même où les policiers du SPVM ont été pris en photo quelques semaines auparavant, il met la main sur un livre controversé et une revue publiée à Londres et prônant la guerre sainte.

Foutaise et mensonge, s'indigne Adil Charkaoui, qui fréquente régulièrement l'endroit. Selon lui, Assuna est victime

---

35. *Zone Libre enquêtes*, reportage de Jean-François Lépine diffusé le 9 septembre 2006 à la télévision de Radio-Canada.

d'une réputation injuste et déclarée coupable par association. Le problème, me dit-il, c'est qu'ils ne se défendent pas.

La première impression qui se dégage lorsqu'on visite Assuna, c'est le gigantisme des lieux. Les portes d'entrée franchies, une fois mes chaussures laissées dans un des nombreux petits casiers en bois prévus à cet effet, je me retrouve au pied d'un escalier monumental donnant accès aux étages supérieurs. Chaque vendredi midi, à l'heure de la prière, ce sont des centaines de personnes qui foulent ces marches. La décoration est réduite à sa plus simple expression, les lumières blafardes éclairent à peine, l'architecture austère rappelle un petit air soviétique des années cinquante. Mais les espaces sont vastes. Assez pour accueillir près de 3 000 personnes par semaine, me dit-on. Rien à voir avec les mosquées presque confidentielles et exiguës que j'ai pu visiter.

L'imam a son petit bureau au premier étage, à côté de son secrétariat. À proximité, une boutique où l'on trouve des livres, des parfums, des stylos et autres babioles. Sur les murs, plusieurs babillards où sont accrochées des dizaines de petites annonces d'emplois, de logements à louer, d'autos et de *laptop* à vendre. Un pèlerinage à La Mecque est aussi proposé au prix de 4 400 dollars. Des prospectus sollicitant des fonds estimés à 2,5 millions de dollars pour l'agrandissement d'un campus islamique en Ontario sont empilés dans une petite boîte en plastique transparente. Des hommes vont et viennent en silence. Certains font leur prière dans le couloir qui mène, entre autres, à l'espace réservé aux femmes. L'imam Omar Soufyane, un Palestinien, ingénieur chimiste de formation, est absent. Le secrétaire, d'origine égyptienne, accepte tout de même d'échanger quelques mots. Debout derrière son bureau tel un professeur, rigide, le bout des doigts nerveusement fixés sur ses quelques papiers, cachant mal son stress face à cette visite inopinée, mon interlocuteur proteste avec véhémence contre les «mensonges» véhiculés sans cesse par les médias au sujet de la mosquée. Ahmed Ressam? Il ne le connaît pas et ne l'a même jamais vu, assure-t-il. «Je travaille ici depuis l'ouverture en 1993. Il y a plein de monde qui vient ici, vous savez, on ne va tout de même pas leur demander leurs papiers d'identité à tous», dit-il. Quant au discours de l'imam appelant au *djihad*, ou à la guerre sainte, en réaction au conflit israélo-libanais, il tient à remettre les pendules à l'heure : «Dans l'islam, le *djihad*, ce n'est pas seulement faire la guerre. Le *djihad*, c'est aussi un combat contre soi-même par exemple, contre tout ce qui nous éloigne de Dieu. C'est penser à faire sa prière le matin, faire le Ramadan, etc.»

«Ici, nous sommes sunni. Sunni, ça veut dire salafi.» Dans sa bibliothèque, là même où M. Sifaoui aurait trouvé de la littérature jugée extrémiste, le responsable des lieux, Ali ben Fakha, exprime sans détour sa colère tout en lissant mécaniquement la pointe de sa longue barbiche grisonnante. Des propos qui vont certainement faire bondir sur leurs sièges cette cohorte de politiciens et policiers qui, il n'y a pas si longtemps, se félicitaient en chœur et le sourire aux lèvres de ces initiatives d'ouverture et de tolérance...

«La fameuse revue, raconte le bibliothécaire, elle date du temps de la guerre contre les Soviétiques en Afghanistan. Je ne sais même pas si elle est encore là ou s'il l'a emportée et qui l'avait placée là.» Il peste aussi contre la députée libérale Houda-Pepin, une «vendue», contre Mohamed Sifaoui qui est venu de France pour monter une histoire de toutes pièces, contre les services secrets algériens qui sont certainement à l'origine de 90% des attentats en France. Persuadé que les gouvernements sont machiavéliques et prêts à tout, il ne croit donc pas non plus une miette du présumé complot démantelé à Toronto en juin 2006. «Des gamins de 13, 14 ans, que voulez-vous qu'ils fassent?» Quant à Ahmed

Ressam, condamné à vingt-deux ans de prison en juillet 2005 à Seattle, il est peut-être déjà «dehors», libre, avance-t-il avec un certain culot... L'explication de toute cette affaire, selon lui, est que son compatriote se serait fait prendre alors qu'il cherchait simplement à entrer aux États-Unis avec de faux papiers comme un banal clandestin. Et, on s'en doute, histoire de demeurer fidèle à la théorie récurrente du complot, il n'y a jamais eu de bombe dans l'auto de Ressam.

Ali sait trop bien ce qu'on dit de sa mosquée. Il sait qu'elle est placée sous très haute surveillance, croit que des taupes envoyées par les services de renseignements se cachent certainement parmi les fidèles, mais il «s'en fout». La pression retombe. Le ton se fait plus calme. «Nous n'avons rien à cacher, assure-t-il. [...] Le Coran peut se lire dans n'importe quelle langue. L'islam est une vérité simple et claire.» Et d'ajouter qu'Assuna n'a pas été financée par l'étranger – sous-entendu l'Arabie Saoudite –, qu'elle est ouverte à tous, reçoit régulièrement des Québécois curieux d'en savoir plus sur l'islam lors de journées portes ouvertes. Rien à voir donc avec une cachette où des supposés terroristes comploteraient en secret derrière des portes closes. Aller sur la place publique pour s'expliquer, démentir les allégations, ne l'intéresse pas non plus. «Tout ça est une perte de temps, lâche-t-il résigné. Si vous répondez, ça ne fait que jeter de l'huile sur le feu.»

«Une mosquée, poursuit-il, c'est une communauté et c'est comme un hôpital. Les gens y vont pour parler, se soigner d'une certaine manière.» Mais le docteur ne peut pas tout voir, ni prévoir, ni déceler le malade prêt à commettre une grosse bêtise... «Personne ne va venir vous voir. C'est intérieur jusqu'au moment où ça éclate comme une bombe [sic]. Les musulmans voient les massacres en Bosnie, en Palestine... Il y a des gens qui ne peuvent pas tenir, prévient-il. L'islam est la vérité et il attire de plus en plus de monde », me lance Youssef, sourire en coin, au moment de me quitter.

Que ce soit à Dar al-Arkam, à Assuna, ou dans d'autres lieux partageant la même idéologie, le discours est au minimum ambigu, inquiétant à la limite parfois, choquant diront certains, parce qu'il suscite des antagonismes intracommunautaires et vis-à-vis de la société canadienne dans son ensemble, comme nous l'avons constaté tout au long de ce chapitre. Mais c'est aussi un mal nécessaire, croit un policier œuvrant dans le domaine de la lutte antiterroriste. Pas seulement pour la liberté d'expression, une valeur qui nous est chère, mais aussi, de façon plus pragmatique, pour prévenir un éparpillement dans la nature des fervents admirateurs de la doctrine salafi. Fermer une mosquée, ou mettre de la « chaleur » (jargon imagé policier) sur l'imam par exemple, équivaut à enrager plus encore la frange radicale. Ces fidèles choisiront alors de s'installer derrière leur clavier d'ordinateur pour naviguer sur la toile islamiste, ou bien de se cacher dans une des multiples mosquées de garage. Et disparaître ainsi pour un temps de l'« écran radar » des services de renseignement. N'oublions jamais que la gestion du risque lorsque l'on parle de sécurité nationale est un éternel défi où les marges de manœuvre sont minces.

CHAPITRE 4

Saïd Jaziri, l'homme qui soufflait sur les braises

« La colère est là. [...]
C'est la révolution des musulmans. »
Imam Saïd Jaziri

Il n'est pas nécessaire d'inciter sans détours à la haine, à la violence et au *djihad* comme le faisait, à une certaine époque l'imam borgne et manchot de la mosquée salafiste de Finsbury Park (en plein cœur de ce qu'on avait appelé le «Londonistan»), Abou Hamza al-Masri[1] pour être considéré comme dangereux.

À Montréal, les autorités ont placé dans leur collimateur au début des années 2000 une figure emblématique de la communauté musulmane, bien connue pour avoir de tout temps dénoncé ouvertement le terrorisme. S'il a acquis une

---

1. Abou Hamza al-Masri a été condamné à sept ans de prison en février 2006 à Londres pour incitation au meurtre et à la haine raciale. Les États-Unis réclament son extradition pour des dossiers reliés au terrorisme. Jusqu'en février 2004, son site Internet shareeah.org était relayé dans le monde entier depuis un serveur situé à Kelowna (Colombie-Britannique).

certaine notoriété, c'est qu'il a toujours répondu présent aux sollicitations des médias, et qu'il a ouvert toutes grandes les portes de sa mosquée afin d'éclairer les néophytes à propos de l'islam lorsque l'actualité l'imposait.

Cela dit, l'imam Saïd Jaziri, puisque c'est de lui qu'il s'agit, est surtout le parfait exemple de ce que peut être un équilibriste du verbe. Cet homme a démontré avec brio des années durant qu'il est facile de jouer sur deux tableaux à la fois, c'est-à-dire inciter ses fidèles à se comporter en bons citoyens et en même temps exacerber par des prises de position douteuses la tension ambiante au lieu de chercher à la tempérer. Et par la même occasion attirer dans ses rangs des individus aux desseins peu louables. Bref, jouer avec le feu au point d'être devenu, aux yeux du Canada, un agitateur à neutraliser au plus vite.

En retirant à cet imam son statut de réfugié et en lui montrant la porte de sortie, les autorités ont non seulement fait tomber l'acrobate de son fil mais indirectement envoyé un message clair à tous les autres leaders charismatiques qui seraient tentés d'emprunter le même sentier.

Dans la grande salle de prière de la mosquée Al-Qods, rue Bélanger, à Montréal, la tension est palpable. Une voix s'élève, puis deux : «*Allahou akbar! Allahou akbar* [Allah est grand, Allah est grand]. Cheikh, nous sommes derrière vous! *Allahou akbar!*» Assis en tailleur sur la moquette, une cinquantaine de fidèles médusés, dont Fateh Kamel, viennent d'entendre leur imam, Saïd Jaziri, déclarer qu'à compter de ce vendredi 15 décembre 2006, il s'enfermera dans la «maison de Dieu» pour éviter son expulsion vers la Tunisie, son pays natal. L'imam malékite[2] annonce aussi qu'il refuse de se rendre à la

---

2. Le malékisme a été fondé par Mâlik ibn Anas, imam de Médine au VIIIᵉ siècle. C'est une des quatre écoles de l'islam sunnite. Elle est surtout très répandue au Maghreb.

convocation qui lui a été adressée par la section Investigation et renvoi de l'Agence des services frontaliers du Canada (ASFC) prévue trois jours plus tard. L'avertissement figurant en bas de la lettre est pourtant clair : « Si vous ne vous présentez pas tel que requis, un mandat d'arrestation pourrait être émis contre vous. »

Emporté par son élan, Saïd Jaziri promet la tenue d'une manifestation prévue comme par hasard le 25 décembre, jour de Noël. Provocation? Assise à ses côtés, sa femme, une Canadienne convertie, jure qu'elle va se battre jusqu'au bout pour sauver son mari. « Le pire est en train de se dessiner ; c'est la mort qu'on lui offre, rien d'autre », annonce-t-elle avec solennité. Au milieu de l'assistance, le correspondant des chaînes satellitaires arabes Al-Jazira et Al-Alam (Iran) immortalise cette scène qui sera éventuellement diffusée dans les heures qui suivent sur les écrans de télévision de dizaines de millions de musulmans du monde entier.

Auparavant, lors d'une allocution d'une trentaine de minutes, Saïd Jaziri a tenté de démontrer, documents officiels à l'appui, comment les autorités canadiennes auraient magouillé depuis mai 2005 pour révoquer son statut de réfugié. L'imam énumère le contenu de plusieurs documents officiels au contenu troublant qu'il a obtenus en vertu de la Loi de la protection des renseignements privés. Dans le lot, un courriel échangé entre deux fonctionnaires de Citoyenneté et Immigration Canada (CIC) le 21 juillet 2005 où une certaine D.C. écrit :

> Alors voilà, la demande en annulation est entamée. Il suivra une audience et aussi beaucoup de temps avant la décision. Mais au moins l'agent d'audience fut très efficace et n'a pas perdu de temps [...]. J'ai l'impression que l'effet des procédures sera comme une bombe pour le client.

Une autre missive évoque le fait qu'après consultation des « unités de renseignement et crimes de guerre [...] il y a matière pour annuler la citoyenneté » de Jaziri ; un cas à « prioriser ».

Une coordonnatrice de CIC demande, elle, de l'aide pour « cibler les documents sensibles et protéger nos enquêtes et celles de la GRC si tout n'est pas terminé ».

Puis, Jaziri brandit une feuille blanche (estampillée de la loi d'accès et provenant de son dossier d'immigration) sur laquelle un inconnu a écrit en date du 25 octobre 2005 : « *Kick him out of the country like all others* », que l'on peut traduire trivialement par « Foutez-le dehors comme tous les autres ! » Un grondement de protestation parcourt l'assistance comme une forte houle. Un homme se lève, quitte la salle en protestant à haute voix, avec vigueur, contre l'injustice et les préjugés dont est victime ce chef religieux qui suscite une admiration sans faille chez ses fidèles. Ils l'apprécient, disent-ils, pour son « franc-parler », son « discours résolument non sectaire » et intégrationniste. Les autres imams montréalais, « toujours du côté du gouvernement », sont en revanche blâmés pour leur silence et la jalousie qu'ils ressentiraient envers Saïd Jaziri.

Mais qu'on ne s'y trompe pas, cette mise en scène théâtrale et mélodramatique n'est ni plus ni moins qu'un bluff, une supercherie médiatique. Une de plus à l'actif de ce personnage incontournable de la communauté musulmane québécoise au sein de laquelle il compte de nombreux détracteurs. Saïd Jaziri, tel un gourou, pour mieux régner, aime agiter des épouvantails imaginaires, semer avec brio le doute, la colère et la rancœur dans l'esprit de ceux qui lui vouent une admiration sans faille. Mais l'imam Jaziri demeure une énigme. Est-ce un clown maladroit qui a le don de se prendre les pieds dans les tapis, une forte tête qui cherche seulement à sauver sa peau, ou bien un agitateur ? Certainement un peu des trois à la fois.

Alors, faisant fi de sa promesse faite devant ses ouailles, Saïd Jaziri se serait tout de même présenté en catimini trois jours plus tard, lundi 18 décembre, au deuxième étage du 1010, rue Saint-Antoine Ouest, dans les bureaux de l'ASFC. Devant des fonctionnaires qui en ont vu d'autres, Jaziri laisse tomber son costume de comédien et se montre coopératif. Là, comme le veut la procédure, il apprend qu'il doit se procurer dans les plus brefs délais un passeport auprès du consulat de Tunisie, son pays d'origine, afin de pouvoir embarquer dans l'avion le jour J. Ensuite, il retourne se réfugier dans sa mosquée, comptant bien sur le fait que jamais les policiers n'oseraient violer un lieu de culte pour l'interpeller.

Dans les premiers jours de janvier 2007 (au moment d'écrire ces lignes), des âmes charitables venaient encore quotidiennement lui apporter de quoi se sustenter[3]. À moins d'un revirement de dernière minute – qu'il prouve, par exemple, qu'il risque les pires sévices en Tunisie –, le compte à rebours avant l'expulsion de l'imam Jaziri semble commencé.

Peut-être ne procédera-t-il jamais à la première pelletée de terre de la future cité musulmane de huit hectares qu'il m'avait confié vouloir bâtir à Saint-Eustache, au nord-ouest de la métropole… Un projet mégalomaniaque comprenant une mosquée et 400 maisons qu'il affirme être capable de bâtir à ses frais. Ceux qui viendraient y résider rembourseraient leur maison à leur guise en fonction de leurs moyens grâce à des prêts sans intérêt.

---

3. À la mi-janvier, il a toutefois fait une nouvelle apparition à la chaîne de télévision TVA dans le cadre d'un débat sur le racisme et les accommodements raisonnables.

Du grabuge en France

Né en mai 1967 dans le village de La Marsa en Tunisie, Saïd Jaziri pose le pied pour la première fois sur le sol canadien le 27 février 1997, après un court séjour à Londres. À peine est-il descendu de l'avion à l'aéroport de Mirabel qu'il sollicite une demande d'asile. Jaziri a dans ses poches l'équivalent de 1 700 dollars canadiens pour commencer une nouvelle vie. Il a aussi fait son périple muni d'un faux passeport et d'une fausse carte d'identité français qu'il déclare avoir achetés dans un bistrot à Lyon (France) au prix d'environ 900 dollars canadiens. Voyager avec des faux papiers est une pratique courante chez les réfugiés. Il est en effet admis que beaucoup d'entre eux doivent user de ce stratagème pour quitter leur pays. Selon ses dires, il a été condamné le 12 décembre 1991 par contumace à une peine de trois ans de prison dans son pays natal pour appartenance à une organisation illégale et distribution de tracts. Après un interrogatoire de quatre heures dans le bureau de l'immigration, une prise de ses empreintes, Jaziri est libre comme l'air et laisse derrière lui un parcours sinueux et semé de mystères. Son dossier est transmis à la Commission de l'immigration et du statut de réfugié (CISR).

1988. C'est un jeune et brillant étudiant en licence de mathématique qui quitte son pays natal pour s'installer de l'autre côté de la Méditerranée, à Nice, dans le sud de la France. Grâce à ses connaissances du Coran et de l'histoire de l'islam acquises depuis l'âge de onze ans, il devient alors l'imam d'une mosquée clandestine camouflée dans l'annexe d'un foyer pour immigrés. Faute de place, les fidèles sont rapidement obligés d'investir la rue pour faire leur prière. Une présence qui ne plaît ni aux voisins ni aux élus locaux dans une région où l'extrême droite est solidement ancrée. En juillet 1993, à la suite de troubles répétés au sein même de la communauté, le préfet

nice-matin

LE PREMIER QUOTIDIEN D'INFORMATIONS DU SUD-EST ET DE LA CORSE

SIÈGE SOCIAL : 214, route de Grenoble - 06290 NICE CEDEX 3 - Tél. 93.18.28.38

UÉS DANS LE VERDON

e rescapé
r plainte

la couverture de survie prescrivait. notamment son
que c'est le revêtement métallique (en aluminium)
trois amis, a capté la foudre meurtrière. La paro-
► **Page 16, l'article de Christian DAURES**

NICE

Huit mois de prison ferme pour un imam

Le tribunal correctionnel de Nice a décidé de placer sous mandat de dépôt Saïd Jaziri, ce chef religieux musulman de 28 ans, exerçant à Nice, pour complicité de coups et blessures volontaires. et dégradations de biens appartenant à autrui. « Il faut respecter les lois du pays qui accueille qu'elles que soient ses convictions religieuses » a argumenté le président de cette juridiction pénale.

► **Page 10**

Leçon de droit
pour un imam à Nice

Le jeune chef religieux musulman a été condamné à huit mois de prison ferme pour complicité de coups et blessures volontaires et dégradations.

« Ce que je vais vous dire est aussi valable pour un Français qui va à l'étranger : quand on a la chance d'être accueilli dans un pays, on doit respecter ses lois, qu'elles que soient ses convictions religieuses. »

Le président du tribunal correctionnel de Nice, M. Jean Pierre Ferry s'adressait ainsi heir à Saïd Jaziri, 28 ans, un jeune et brillant étudiant en licence de mathématiques, considéré, grâce à l'étendue de ses connaissances coraniques, comme imam, à Nice, du côté du foyer Sonacotra, de la route de Levens.

Cet intégriste convaincu, qui comparaissait pour violences volontaires et dégradations de biens appartenant à autrui, faisait opposition d'un jugement, en date du 6 janvier 1994 par lequel il avait été condamné, par défaut, à 18 mois de prison ferme avec délivrance d'un mandat d'arrêt à son encontre.

Arrêté en juin dernier, à la faculté Valrose où il allait retirer son dossier universitaire, l'imam était placé en détention.

Les faits qui lui étaient reprochés sont simples. En juillet 1993, à la suite de troubles existants au sein de la communauté musulmane de la route de Levens, le préfet des Alpes-Maritimes décidait de procéder à la fermeture d'une salle de prières située dans une annexe du foyer. Cette décision était mal ressentie par Jaziri et ses quelques fidèles.

Le jeune chef religieux désignait alors du doigt un musulman, non pratiquant, comme responsable de cette décision préfectorale. M. Mohamed G. était alors roué de coups par une dizaine de personnes. En second lieu, le même Jaziri se rendait, à la suite d'une sombre histoire de disparition d'une antenne parabolique, lui permettant de suivre les actualités du Maghreb, dans le bureau de la directrice de ce foyer pour taper du poing sur la table et casser, par la même occasion, un ordinateur.

« Je n'ai reçu aucune pression, mais je veux oublier cette affaire. Je retire donc ma plainte. Je ne connais pas cet imam qui ne m'a jamais frappé. Je l'ai vu faire des prières, c'est tout » a expliqué hier au tribunal, émue, la victime, pourtant jadis copieusement rossée.

«Jaziri est l'instigateur de ces violences. La victime, qui n'est pas elle intégriste, a

du subir des pressions. Il y a d'ailleurs dans la salle un comité d'accueil. En ce qui concerne les dégradations, elles sont établies. Je demande la confirmation des 18 mois de prison à assortir en partie d'un sursis avec mise à l'épreuve», requérait M. Jean Claude Gravereau, le représentant du ministère public.

Mᵉ Norbert Dornier, à la défense de l'imam, décidait de répondre immédiatement sur un point : « il n'y a pas dans la salle de comité d'accueil Il s'agit juste des membres de la famille de mon client». L'avocat rentrait ensuite dans le vif du sujet: «attention à l'amalgame! Cet imam n'est pas un membre du FIS ou du GIA. C'est un religieux qui sait lire et commenter le Coran en prônant tolérance et paix. Mon client est prêt à retourner le plus vite possible dans son pays, la Tunisie. Il a déjà son billet d'avion ».

L'imam niçois attendra quelques temps pour retourner dans son pays. Le temps pour lui de prendre conscience de la leçon, républicaine, de droit, donnée hier par le tribunal qui, après en avoir délibéré, a décidé de requalifier les faits de violences volontaires en complicité de coups et blessures volontaires et de le condamner à huit mois de prison ferme.

Jean-Michel LAURENCE

Le 8 août 1995, l'imam Saïd Jaziri fait la une du quotidien Nice-Matin *à la suite de sa condamnation. (Collection de l'auteur.)*

du département des Alpes-Maritimes décrète la fermeture de la salle de prière. Comme le relate la presse locale[4], Saïd Jaziri, furieux, mandate alors une dizaine de fiers-à-bras pour donner une raclée à un certain Mohamed G., musulman non pratiquant, qu'il estime responsable de ses avatars. Un peu plus tard, il se rend dans le bureau de la directrice du foyer à la suite de la disparition d'une antenne parabolique lui permettant de suivre les actualités du Maghreb. Dans un geste de colère, il tape du poing sur la table. Tellement fort qu'un ordinateur est brisé...

Trois mois plus tard, son titre de séjour n'est pas renouvelé. En prime, un arrêté de reconduite à la frontière est émis à son encontre. Dès lors, Saïd Jaziri se retrouve en situation irrégulière en France.

Saïd Jaziri est condamné le 6 janvier 1994 par contumace à 18 mois de prison ferme pour «violences volontaires et dégradations». Un mandat d'arrêt est aussi délivré à son encontre. Arrêté à Nice le 29 mars suivant, Jaziri est expulsé dès le lendemain par bateau vers la Tunisie où il affirme avoir été emprisonné durant neuf jours et torturé. Il réussit toutefois à remettre les pieds sur le sol français au mois de mai. Comment s'est-il échappé des geôles tunisiennes? En promettant de collaborer avec les services de sécurité locaux, m'affirme-t-il lorsque je m'évertue à rassembler les pièces de ce puzzle complexe. Ces histoires de torture ne sont que pures inventions, soutiennent quant à eux les officiels tunisiens dans une lettre adressée au gouvernement canadien[5].

La suite des aventures de Jaziri est encore une fois un vrai méli-mélo. Une seule certitude : il est arrêté en juin 1995 par les policiers niçois alors qu'il se trouve dans les locaux

---

4. Jean-Michel Laurence, «Leçon de droit pour un imam à Nice», *Nice-Matin*, 8 août 1995.
5. Marco Fortier, «Un imam se barricade dans une mosquée pour éviter l'expulsion», *Le Journal de Montréal*, 25 octobre 2005.

de la Faculté des sciences Valrose pour y retirer son dossier universitaire. L'imam est placé en détention; il décide de faire appel du jugement rendu en son absence. Son procès a lieu le 8 août au tribunal correctionnel de Nice. Bien que la victime du tabassage en règle ait décidé de retirer sa plainte, le procureur de la République (équivalent de la Couronne au Canada) se montre cinglant face à Saïd Jaziri, dépeint comme un «intégriste convaincu»:

> Jaziri est l'instigateur de ces violences. La victime, qui n'est pas, elle, intégriste, a dû subir des pressions. Il y a d'ailleurs dans la salle un comité d'accueil. En ce qui concerne les dégradations, elles sont établies. Je demande la confirmation des 18 mois de prison à assortir en partie d'un sursis avec mise à l'épreuve[6].

Réplique de Me Norbert Dormier, avocat de la défense:

> Attention à l'amalgame! Cet imam n'est pas un membre du FIS ou du GIA[7]. C'est un religieux qui sait lire et commenter le Coran en prônant tolérance et paix. Mon client est prêt à retourner le plus vite possible dans son pays, la Tunisie. Il a déjà son billet d'avion[8].

Très intéressant! Le fait qu'il ait déclaré à l'époque, par la bouche de son avocat, vouloir se rendre «le plus vite possible» en Tunisie est une information capitale qui vient contredire tout l'argumentaire développé ensuite par Jaziri pour éviter son expulsion du Canada. S'il avait été torturé lors de son

---

6. Jean-Michel Laurence, «Leçon de droit pour un imam à Nice», *Nice-Matin*, 8 août 1995.

7. Le Front islamique du salut (FIS), le plus important parti islamique d'Algérie, avait obtenu la victoire au premier tour des élections législatives en Algérie en 1991. Mais le gouvernement a annulé le scrutin et le FIS a été interdit. Certains de ses membres sont alors entrés dans la clandestinité pour créer le Groupe islamique armé (GIA).

8. Jean-Michel Laurence, *op. cit.*

bref passage en Tunisie en 1994 comme il l'affirme haut et fort depuis, comment expliquer cet empressement à vouloir y retourner au risque de passer à nouveau un sale moment entre les mains des mêmes bourreaux ?

Après délibération, Jean-Pierre Ferry, le président du tribunal correctionnel de Nice, transforme l'accusation initiale de «violences volontaires et dégradations» en «complicité de coups et blessures volontaires et dégradations». Lors du prononcé du verdict qui le condamne à huit mois de prison ferme, le juge Ferry en profite pour sermonner le jeune imam de 28 ans :

> Ce que je vais vous dire est aussi valable pour un Français qui va à l'étranger : quand on a la chance d'être accueilli dans un pays, on doit respecter ses lois, qu'elles que soient ses convictions religieuses.

Un discours prémonitoire. Il sortira en fait le 18 décembre par le jeu des libérations conditionnelles après un séjour dans les prisons de Nice puis aux Baumettes, à Marseille. Déjà à l'époque, il semble que Saïd Jaziri intéressait les services de renseignements. Selon ses dires, un certain D., policier français de la Direction de la surveillance du territoire (DST) serait venu le rencontrer dans sa cellule, notamment pour lui soutirer des renseignements sur un groupe d'Algériens qui fréquentaient sa mosquée et que les agents français cherchaient à «coincer». Une collaboration troquée contre des papiers en règle, soutient l'imam montréalais. Vrai ou pas, toujours est-il qu'il obtient le 13 février 1996, à peine sorti de prison, une autorisation provisoire de séjour signée par le «Chef de bureau de l'Admission des étrangers au séjour» et valide jusqu'au 12 mai 1996 «date à laquelle il devra avoir quitté le territoire français».

Selon ce que Saïd Jaziri a mentionné dans une déclaration écrite (figurant dans son dossier d'immigration), une seconde autorisation provisoire expirant en août 1996 lui aurait été accordée par les Français. C'est parce qu'il craignait d'être renvoyé contre sa volonté en Tunisie, mentionne-t-il alors, qu'il s'enfuit de la France pour la Belgique en septembre 1996 grâce à un faux passeport français.

Un prêcheur vraiment très convaincant

Quelques mois plus tard, en février 1997, l'imam entame une nouvelle vie à Montréal. Il obtient rapidement son statut de réfugié (mai 1998) puis devient résident permanent en 1999. Jamais, toutefois, il ne mentionne ses démêlés avec la justice française. Beau parleur mais surtout fonceur et combatif, l'imam se met en quête d'un local pouvant accueillir sa future mosquée.

En 2000, il jette son dévolu sur un immeuble de trois étages au coin des rues Bélanger et Iberville. La bâtisse construite dans les années quarante, d'une superficie de 440 mètres carrés, occupée alors par un commerce de traiteur avec salle de réception, un bowling et un club, est à vendre pour la somme rondelette d'environ 550 000 dollars. Au fou, crient les autres imams, convaincus que leur collègue tunisien court à la catastrophe. Lui, imperturbable, convainc les vendeurs de lui faire crédit de 450 000 dollars et ouvre, sous couvert de l'Association coranique de Montréal, les portes de la nouvelle mosquée Al-Qods. Il se vante d'avoir réussi le tour de force de récolter près de 700 000 dollars en trois ans, grâce à des «prêches convaincants», pour payer la mosquée rubis sur l'ongle. Convaincants, certainement, car recueillir une telle somme auprès d'une communauté qui ne roule pas sur l'or relève *a priori* de la mission impossible. Pour stimuler la générosité de ses troupes, l'imam a aussi affiché chaque semaine sur les vitres de sa mosquée la somme qu'il lui restait

à amasser. « Et dire que tout le monde était contre cet achat »,
se souvient l'imam qui se repose aujourd'hui sur un patrimoine
estimé, selon le dernier rôle d'évaluation foncière de la Ville
de Montréal, à 934 000 dollars[9].

En juillet 2002, il se met à dos ses coreligionnaires, en
particulier les bouchers, en créant l'Organisation islamique
du contrôle de la viande *halal*[10] (OICVH). Jaziri voulait être
l'unique certificateur de la viande *halal* moyennant une
redevance de 50 cents par livre. Avec une consommation
moyenne de 30 kilos de viande par personne et par an, les
bouchers ont rapidement fait leur calcul. Avec effroi, l'un
d'entre eux, installé près du marché Jean-Talon, se voyait déjà
faire un chèque de 140 000 dollars par an ! Pas question de
dépenser une telle somme et encore moins de la laisser filer
entre les mains de « cette institution qui s'était autoproclamée
gardienne des institutions[11] ».

Les frondeurs ripostent en créant l'Association musulmane
des commerces de viande *halal* (AMCVH). L'OICVH est
rangée au fond d'un tiroir[12]. « Pour monter cette opération,
analyse quatre ans plus tard Saïd Jaziri, il faut avoir le pouvoir
religieux, matériel et le courage. Je réunissais ces trois
conditions. Tous les imams m'ont dit : "Il faut arrêter ça" !
Moi, je les ai prévenus que si je ne prenais pas le contrôle
de la viande *halal*, les IGA, Loblaws et cie s'en chargeraient
[…]. C'était pourtant une excellente rentrée d'argent. Avec
50 cents du kilo, tu peux ramasser des millions et créer des

---

9. http://evalweb.cum.qc.ca
10. La viande *halal* provient d'animaux abattus selon le rite islamique.
11. Mustapha Chelfi, « Label *halal* », *Alfa*, octobre 2006.
12. L'OICVH existait toujours légalement en décembre 2006 selon les
    renseignements figurant dans le registre des entreprises du Québec.
    Les trois administrateurs sont Saïd Jaziri, Audrey Bideau, son
    ex-épouse, et Hedi Abdelkefi.

écoles, par exemple. Aujourd'hui, tout le monde attend la donation (ou *zakat*, l'aumône, le cinquième pilier de l'islam). Il n'y a aucun projet de développement des mosquées digne de ce nom. La communauté a raté une affaire en or.» Ses détracteurs n'en démordent pas. Ils demeurent intimement persuadés qu'il s'agissait ni plus ni moins d'un *racket* sous couvert d'hypothétiques projets communautaires.

En plus de se fâcher avec ses «frères», Jaziri est persuadé que c'est l'épisode de la viande *halal* qui l'a placé sous les projecteurs des autorités et en particulier des services de renseignements. «Des gens ont raconté que cet argent était destiné à Ben Laden!» se souvient-il en riant. Une boutade pas si farfelue qu'il y paraît. Dans plusieurs pays, en Europe notamment, les policiers chargés de la lutte contre le terrorisme enquêtent sur le financement d'activités terroristes par le biais du lucratif commerce de la viande *halal*, ou encore par le détournement de la *zakat* ou l'*hawallah* (système informel de transfert de fonds). Mais suivre la trace de cet argent, qui circule souvent en liquide comme dans les réseaux de trafics de stupéfiants, est un vrai défi. À plusieurs reprises lors de nos rencontres, l'imam s'est dit convaincu que sa mosquée est surveillée par des caméras, infiltrée par des «espions», et que son téléphone est sur écoute.

Ses allégations n'ont rien de paranoïaque. Certains commerçants et propriétaires situés aux alentours immédiats de sa mosquée ont reçu dans le passé la visite d'agents du gouvernement, du SCRS et de la GRC qui étaient à la recherche d'un point d'observation... Une surveillance plus ou moins discrète, menée à partir de voitures notamment, a aussi été remarquée à plusieurs reprises. Définir avec exactitude la période où toute cette opération de filature et de renseignement s'est mise en branle est ardu, mais il est vraisemblable qu'elle a au moins coïncidé avec la décision du gouvernement fédéral d'ouvrir une enquête sur son passé, soit en 2005.

Autre facteur qui a contribué à placer Jaziri sur l'écran radar des services chargés de la sécurité nationale : Fateh Kamel et Adil Charkaoui, deux personnages liés par ces mêmes services à un moment ou à un autre à la mouvance terroriste, sont des habitués des lieux.

Mais, si filmer les allées et venues devant la porte d'entrée de la mosquée est une chose – qui plus est autorisée, car il s'agit d'un espace public –, pénétrer dans le bâtiment afin d'écouter ce qui s'y dit ou de découvrir ce qui se tramerait éventuellement n'est pas une mince affaire. Avant d'infiltrer un lieu de culte ou d'utiliser des taupes recrutées au sein de la communauté, les enquêteurs de la GRC autant que ceux du SCRS doivent en effet obtenir une autorisation de leur hiérarchie. Un lourd processus d'approbation mis en place pour éviter tout scandale à connotation islamophobe ou lié à du profilage racial.

Dans le cadre de cette enquête des services canadiens, revenons à 2002. Cette année-là, Saïd Jaziri est l'objet d'une fiche Interpol qui porte en référence les initiales d'une unité de la police judiciaire française, la Division nationale pour la répression des atteintes aux personnes et aux biens (DNRAPB). Deux des tâches confiées à ces policiers sont la lutte contre le trafic national et international des véhicules volés, et le «démantèlement des officines de fabrication de faux documents administratifs». Dans cette note, les policiers français récapitulent les tribulations judiciaires du jeune imam alors qu'il séjournait dans la région de Nice ainsi que son expulsion vers la Tunisie à la suite de sa condamnation. Pourtant, le 30 décembre 2002, la GRC d'Ottawa, correspondant local d'Interpol, envoie une note au gestionnaire du bureau montréalais de Citoyenneté et Immigration Canada (CIC) dans laquelle il est mentionné :

> La vérification reçue des autorités policières à l'extérieur du pays indique :
> < Aucun dossier judiciaire >
> < Dossier judiciaire ci-joint >

Étrange à première vue, direz-vous, puisque Jaziri a bien été condamné dans le passé comme évoqué plus haut. Le ministère fédéral avait décidé d'ouvrir une enquête sur son cas en vue d'une éventuelle annulation de son statut de réfugié justement parce qu'il avait appris que l'homme avait caché ses démêlés judiciaires en France. Cette information sur ses antécédents criminels français était parvenue aux oreilles du Bureau de l'immigration dans la foulée d'un dossier de demande de citoyenneté déposé par Saïd Jaziri en 2001. En effet, chaque demande de citoyenneté engendre systématiquement l'ouverture de trois enquêtes : une du ministère de l'Immigration, une de sécurité par le SCRS et une de criminalité, par la GRC. C'est dans ce cadre que, selon toutes vraisemblances, Interpol Paris a émis en 2002 la fiche sur Jaziri évoquée précédemment. La police belge avait aussi été sollicitée étant donné que l'imam Jaziri y a résidé entre septembre 1996, après son départ précipité de France, et février 1997, son envol pour le Canada via Londres.

Ainsi, cette procédure sera classée sans suite le 29 juillet 2004. Cela mérite quelques explications. Dans le dossier Jaziri, il était impératif de comparer les empreintes digitales prises en France lors de son arrestation et celles prélevées lors de son arrivée à l'aéroport de Mirabel. Or, les Français sont réputés peu coopératifs lorsqu'il s'agit d'un dossier d'immigration. La fiche d'Interpol ne contenant pas les empreintes digitales du sujet, il était dès lors impossible d'établir une preuve formelle de son identité. Frustrés de ne pouvoir obtenir des autorités françaises cette preuve «hors de tout doute raisonnable» que le Saïd Jaziri imam à Montréal est bel et bien le même individu qui avait été condamné et emprisonné à Nice, les fonctionnaires canadiens, qui ont sur leur bureau des dizaines d'autres cas semblables à traiter, sont obligés de clore le dossier (il faut savoir qu'une fiche Interpol seule, sans les empreintes digitales du sujet, a la même valeur juridique devant un tribunal qu'un article de journal : nulle!) À contrecœur puisqu'ils ont l'intime conviction que Jaziri leur a menti. En bas de la «grille de suivi» du volumineux dossier d'annulation, un agent écrit à la main la mention suivante :

> Preuve insuffisante. Provient des autorités tunisiennes et il y a possibilité de contestation de fiabilité des infos. Degré de preuve insuffisant pour dossier *prima facie*.

Cette remarque fait référence à une note diplomatique des autorités tunisiennes, datée de février 2004, et stipulant que Saïd Jaziri n'avait aucun antécédent judiciaire dans son pays de naissance.

Un projet pharaonique en plein centre-ville

La tempête de la viande *halal* passée, l'imam Jaziri retombe dans l'anonymat le plus complet... jusqu'à l'automne 2005 où il est projeté sous les feux de la rampe. Le 23 septembre, lors d'une conférence de presse, il dévoile son nouveau cheval de bataille; une vraie bombe. Il souhaite ériger une grande mosquée digne des plus beaux monuments religieux d'Arabie Saoudite en plein centre-ville de Montréal. Jaziri se montre ferme : «C'est le centre-ville ou rien!» Cette grande mosquée est un projet pharaonique dont la facture s'élèverait à au moins 20 millions de dollars et pour lequel l'imam soutient avoir reçu l'appui financier de riches donateurs d'Arabie Saoudite, des Émirats arabes unis et du Koweït. Des bailleurs de fonds qui auraient posé comme condition que les gouvernements canadien et québécois ainsi que la Ville de Montréal donnent leur aval.

Ce complexe islamique, le plus grand du Canada, pouvant accueillir jusqu'à 3 000 fidèles, équipé d'une salle de conférences, serait ouvert à tous afin de briser les préjugés envers cette religion malmenée depuis les attentats de septembre 2001. L'imam voit déjà sa « merveille » alliant l'architecture musulmane traditionnelle au « design moderne ». Il est vrai que les édifices religieux de la communauté musulmane montréalaise font pitié à voir et ne reflètent en rien les richesses culturelles de la civilisation qui fut son berceau.

Sûr de son fait, Jaziri demande à la ville de lui céder gratuitement un terrain et aux gouvernements québécois et canadien de lui faire un chèque équivalent à la valeur de ce même terrain. Lors de son allocution du 23 septembre 2005, on sent déjà poindre les prémices du chantage à l'islamophobie : « Un non de la part de la Ville sera[it] un avortement de ce beau rêve. [...] Un non sera[it] basé malheureusement sur des préjugés », affirme alors Saïd Jaziri.

C'est le faux pas de trop. Une fois encore, la contre-attaque provient de l'intérieur de la communauté. C'est à ce moment qu'entre en scène l'énigmatique Salam Elmenyawi, président d'un organisme répondant au nom pompeux de Conseil musulman de Montréal. Cet ardent promoteur de l'implantation des tribunaux islamiques au Québec exprime toutefois clairement son désaccord : « Il est inacceptable de demander de céder des terrains publics et du financement provenant des taxes des contribuables pour financer une mosquée. »

Presque un mois plus tard, vers la fin d'octobre, Jaziri fait à nouveau courir les médias. Entouré de supporters, il se barricade pendant quelques jours dans sa mosquée, en guise de protestation contre la décision des commissaires à l'immigration de remettre en cause son statut de réfugié. Le chat sort du sac : les autorités révèlent au grand jour les omissions de l'imam selon lesquelles il n'aurait pas déclaré lors de son arrivée au Canada son passé agité en France. Jaziri proteste avec véhémence contre cette menace d'expulsion, allègue qu'il est victime d'une chasse aux sorcières qui cible les musulmans depuis les attentats de septembre 2001 et de la paranoïa des autorités canadiennes[13]. Pour lui, il est clair qu'il y a un lien entre l'annonce du projet de grande mosquée et la réouverture de son dossier par Ottawa. «Je suis devenu un danger.»

En fait, à la lumière des documents officiels consultés, il est flagrant que Citoyenneté et Immigration Canada travaillait déjà à nouveau dès le printemps précédent sur une possible révocation du statut de réfugié de Jaziri, alors que sa demande de citoyenneté progressait favorablement en parallèle! Une course contre la montre s'engage. Les fonctionnaires doivent agir vite avant que l'imam médiatique qui leur donne tant de fil à retordre devienne citoyen, sinon il sera trop tard. Dans les bureaux du ministère, le sentiment d'urgence est palpable. La teneur des courriels échangés entre trois fonctionnaires au petit matin du 28 juin 2005 est éloquente :

8 h 14 : Bonjour D. Allez-vous différer votre décision sur la demande de citoyenneté jusqu'à ce qu'une décision soit prise sur sa résidence permanente?

8 h 39 : Je vais retenir le dossier, mais jusqu'à une certaine limite. Ce qu'il faut faire à la lumière de la situation est

---

13. Marco Fortier, «Un imam se barricade pour éviter l'expulsion», *Le Journal de Montréal*, 25 octobre 2005.

de renverser l'autorisation d'immigration qui fut donnée le 25 mai dernier vu que son statut est remis en question. C'est pourquoi j'ai demandé à X... s'il désire revoir cette autorisation. Une fois que les autorisations seront toutes obtenues dans ce dossier, il n'y aura plus de raisons valables pour ne pas convoquer le client pour examen et cérémonie.

8 h 49 : Dès que X... m'informe que la décision de renverser l'autorisation immigration est prise, je vous en informe.

La raison de cette agitation subite? Rien à voir avec l'hypothétique grande mosquée de Montréal. Le 26 mai 2005, CIC a enfin reçu de la part d'Interpol Paris la preuve documentaire nécessaire qu'elle attendait pour coincer Jaziri et lui retirer son statut de réfugié, autrement dit sa fiche Interpol et les empreintes digitales.

Adil Charkaoui a une tout autre explication. La thèse de la preuve tombée du ciel comme par hasard ne tient pas debout selon lui. Charkaoui rappelle qu'à la même époque, en affirmant publiquement que la communauté était ciblée par le SCRS, que cet organisme envoyait des espions, des agents doubles dans les mosquées pour parvenir à ses fins, Saïd Jaziri a été le seul imam qui n'a pas eu peur de corroborer ce que Charkaoui clamait depuis sa cellule.

Les caricatures, une affaire montée de toutes pièces

En ce début du mois de février 2006, des dizaines de milliers de musulmans du monde entier laissent éclater leur colère. De Beyrouth à Gaza, de Londres à Téhéran en passant par Istanbul, les protestataires brûlent des drapeaux danois, crient « Mort au Danemark » ou « Vive Ben Laden », des ambassades sont attaquées, pillées. Un imam islamiste pakistanais, lui, offre une prime et une automobile neuve pour qui tuera les caricaturistes blasphémateurs. Les *fatwas* pleuvent. Ce délire fanatique, rappelons-le, tire son origine de la publication par un quotidien danois conservateur, le *Jyllands-Posten*, de douze caricatures du prophète Mahomet. Douze dessins tellement stupides et insignifiants que la quasi-totalité de la communauté musulmane mondiale ne bronche pas.

On apprendra plus tard comment les islamistes (par l'intermédiaire d'un organisme dénommé la Société islamique du Danemark) s'y sont pris pour manipuler les foules jusque dans les rues de Montréal.

Après avoir échoué dans ses poursuites judiciaires au Danemark à l'encontre du quotidien lors de la parution des dessins incriminés (le 30 septembre 2005), la Société islamique du Danemark change de tactique. Fin décembre, elle charge l'influent imam Ahmed Abou Laban de se rendre dans plusieurs pays arabes du Moyen-Orient avec les dessins sous son bras. Pour faire monter la sauce, un dessin et deux photomontages obscènes représentant Mahomet assimilé à un pédophile, avec un nez de cochon et un musulman en train de se faire sodomiser par un chien pendant sa prière sont ajoutés. Une stratégie de manipulation de l'opinion arabe qui va fonctionner à merveille et, mieux encore, se répandre jusque dans des contrées réputées ouvertes au multiculturalisme tel le Québec.

Comment faire monter la sauce...

Montréal, jeudi 9 février 2006. Tout le ban et l'arrière-ban médiatique est entassé dans un petit salon surchauffé d'un hôtel du centre-ville pour entendre des représentants autoproclamés de la communauté musulmane s'exprimer sur l'affaire des caricatures danoises.

Intervenant au nom d'un certain Comité musulman de coordination pour la justice (CMCJ) inconnu jusqu'alors, Salam Elmenyawi et Bachar Elsolh condamnent avec vigueur l'injure faite à Mahomet, cet «acte blasphématoire». Si blasphème il y a, ce n'est certainement pas du Canada!

En effet, les grands médias canadiens[14], cédant à la peur et au chantage des islamistes, n'ont pas même osé reproduire un seul des dessins, ce qui aurait pu permettre au public – du moins, la partie qui n'a pas accès à Internet! – de se faire sa propre opinion. Faisant fi de ce non-événement, les deux porte-parole profitent de leur tribune pour demander solennellement au «gouvernement fédéral et aux gouvernements provinciaux qu'ils expriment sans ambiguïté, leur désapprobation de l'usage abusif de la liberté d'expression en Europe et présentent une loi réduisant au "crime racial" toute manifestation ou déclaration islamophobe. L'islamophobie ne doit pas pouvoir se développer sous prétexte de liberté d'expression».

Plutôt que de chercher à désamorcer l'affaire, Elmenyawi et son compère Elsolh – qui a pourtant la réputation d'être un vrai modéré – en rajoutent, et dénoncent dans de grands effets de manche le «climat tolérant au racisme contre les musulmans et leur religion [qui] renforce les stéréotypes» ici au Québec. Toutefois, ils exhortent les musulmans montréalais à ne pas participer à la manifestation organisée, toujours au nom de la liberté d'expression, le samedi suivant, par le turbulent imam Saïd Jaziri.

Au nom de la liberté d'expression

Jyllands-Posten, Salam Elmenyawi, Saïd Jaziri; trois noms parfaitement inconnus, ou presque, du grand public canadien.

---

14. Au Québec, seul *Le Devoir* a publié un des dessins incriminés dans le cadre d'un article sur le sujet.

Jusqu'à ce psychodrame qui a semé le désordre dans plusieurs endroits de la planète en plus de fournir un alibi en or aux deux derniers cités pour s'imposer sur la scène médiatique et religieuse locale. Deux porte-étendards qui ont importé au Canada un programme islamiste, l'un en se faisant le complice de la campagne mondiale anti-caricatures, l'autre en tentant d'imposer la *charia*.

Le 13 février, ce sont ainsi plusieurs centaines de personnes, cinq cents tout au plus, qui sont rassemblées sur la rue Sherbrooke, devant l'entrée de l'Université McGill. Sur les banderoles, on peut lire notamment : «Il n'y a pas d'autre Dieu que Allah et Mahomet est son messager» (profession de foi musulmane). Défiant encore une fois en solitaire les autres imams montréalais, l'imam Jaziri martèle son discours devant une petite foule pacifique : «Nous ne sommes pas des sauvages ni des barbares. On se réunit ici pour dénoncer l'insulte du prophète et aussi l'insulte à tous les prophètes, on est contre la provocation, on est contre toute forme de violence de tous les côtés.» En guise de geste de bonne volonté, Jaziri avait consenti à renoncer de terminer sa marche sous les fenêtres du consulat du Danemark. «Nous sommes sortis, le message est passé dans le calme et j'en suis fier. Dans les pays comme la Tunisie, nous sommes privés de manifestations au nom de la sécurité», se félicitera-t-il plus tard.

Jusqu'au dernier moment, par crainte de débordements, ses confrères et coreligionnaires, Salam Elmenyawi en tête, et la police ont tout tenté pour qu'il renonce à sa démonstration de rue. Jaziri soutient aussi avoir reçu la veille un appel anonyme d'un homme parlant un français excellent, lui disant ceci : «Si demain il y a un trouble dans la manifestation, soyez certain que vous allez quitter le Canada.» L'initiative de Saïd Jaziri suscite la réprobation du Congrès musulman canadien

(CMC). Son président, Tarek Fatah[15], se dit favorable au droit de manifester, mais dans ce cas il estime plutôt qu'il «faut calmer le jeu, pas accroître les tensions» avant de mettre en doute les «intérêts d'un imam qui décide d'organiser une manifestation à Montréal. Ce faisant, il mène sa communauté dans la mauvaise direction[16]».

Têtu, Saïd Jaziri avait balayé du revers de la main toute idée d'annulation de sa manifestation et ne se gênait pas pour affirmer haut et fort que ses opposants «savent déjà qu'ils vont se retrouver hors jeu [...]. Ils ont beau faire une grande pression sur nous, les gens sortiront pour manifester leur colère au nom de la liberté d'expression, de la démocratie. Le monde entier est sorti!» Lorsque je l'interroge à ce moment-là, Jaziri n'est pas tendre avec Salam Elmenyawi qui, à son avis, est l'homme qui symbolise la «pensée unique». «Moi je veux la liberté d'expression parce que c'est un droit démocratique. J'ai déjà souffert pour ça. Pas lui.» L'imam raille aussi l'initiative «Portes ouvertes» dans les mosquées promue par ses opposants. «Nous n'avons pas attendu pour le faire. À la mosquée Al-Qods, on reçoit presque 2 000 personnes par an depuis deux ans.»

Il se passe toutefois un événement curieux lors de cette démonstration de rue. La rumeur court qu'un imam d'origine algérienne exerçant à Verdun, a été agressé, la veille, à coups de couteau alors qu'il sortait du métro Iberville en compagnie de deux autres personnes. Saïd Jaziri s'en fait l'écho, donne même à des journalistes le numéro de la chambre de l'hôpital

---

15. Tarek Fatah a démissionné de son poste en août 2006 pour des raisons de sécurité après avoir reçu plusieurs menaces de mort. Son organisme, considéré comme modéré, s'est entre autres prononcé contre les tribunaux islamiques au Canada et l'extrémisme islamique.

16. Fabien Deglise, «Dissension chez les musulmans», *Le Devoir*, 9 février 2006.

Jean-Talon où l'homme serait hospitalisé, mais les policiers chargés des relations avec les médias ne peuvent confirmer l'histoire. Est-ce un cafouillage involontaire de la police ou une volonté officielle d'éviter d'éventuels débordements de violence, sachant que cette agression s'ajoute à deux incidents survenus les jours précédents. En effet, deux mosquées de la région de Montréal, le Centre culturel islamique et le Centre islamique Al-Hissane ont été la cible de vandales quelques jours plus tôt. Convaincu que la police veut étouffer l'affaire, Jaziri fulmine et ne décolère pas envers tous ceux qui tentent de le faire passer pour un menteur.

Le surlendemain, 13 février, un homme d'une trentaine d'années se présente en fauteuil roulant, vêtu d'une chemise d'hôpital, devant une vingtaine de journalistes de la radio, télévision et presse écrite rassemblés dans une petite salle au sous-sol de l'hôpital Jean-Talon. Visiblement de fort méchante humeur, un pansement au bras gauche, entouré des deux frères ennemis Saïd Jaziri et Salam Elmenyawi, l'imam Fayçal Zirari relate dans le menu détail le « crime haineux » dont il a été victime le jour précédant la manifestation. « J'ai une barbe, déclare-t-il, j'ai un visage d'Arabe, je parle arabe… C'est très clair. C'est à cause de ma religion. Il a essayé de me tuer. » Pour Fayçal Zirari, les musulmans pratiquants vivraient des moments difficiles au Québec. Il cite même en exemple des femmes voilées d'un simple *hijab* « qui reçoivent des boules de neige et des pierres ».

L'auteur du méfait, un homme d'origine latino-américaine, a été arrêté par les policiers quelques minutes après cette violente altercation.

Par le plus grand des hasards, les deux hommes font l'objet d'une mesure d'expulsion. Le premier pour être entré illégalement au Canada, le second parce qu'il vient d'être débouté de sa demande d'asile. L'imam Zirari résidait alors au

Canada depuis environ quatre ans. Il disait avoir fui l'Algérie en 1994. À cette époque, les massacres attribués aux groupes islamistes[17] étaient monnaie courante. Il s'était ensuite rendu en Arabie Saoudite pour étudier dans une université salafi, un courant considéré comme islamiste radical. Zirari croit que c'est ce séjour d'étude qui aurait pesé lourd dans la balance ; le refus par les autorités de l'immigration canadienne de lui accorder le statut de réfugié étant basé sur l'axiome suivant : « Salafiste = Ben Laden = terroriste. »

Alors que la police de Montréal ne dispose d'aucun élément tangible permettant de qualifier cette agression de crime haineux, Salam Elmenyawi saisit une fois encore au vol ce cadeau du ciel. Sans vergogne, il diffuse un communiqué dans lequel il blâme les médias québécois d'être à l'origine d'un climat social « hostile et empoisonné », d'avoir à un tel point enflammé les passions que certaines personnes estimeraient acceptable « d'attaquer physiquement les musulmans ».

Fidèle à son habitude, l'imam de la mosquée Al-Qods, Saïd Jaziri, ne reste pas sur le bord du chemin. Il est formel ; l'agression dont a été victime son collègue, à laquelle il faut ajouter la tentative de camouflage de l'événement dont il accuse la police de Montréal, va se propager comme une traînée de poudre dans le monde arabe. « Les grandes chaînes de télévision arabes vont s'en emparer. Ça va donner une mauvaise image du Canada », déclare-t-il à ce moment[18]. Une déclaration fracassante de plus qui agace au plus haut point dans les bureaux du SCRS où l'on se demande pourquoi ces imams, même marginaux dans leur communauté, « cherchent à verser de l'essence sur les braises ».

---

17. Plusieurs hypothèses évoquent aussi la responsabilité, dans certains cas, des services secrets algériens.

18. Fabrice de Pierrebourg, « L'image du Canada entachée ? », *Le Journal de Montréal*, 14 février 2006.

Le 26 février 2006, l'imam Fayçal Zirari se rend à l'aéroport de Montréal-Trudeau et embarque en toute discrétion dans l'avion, direction Alger. Selon une source, l'homme qui aurait eu affaire au SCRS à Montréal aurait été arrêté à son arrivée par les services de sécurité algériens puis emprisonné pendant quelques jours.

L'imam, un habitué de la rubrique des faits divers

Moins d'un mois plus tard, Jaziri refait la une. Cette fois, à cause de vandales qui ont brisé les vitres de sa mosquée de la rue Bélanger à coups de pierres. Le bouillant imam ne retombe pas pour autant dans l'oubli. Le 10 juin vers minuit, alors qu'ils bouclent les portes de la mosquée, Jaziri et son ami Abderrazek B. sont attaqués par un homme qui surgit devant eux, un couteau de boucher long de treize pouces dans la main. « Il répétait : "Vous voulez mourir martyrs, vous voulez mourir martyrs" et il nous a demandé si on avait une ceinture de dynamite autour de la taille », a relaté l'imam[19]. Jaziri compose le 911 pendant que son ami tente d'échapper à l'individu qui menace de le tuer. L'agresseur, un chauffeur-livreur résidant du secteur, qui avait abusé de l'alcool apprendra-t-on plus tard au cours de l'enquête, se permet même d'invectiver copieusement les policiers qui viennent de lui passer les menottes : « Vous êtes dans le camp des terroristes maintenant », lâche-t-il. Une allusion évidente au démantèlement d'une présumée cellule terroriste à Toronto dans les jours qui ont précédé.

Alors que Saïd Jaziri multiplie les apparitions dans les rubriques « faits divers », le dossier d'annulation de son statut de réfugié rouvert en mai 2005 s'accélère. Entre janvier et avril 2006, son cas est débattu lors de quatre audiences devant le

---

19. Malorie Beauchemin, « Un imam menacé de mort », *La Presse*, 11 juin 2006.

commissaire Michel Jobin de la Commission de l'immigration et du statut de réfugié. Il faut reconnaître que l'imam n'est pas parfaitement outillé pour faire valoir ses droits. Au début du mois de juillet 2005, il écrit à l'Agence des services frontaliers du Canada (ASFC) afin d'obtenir en vertu de la Loi sur la protection des renseignements personnels tout son dossier de 2001 jusqu'au jour de sa requête. Des documents qu'il estime primordial de consulter avant toute comparution. Ne voyant rien venir dans sa boîte aux lettres au bout des soixante jours de délai prévus par la loi, il porte plainte auprès du Commissariat à la protection de la vie privée. Plainte considérée comme fondée par l'organisme.

Le 25 avril 2006 à neuf heures du matin, Saïd Jaziri se retrouve à nouveau devant Michel Jobin, qui lui aurait alors accordé un délai d'un mois, affirme l'imam, pour obtenir les documents manquants et revenir plaider sa cause. L'imam de la rue Bélanger recevra finalement son volumineux dossier le 7 juin, soit 336 jours après en avoir fait la demande. Un retard inexplicable. Le 21 juin, le commissaire entérine l'annulation de son statut de réfugié proposée par les fonctionnaires de l'immigration, mais sa décision était prise en fait dès le 4 mai précédent, comme en témoigne le Relevé de décision SPR que j'ai consulté. Le sort de l'imam agitateur était donc scellé avant l'expiration du délai de grâce.

Bien qu'il soit désormais expulsable à tout moment, Saïd Jaziri reçoit quelques semaines plus tard une convocation pour une entrevue, le 30 novembre 2006, avec un juge de la citoyenneté. Une convocation pour la forme… Pour le torturer psychologiquement, s'insurge l'imam lors d'un de ses derniers barouds d'honneur.

Le 15 décembre 2006, devant ses fidèles et une poignée de journalistes, il accuse le commissaire Jobin d'avoir agi sur ordre. Puis c'est l'escalade verbale : «Le juge a menti. Quand un tribunal ment, c'est la dérive. Même s'ils m'expulsent, je vais être fort. Je suis avec le droit. Quand tu es au pouvoir, sois juste. Quand tu es juste, tu es fort. [...] La liste des Arabes [victimes des autorités canadiennes] est longue. » Saïd Jaziri fait preuve d'un aplomb étonnant en affirmant qu'il a un casier judiciaire vierge lorsqu'il exhibe un document officiel obtenu en France, le Bulletin n° 3.

Effectivement, un trait oblique barre la feuille rigoureusement blanche en lieu et place d'éventuelles condamnations. Mais, à part les Français, qui peut savoir que le casier judiciaire n° 3 ne recense que les condamnations à un emprisonnement supérieur à deux ans ou sans sursis ne dépassant pas deux ans si le tribunal en a ordonné la mention... Ce document n'est remis qu'à l'intéressé. Les casiers 1 et 2, plus exhaustifs, ne sont consultables que par les autorités judiciaires et policières, et par certaines administrations. Lorsqu'une journaliste lui demande s'il a omis de déclarer des éléments importants à son arrivée au Canada, Saïd Jaziri répond ceci : « J'étais en danger de mort, avec des séquelles sur mon corps. Le jour où je suis arrivé au Canada, j'ai été interrogé quatre heures [...]. Ils crient sur vous, on tremble, on a peur. J'ai eu peur pour ma vie. »

Sa prestation terminée, alors que la salle de prière se vide, Jaziri joue sur un autre registre, plutôt tendancieux : « Cette décision est une insulte à l'islam. Les gens voient que le Canada est un ennemi, c'est stupide. » S'il est expulsé, prévient-il, ceux qui restent, c'est-à-dire ses fidèles, risquent alors d'être manipulés par des extrémistes.

Le chantage au terrorisme

Ce n'est pas la première fois que l'imam tient ce genre de propos ambigus et s'adonne au chantage du terrorisme. On ne peut pas s'empêcher de constater avec ironie qu'il reprend les mêmes arguments que ceux développés par le SCRS, sa bête noire, dans ses rapports d'analyse. Quelques mois avant, alors qu'il avait accepté de bonne grâce de m'accompagner dans les rues de Montréal afin de tester le degré d'islamophobie ambiant (reportage publié ensuite dans les colonnes du *Journal de Montréal*), il s'était dit «persuadé» que le Canada allait être la cible d'un attentat. «C'est inévitable, soutenait-il alors, parce que tous les autres pays ont eu un attentat. Il faut s'y faire, c'est un contexte global. C'est une guerre du monde musulman contre les mécréants. Dans la communauté musulmane canadienne, certains sont très en colère; ils souffrent à cause de l'Afghanistan, des problèmes d'islamophobie, d'intégration. Mais si un attentat a lieu, ce ne sera pas la faute des imams. Ce sera organisé par un petit groupe isolé ou avec le support de Oussama ben Laden. Je suis contre le terrorisme.»

Cette éventualité d'un acte terroriste au Canada était revenue dans la conversation alors qu'il dénonçait fermement la remise en liberté de l'individu qui l'avait menacé avec un couteau de boucher : «Pourquoi la justice relâche un individu qui a voulu poignarder un imam et que l'on maintient en prison un jeune qui a dit qu'il voulait tuer Harper[20]? Lui, c'est un terroriste et pas l'autre? Pourquoi cette injustice? La jeunesse n'accepte plus ça. Elle va sentir qu'elle est exclue du système. À long terme ça va faire du terrorisme. C'est une réalité.»

Le 7 décembre 2006, lors d'un autre entretien, il insiste à nouveau sur la «colère» des musulmans québécois. «Tout le monde est en colère, me dit-il, en particulier les jeunes. Ils ne

---

20. L'imam Saïd Jaziri fait référence à l'arrestation de dix-sept présumés terroristes, dont cinq mineurs, le 2 juin 2006 à Toronto. Un de leurs projets, affirme-t-on, était d'attaquer le Parlement à Ottawa et de décapiter le Premier ministre.

se sentent plus chez eux. La situation va échapper à tout le monde. Quand une personne a soif et qu'on lui donne de l'eau salée, il va la boire.» Et de conclure au moment de se quitter sur le pas de sa porte : «C'est la révolution des musulmans contre la dictature, la répression et l'exclusion!»

Je n'ai pu m'empêcher à l'époque de me questionner sur la portée réelle de ces avertissements. Loin d'être un imbécile, l'imam Jaziri manie très bien la langue de Molière et est donc capable d'en saisir toutes les nuances. Mais connaissant le personnage, doit-on pour autant considérer ces menaces comme des paroles en l'air, de la pure gesticulation verbale ou faut-il au contraire les prendre au sérieux? L'avenir nous dira si l'imam Jaziri avait simplement le don de la prémonition ou de la difficulté à tenir sa langue.

Quoi qu'il en soit, il n'en demeure pas moins que Jaziri s'est longtemps complu dans le jeu dangereux de l'opposition permanente. «C'est à qui fera le meilleur show en ville», déplore un ancien agent du SCRS. Et d'ajouter : «Le langage enflammé de certains imams comme Jaziri, je le perçois comme une sorte de concurrence. Ils vont orienter le débat vers le *profiling* racial, l'islamophobie et donner ainsi des arguments sur un plateau d'argent aux extrémistes.» Dans les milieux policiers et du renseignement, on s'inquiète surtout, en ce début d'année 2007, de l'impact de ce type de discours sur un esprit faible. On craint que, ulcéré à force d'entendre Jaziri stigmatiser le Canada avec une vigueur toujours croissante, un individu puisse très bien se dire : «Il faut que je fasse quelque chose» avant de passer à l'action. Il en suffit d'un, insistait alors l'un de mes interlocuteurs qui se montrait par ailleurs pressé de voir le sort de cet agitateur réglé au plus vite.

Pour Adil Charkaoui, qui a choisi lui aussi de ne pas se taire, de clamer haut et fort son innocence, de se servir des médias et de l'opinion publique pour faire valoir ses arguments, Saïd Jaziri est sans conteste victime d'une injustice orchestrée avec la complicité de pays qui violent les droits de l'homme au prétexte qu'ils se posent en « garants de la sécurité publique nationale et internationale ». Sous-entendu les pays du Maghreb. « Déporter Jaziri sans tenir compte du paramètre humanitaire, c'est criminel », estime Charkaoui.

Elmenyawi, l'ex-play-boy devenu pro-charia

Il n'y a pas que Saïd Jaziri qui soit passé maître dans l'art du « langage enflammé » et du chantage perpétuel. Les débats suscités par le projet d'instauration de tribunaux islamiques en Ontario et au Québec, l'affaire des caricatures, les certificats de sécurité et l'« islamophobie » en général, ont servi à merveille la cause de son principal adversaire, soit Salam Elmenyawi, le président du Conseil des musulmans de Montréal. Elmenyawi et Jaziri, deux frères ennemis qui ont su puiser autant dans leur éternelle rivalité et dans ces sujets controversés un engrais fertile à leur ascension vertigineuse.

Avec sa grosse barbe poivre et sel, ses yeux sombres, ses sourcils qui se froncent à la moindre contradiction et son regard inquisiteur, Salam Elmenyawi fait penser à un grand-père toujours prêt à servir une leçon de morale, en anglais seulement, aux jeunes turbulents et effrontés. Mais qui se souvient encore du Salam Elmenyawi des années 1980, avec son allure de play-boy habillé à la dernière mode ? À l'époque, Elmenyawi, qui venait d'arriver de son Égypte natale, était le patron de Serabit Electronics, petite compagnie installée au 4058, rue Jean-Talon Ouest et spécialisée dans la vente d'équipement électronique et de systèmes d'alarme. Ses affaires marchent rondement. Jusqu'au 29 août 1980 lorsque, après des mois d'enquête, la GRC débarque à l'aéroport de

CANADA
PROVINCE DE QUEBEC
DISTRICT **MONTREAL**

GREFFE DE LA PAIX ET DE LA COURONNE
PEACE AND CROWN OFFICE

ELIZABETH II, par la Grâce de Dieu, reine du Royaume-Uni,
du Canada et de ses autres royaumes et territoires, chef
du Commonwealth et défenseur de la foi.

ELIZABETH the Second, by the Grace of God, of the United
Kingdom, Canada and Her other Realms and Territories
Queen, Head of the Commonwealth, Defender of the Faith.

Aux agents de la Paix du District
To the Peace officers in the District

500-26- 3194 -80

N° dossier

N° dossier S.Q. ou nom du
corps policier/organisme plaignant

ATTENDU qu'il appert de la dénonciation assermentée de:
WHEREAS, it appears on the oath of: Donald WHITEHURST

Member of the Royal Canadian Mounted
Police, 4225 Dorchester Blvd. West,
Westmount, Quebec,

Que dans la ville de
That in the City of Montreal

district Montreal
District

le
on the

19
19 ;

Between the 1st day of August A.D. 1978 and the 25th
day of August A.D. 1980, a criminal act was committed
contrary to Paragraph 423(1)(d) of the Criminal Code
of Canada, R.S.C. 1970, Ch. C-34, as amended, to wit:
Salam ELMENYAWI, Mohammad AHMAD and Aziz Aboul KHAN did
conspire to unlawfully assist in Canada the unauthorized
transshipment to Dubai, Pakistan, and other countries
of capacitors purchased from GENERAL ELECTRIC CO.,
Hudson Falls, New York, U.S.A., and other electronic
components originating in the U.S.A., and it is
believed that capacitors, electronic components, diaries
purchase orders, bills of lading, shipping notices,
manifests, Customs import declarations, Customs export
declarations, memoranda, correspondence, contracts,
invoices, corporate resolutions, by-laws, letters,
books of account and other writings and records which
will serve as evidence with respect to the commission
of said criminal offence.

Et que les dites choses ou quelques parties d'entre elles se trouvent dans
and that the said things or some part of them are the business place and
de/of SERABITS ELECTRONICS
dependences
au no/at no. 4058 de la rue/of Jean Talon West, Suite 300 Street
à/in Montreal district de/district of Montreal.
ci-après appelé les lieux ;
hereinafter called the premises ;

À CES CAUSES, les présentes ont pour objet de vous autoriser à entrer (indiquer à
THIS IS, THEREFORE, to authorize and require you to enter
quelles heures) dans les dits lieux et à rechercher les dites choses
(indicate time) day & night *the said premises, and to search for the said things*

et les rapporter devant moi ou tout autre juge de paix pour le district
and to bring them before me, or some other Judge of the Peace for the district

Donné sous mon seing à
Given under my seal at Montreal
District
District of Montreal,

le AUG 25 1980
on the AOUT 80.

J.S.P./Juge de Paix
agissant dans et pour la Province de Québec

Mandat de perquisition chez Serabits Electronics.
(Collection Michel Auger.)

Mirabel, saisit plusieurs caisses d'équipement (d'une valeur de
56 000 dollars) que Serabit se préparait à expédier à Islamabad,
au Pakistan, ainsi qu'à Dubaï. Le même jour, à 15 h 30, le

sergent B. se rend, mandat de perquisition en main, aux bureaux de Serabit et en repart avec, dans ses bras, trois caisses de documents «devant servir dans une cause de conspiration et d'exportation illégale», écrit-il dans son rapport. D'autres perquisitions ont lieu simultanément au domicile d'Elmenyawi, ainsi qu'aux domiciles et adresses commerciales de deux autres individus, un ingénieur en électricité d'origine pakistanaise et un ingénieur en mécanique d'origine indienne.

L'affaire semble grave. Les trois hommes sont accusés d'avoir exporté illégalement du matériel électronique américain flambant neuf vers le Pakistan. Il faut rappeler qu'à l'époque, sous l'impulsion de son nouveau chef d'État le général Zia ul-Haq[21], ce pays ne ménageait alors pas ses efforts pour contourner les embargos dont il était frappé afin de mettre au point sa bombe atomique, surnommée la «bombe islamique».

Elmenyawi, dont le nom se retrouve étalé dans les colonnes de plusieurs journaux, se défendra en affirmant qu'il ne connaissait pas l'usage que ses clients voulaient faire du matériel expédié au Pakistan, en particulier des inverseurs et des condensateurs. Il a aussi soutenu qu'il ignorait qu'il fallait un permis spécial pour exporter ce type de matériel nécessaire à l'enrichissement de l'uranium[22]. Or, ce dossier qui avait toutes les apparences d'une bombe se transforme en pétard mouillé. Après quatre années de procédures, Elmenyawi et les deux coaccusés (qui ont pour avocat l'ex-ministre Serge Ménard) ne sont finalement reconnus coupables par le juge Gérald J. Ryan de la Cour supérieure que de l'un des treize chefs d'accusation à propos desquels ils avaient enregistré

---

21. Général et chef de l'État pakistanais de 1977 à 1988, année de son décès dans un accident d'avion.
22. Michel Auger, «Du matériel électronique illégalement exporté de Montréal vers le Pakistan», *La Presse*, 3 décembre 1980.

un plaidoyer de non-culpabilité. En septembre 1988, les juges Chouinard, Rothman et Desmeules de la Cour d'appel cassent le jugement au prétexte que le juge Ryan a commis une erreur de droit, et ordonnent la tenue d'un nouveau procès. Le 5 octobre 1988, le substitut du procureur général du Canada signe un arrêt des procédures, dit *nolle prosequi*, à l'égard de Salam Elmenyawi, Mohammad A. (un des coaccusés) et Serabit Electronics. L'affaire est close.

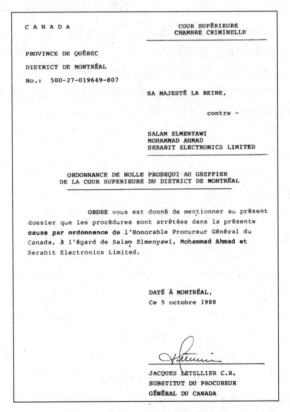

Dix ans s'écoulent. Profitant d'un morcellement de la communauté musulmane et d'une absence de leadership, Elmenyawi, le leader religieux, imam dans les universités montréalaises Concordia et McGill, aumônier dans les prisons de la métropole, est rapidement parvenu à ses fins en s'imposant dans les médias comme *le* représentant des musulmans montréalais, et québécois par extension. Une stratégie mise en place dès le lendemain des attentats du 11 septembre 2001. Sous la houlette du Conseil des musulmans de Montréal (CMM), qui regrouperait, selon lui, une quarantaine d'organismes, Elmenyawi saisit toutes les occasions de dénoncer le profilage antimusulman, l'offensive militaire américaine en Afghanistan ainsi que le harcèlement et l'intimidation systématiques pratiqués par le Service canadien du renseignement de sécurité (SCRS) à l'encontre de certains membres de sa communauté. En fait, il semble que la représentativité de Salam Elmenyawi ne soit pas aussi évidente qu'il veut bien le laisser croire. « Salam Elmenyawi ne représente que lui-même », ai-je entendu à plusieurs reprises de sources officielles. C'est l'un des motifs invoqués pour justifier qu'il n'ait pas été choisi pour faire partie du comité de vigie de la communauté arabe mis en place par le Service de police de la Ville de Montréal (SPVM) en 2004. Une structure destinée à favoriser les échanges entre cette communauté et la police. Or, c'est cette même communauté qui l'aurait « oublié » au moment de faire son choix. En 2003, Salam Elmenyawi et le CMM s'engagent au sein de la « Coalition Justice pour Adil Charkaoui » pour défendre ce résident d'origine marocaine emprisonné en vertu d'un certificat de sécurité. Il recueille aussi des fonds nécessaires au fonctionnement de cette coalition qui regroupe des personnalités et des organismes issus de différentes communautés.

Substituer la loi divine à la loi des hommes !

À l'approche de Noël 2004, le président du Conseil des musulmans de Montréal sort une autre carte de sa poche : un projet de cour islamique semblable aux tribunaux rabbiniques québécois qui s'occuperait de régler les litiges familiaux. Pour démontrer le sérieux de la démarche, Elmenyawi dévoile un embryon de son futur Conseil québécois de la *charia* qui devrait être constitué à terme de sept membres : les premiers heureux « élus » sont tous des hommes, imams à Montréal. L'instigateur du projet n'exclut pas de faire appel à des oulémas (savants) reconnus passés maîtres dans l'art de la *fatwa*, en particulier le cheikh sunnite d'origine égyptienne Yûsuf al-Qaradawi[23]. Elmenyawi fait pression auprès du ministre provincial de la justice Jacques P. Dupuis afin que ce dernier officialise son Conseil de la *charia*. Fin stratège, le même Elmenyawi entreprend de tordre le bras du politicien, qui l'appellerait, se vante-t-il dans les journaux, « mon ami Abdessalam ». N'est-ce d'ailleurs pas ce bon « ami » qui a incité les milliers de musulmans de sa circonscription de Saint-Laurent à voter pour lui en 2003[24] ? Elmanyawi reçoit aussi l'appui de Saïd Jaziri, qui n'hésite pas à vanter les bienfaits de la *charia* lors d'interventions dans les médias.

Tandis qu'à la même époque, dans la province voisine, en Ontario, l'ancienne ministre déléguée à la condition féminine, Marion Boyd dévoile son rapport favorable aux tribunaux d'arbitrage islamiques pour régler les différends familiaux, l'idée de Salam Elmenyawi ne déclenche pas l'enthousiasme au Québec, tant s'en faut. De nombreuses voix s'élèvent pour s'opposer à cette idée de justice bicéphale où la loi d'Allah serait plus forte que celle des hommes. Peut-être parce que

---

23. Ce téléprédicateur dont l'émission hebdomadaire sur Al-Jazira connaît un succès monstre, longtemps membre de la confrérie des Frères musulmans, s'est distingué à plusieurs reprises pour ses propos et écrits chocs sur les femmes, les homosexuels et les attentats-suicides. Lire à ce propos le chapitre « Le zèle du converti et du reconverti ».
24. Mounia Chadi, « Pressions sur Québec en faveur d'une cour islamique », *Le Devoir*, 11 décembre 2004.

l'épidémie de l'accommodement raisonnable n'avait pas encore fait son apparition…

Ne cédant pas au chantage islamiste, son « ami » le ministre de la Justice Jacques P. Dupuis avertit qu'il n'est pas question de modifier le Code civil du Québec, et en particulier son article 2639 qui exclut l'arbitrage. Même le Barreau du Québec entre dans la mêlée en s'opposant « fermement à l'instauration de modes parallèles de résolution de conflits en droit de la famille qui écarteraient nos lois [...] aux profits de règles et principes religieux ». « Permettre l'arbitrage religieux en matière familiale ferait perdre aux Québécois et aux Québécoises des acquis fondamentaux de notre société libre et démocratique à l'égard de la séparation absolue entre le droit civil et le droit religieux[25] », prévient l'organisme dans une de ses publications. Le coup de grâce survient le 26 mai 2005 lorsque l'Assemblée nationale du Québec vote à l'unanimité une motion présentée par la députée Fatima Houda-Pepin contre l'implantation de ces tribunaux islamiques. La frange radicale de la communauté ne cessera dès lors de lui vouer une haine viscérale.

La mouvance islamiste est K.-O. Elmenyawi dénonce cette décision « inacceptable » avec sa verve habituelle : « C'est un jour très triste pour la politique québécoise et pour les femmes musulmanes qui ne pourront obtenir de divorce religieux grâce à un tribunal religieux. C'est dévastateur[26]. » Mieux encore, il réclame des excuses pour cette « insulte faite à la communauté », brandissant au passage l'incontournable Charte canadienne des droits et libertés.

Malgré cet échec cuisant, Salam Elmenyawi n'est pas pour autant relégué aux oubliettes. Les tribulations de l'imam Jaziri,

25. Commentaires du Barreau du Québec sur les tribunaux religieux, *Le Journal du Barreau*, vol. 37, n° 3, 15 février 2005.
26. Simon Boivin, « Non à la charia », *Le Soleil*, 27 mai 2005.

l'arrestation de dix-sept présumés terroristes à Toronto, les agressions d'imams, etc., seront autant d'occasions pour lui d'élever la voix, de diffuser des communiqués tonitruants et de s'imposer comme l'ardent pourfendeur de l'islamophobie, de la xénophobie.

Il faudra attendre l'automne suivant pour que le premier ministre ontarien Dalton McGuinty décrète à son tour qu'il n'y aura ni *charia* ni arbitrage religieux en Ontario. Homa Arjomand, une dynamique quinquagénaire d'origine iranienne réfugiée au Canada depuis 1990 exulte. Rien n'arrête cette Torontoise, elle qui a déjà organisé une manifestation contre le port de la *burqa* à Téhéran pendant le règne de l'ayatollah Khomeyni ! C'est encore elle qui mène depuis 2003 une campagne internationale contre ces projets de tribunaux d'arbitrage islamiste et contre les «islamistes politiques» en général. Arjomand a fui l'obscurantisme des ayatollahs iraniens pour jouir de la liberté, certainement pas pour subir à nouveau l'obscurantisme et le fanatisme religieux au Canada. Son combat a eu des échos dans la presse du monde entier. Dans le quotidien français *Le Monde*, Homa Arjomand s'en prend à l'intégrisme religieux qui, selon elle, gagnerait du terrain au Canada « au nom du respect des cultures et des religions » : « On tolère, s'insurge-t-elle, les mariages arrangés ou la polygamie [...]. On permet à un musulman de battre sa femme sans être puni alors qu'un Canadien blanc sera arrêté. »

Mme Arjomand estime que son combat contre l'obscurantisme est loin d'être terminé. «Quand je verrai un imam arrêté au Canada pour non-respect de la loi interdisant la polygamie ou pour avoir célébré un mariage arrangé avec une mineure, confie-t-elle à la journaliste française, je crierai vraiment victoire[27]. »

---

27. Anne Pélouas, «Homa Arjomand, contre la *charia* au Canada», *Le Monde*, 21 octobre 2005.

CHAPITRE 5

Le zèle du converti et du reconverti

«J'ai voulu signifier [à l'Église catholique]
que j'étais frustré de leur djihad,
des années Duplessis.»
Youssef, Québécois converti

«Le Canada, pays ennemi et mécréant parce qu'il combat nos frères en Afghanistan...» Celui qui considère le pays où il est né comme un «ennemi» est âgé de vingt ans, il réside dans la grande région de Montréal, étudie en sciences humaines au cégep dans l'optique d'intégrer plus tard les sciences politiques à l'université.

Karim, appelons-le ainsi pour préserver son anonymat, a lancé cette accusation sans équivoque en avril 2006 sur un forum de discussion musulman sunnite francophone très fréquenté. Des propos qui font immédiatement réagir certains visiteurs du site. La discussion vire rapidement à la polémique autour du thème : la vie est-elle meilleure au Canada pour un musulman que dans certains pays comme ceux du Maghreb, par exemple? Un des internautes qui se montrent le plus critique envers le Canada est un Québécois de souche d'environ 30 ans, élevé dans la religion catholique, converti depuis quelques années. Dans un message qu'il envoie, Youssef (son nom de converti) fustige « les injustices et la corruption [...] plus sournoises et vicieuses » dans les pays démocratiques comme le Canada que dans certains pays musulmans. Il se livre ensuite à l'étude comparative suivante :

> La meilleure doctrine politique pour le musulman serait la théocratie mais c'est pour plus tard *inchallah*...
>
> Même si certains diront que les pays *kouffars* [mécréants] ne sont pas directement en guerre contre les musulmans, il y a néanmoins un *djihad* [guerre sainte] plus sournois à affronter dans ces pays.
>
> Par exemple, ici, au Canada il est souvent mal accepté et presque impossible pour les étudiants et les travailleurs musulmans de pouvoir faire leurs prières aux heures obligatoires. Le nombre et la qualité des mosquées sont nettement et dangereusement insuffisants pour les communautés musulmanes présentes.
>
> Le régime hebdomadaire commercial des pays *kouffars* n'est pas du tout fait pour accommoder les musulmans qui ont le vendredi comme jour de fête et de prière. Par conséquent, la majorité de nos frères se voient obligés par leur employeur d'abandonner la *kutba* [prêche du vendredi] qui est pourtant obligatoire en islam.
>
> En pays musulman, on prévoit des dispositions pour faciliter la pratique du jeûne sacré du mois de Ramadan, alors qu'ici la société nous pousse à en faire un mois ordinaire.
>
> En pays *kouffar*, on perd la chance de pouvoir entendre l'*Adan* [l'appel à la prière] de nos mosquées. Ce qui a comme conséquence l'oubli, la négligence et ensuite l'abandon de la prière par plusieurs musulmans immigrants.
>
> En pays musulman, on peut s'habiller conformément à la *sunna* sans passer pour un extraterrestre. Les femmes

peuvent garder leur voile sur leurs photos et cartes d'identité alors qu'ici c'est interdit.

En pays musulman, les valeurs familiales sont encore très importantes, alors qu'ici on nous apprend sans honte à se débarrasser des vieillards et des infirmes dans les hospices.

En pays musulman, il est plus facile aux musulmans célibataires de trouver l'âme sœur alors qu'ici c'est un vrai drame catastrophique [sic] pour notre communauté de frères et sœurs célibataires.

Les musulmans sont ici très mal représentés politiquement, malgré qu'ils payent des impôts comme tout le monde, ils n'en retirent quasi aucun profit pour la communauté musulmane. Sans parler des nombreux préjugés très défavorables à l'emploi.

Bref, certains diront que dans les pays musulmans on peut aussi trouver des pratiques immorales. Mais la différence c'est qu'en pays musulman la pudeur et la honte pour de tels actes existent encore, alors qu'ici les dérèglements dans la conduite (jeu, drogue, vie sexuelle déviante par rapport à la morale sociale) ne sont plus des sujets de honte et c'est grave (surtout pour nos enfants) de savoir qu'on vit dans une telle société. Qu'Allah nous en protège[1]!

Le « coup de pouce » du 11 septembre 2001

L'islam est la religion qui connaît la plus forte expansion dans le monde, en particulier en Occident. Il est difficile de chiffrer le nombre de convertis résidant au Canada et encore plus de déterminer la proportion de ceux qui font le grand saut annuellement, que ce soit de façon officielle devant un imam, ou officieuse chez soi, devant d'autres croyants, en prononçant

---

1. Forum de discussion Mejliss el Kalam.

la *shahada*, ou profession de foi. Le SCRS avance que 3 000 personnes adhèrent à la religion musulmane chaque année au Canada. En 2001, Statistique Canada estimait à 579 000 le nombre de musulmans, dont environ 108 000 qui résident au Québec (près de 100 000 seraient des Montréalais). De ce chiffre, entre 4 000 et 5 000 seraient des Québécois de souche ayant adopté la religion musulmane. Paradoxalement, certains observateurs notent un regain de conversions depuis les événements de septembre 2001 ; phénomène qui toucherait en majorité des femmes. Autre signe de cette «islamofolie», les Coran en langue française qui s'envolent par centaines dans les mosquées ainsi que dans les librairies généralistes.

Un constat qui malmène l'argument répété *ad nauseam* selon lequel les attentats auraient eu un effet totalement et uniquement négatif à moyen et long terme vis-à-vis de l'islam, une sorte de catalyseur d'un ressentiment antimusulman. «Au lendemain des attentats, les médias ont associé l'Islam à la terreur, à la barbarie, au sang. Les gens ont cherché à comprendre pourquoi notre religion avait une réputation si terrible. Par curiosité, ils ont lu sur la religion. Ils ont découvert alors la beauté de l'Islam et sont restés accrochés», explique l'imam montréalais Saïd Jaziri[2]. Le sociologue Rachad Antonius[3] abonde dans le même sens. Il a constaté une «polarisation à deux faces» depuis ces tragiques événements. Plus de gens, me dit-il, ont regardé l'islam de façon sympathique et plus de gens s'en sont servis comme prétexte pour attaquer cette religion.

J'ai contacté Karim et Youssef afin d'en savoir plus sur leurs parcours respectifs, connaître leurs motivations, le sens qu'ils donnent à leur vie et leur religion en tant que convertis

---

2. Daphné Cameron, «Islam made in Québec», *Montréal Campus*, n° 7, 5 avril 2006.
3. Professeur au département de sociologie à l'UQÀM.

et surtout comprendre comment on peut en arriver à prendre autant ses distances, voire à développer une rancœur vis-à-vis de son propre pays.

Assis sur les marches d'une mosquée de Montréal-Nord, Youssef se présente en riant comme un «100% Québécois depuis la colonisation et baptisé». Il est marié à une femme originaire du Maghreb et gère un blogue destiné aux jeunes musulmans, en particulier les convertis. Il fréquente aussi, avec une certaine assiduité, bon nombre de sites islamiques dans lesquels il fait office de modérateur officiel ou officieux, ne manquant pas une occasion de rappeler à l'ordre les «égarés». C'est à l'âge de dix-huit ans que le futur Youssef, qui réside alors à Québec, décide de remettre sa «démission à l'Église catholique». Il écrit au diocèse pour demander à être débaptisé (apostasié). «J'ai voulu leur signifier que j'étais frustré de leur *djihad*, des années Duplessis…» Son intérêt pour l'islam naîtra plus tard, par l'intermédiaire d'un ami marocain qui l'initie à cette religion. Bien qu'attaché à la spiritualité, cela ne se fera pas sans mal en raison des préjugés qui lui faisaient entrevoir l'islam comme une «religion de guerre». Par la suite, il se rendra compte que ce n'est pas la religion qui est en cause mais plutôt la «mauvaise» façon de la pratiquer. «L'islam, je le perçois comme un cadeau mal emballé. Extérieurement, il projette une mauvaise image, mais lorsque l'on se donne la peine d'enlever ses œillères, on s'aperçoit que ce n'est pas si tragique que ça.» C'est un autre converti, un Français «zélé» de passage dans la vieille capitale, qui le poussera ensuite à franchir l'ultime étape pour lui éviter de «finir en enfer» au cas où il mourrait avant! Cédant sous la pression, Youssef a dit oui un peu à contrecœur, reconnaît-il avec franchise, même s'il était déjà convaincu que l'islam s'apparentait le plus à ce qu'il avait cherché toute sa vie.

Désormais musulman jusqu'au bout des ongles, Youssef dit partager la souffrance des Afghans, ses «frères». Sa crainte est qu'un jour, un de ses coreligionnaires vienne frapper le Canada. « Quelqu'un qui dirait : "J'en ai marre. Vous m'attaquez ! Eh bien moi je vais venir faire de même chez vous !" Ce serait terrible. Parce que l'islam, c'est faire la guerre à un guerrier, pas à une femme ou un enfant [*sic*]. »

Karim le born again

Quant à Karim, méfiant, il a refusé de me rencontrer, mais nous avons toutefois pu échanger par messages interposés. Karim n'est pas un vrai converti au sens strict. « Né musulman mais d'une famille pas trop pratiquante », il fait partie de cette nouvelle vague que les islamologues assimilent aux *Born Again*, (en référence aux *Born Again Christian*, les fondamentalistes chrétiens américains), c'est-à-dire des individus en pleine renaissance religieuse, des réislamisés.

« À l'âge de 16 ans, moi et toute ma famille avons décidé de nous y mettre. Tous les jours, je passe des heures à étudier l'islam. L'islam prône le pacifisme, l'entraide, la compassion et elle exhorte l'égalité et le pardon envers tous les hommes sans exception. Tout ce qui sort de ce cadre est tout sauf l'islam. En ce qui concerne les actes culturels (prière, jeûne…), je suis les règles de l'école hanafite alors qu'en principe, je devrais suivre l'école malékite puisque je suis d'origine maghrébine. C'est justement cette école qui domine largement. En ce qui concerne les autres avis, je suis différents savants mais celui qui attire le plus mon attention est Cheikh Yûsuf al-Qaradawi. »

Petit retour en arrière : né en 1926 en Égypte, Al-Qaradawi est le président du Conseil européen de la *fatwâ* et de la recherche. Théologien de la doctrine des Frères musulmans[4]

---

4. Mouvement égyptien créé en 1928 par Hassan el Banna, le grand-père de l'intellectuel Tariq Ramadan. El Banna a été assassiné en 1949. Les

dont il a été membre jusque dans les années 1980, il est surtout connu comme téléprédicateur grâce à son émission hebdomadaire *La Charia et la Vie* sur la chaîne Al-Jazira. En juillet 2004, à l'hôtel de ville de Londres, un an avant les attentats meurtriers, cet éminent savant a tenu le discours suivant lors de la première «Assemblée pour la protection du hijab – Pro-hijab» :

> Les opérations martyres, ou ce que l'on appelle les opérations suicides, sont l'arme que Dieu a donnée aux pauvres pour combattre les forts. C'est la compensation divine. La société israélienne est une société militaire dans le sang et dans la chair. Leurs hommes sont des militaires et leurs femmes également. En conséquence, on ne peut donc pas considérer les femmes comme des innocentes. Concernant les morts d'enfants, ce ne sont que des dommages collatéraux[5].

Fin de la conférence de presse, applaudissements... Sourire aux lèvres, Ken Livingstone, maire travailliste de Londres, vient lui serrer la main...

Al-Qaradawi est aussi l'auteur du livre *Le Licite et l'Illicite*. Un ouvrage dans lequel le savant s'en prend par exemple à l'homosexualité, «acte vicieux [...] perversion de la nature, une plongée dans le cloaque de la saleté, une dépravation de la virilité». Youssef m'explique qu'il le cherche partout depuis plus d'un an, en vain.

Le prétexte de la colère

Lors de nos premiers échanges, Karim confirme une évidence : la situation en Afghanistan suscite la colère au sein des musulmans canadiens, comme dans une grande partie

---

Frères musulmans prônent la création d'un État musulman, un islam politique.
5. Cheikh Yûsuf al-Qaradawi, Londres, juillet 2004.

de la population, d'ailleurs. «En Islam, écrit-il, un principe fondamental est la solidarité entre frères et sœurs. Nous avons le devoir d'être fidèles l'un à l'autre. Mon mécontentement à propos de la guerre en Afghanistan est que l'armée canadienne n'a pas été envoyée pour rétablir la paix. Bush a dit la même chose concernant l'Irak et vous n'avez qu'à penser à la prison d'Abou Ghraïb, répugnant!» Cette tension, il la sent surtout monter chez les jeunes qui estiment que «ce pays ami qui a toujours été considéré comme pacifique est en train de devenir pays ennemi».

Durant l'automne 2006, Karim s'en est pris – sur un des forums qu'il fréquente – à Stephen Harper pour avoir qualifié le Hamas et le Hezbollah de groupe terroriste alors que la guerre faisait rage au Liban : «Mais pourquoi? Parce qu'il constitue la seule arme de défense contre les sionistes de juifs? Pourquoi n'a-t-il pas dit que Tsahal (armée israélienne) est un groupe de terroristes lorsqu'ils tuent chaque jour des enfants et des femmes? Même quand l'ONU intervient pour calmer ces terroristes de juifs, Harper disparaît de la scène internationale et le gouvernement d'Israël répond : "Nous nous excusons pour ces massacres, c'était une erreur technique de notre part." Vous ne voyez donc pas toute cette trahison et ces mensonges pour appuyer la cause israélienne?» Un message qui lui vaudra un rappel à l'ordre du modérateur.

Cette rhétorique du clivage conflictuel, du complot ourdi par l'Occident à l'encontre du monde musulman, je l'ai entendue à maintes reprises de la bouche de la plupart de mes interlocuteurs.

L'imam montréalais Saïd Jaziri[6] croit pour sa part que la situation en Afghanistan, à laquelle on doit ajouter

---

6. Au moment d'écrire ce chapitre (en décembre 2006), l'imam Jaziri était l'objet d'une mesure d'expulsion vers la Tunisie.

l'islamophobie ambiante et les difficultés d'intégration des musulmans au sein de la société canadienne «inévitablement» sont les ingrédients d'un cocktail dangereux qui va mener à un attentat en sol canadien. «Mais ce ne sera pas la faute des imams», prévient-il.

Selon l'islamologue Olivier Roy, les convertis choisissent le salafisme d'abord parce qu'ils y «retrouvent une communauté fraternelle où l'on existe». En outre, le converti, qu'il soit musulman, catholique ou protestant, choisit naturellement ce qui est «le plus fort», le plus musclé, c'est-à-dire une religion fondamentaliste et non pas une religion molle ; si l'on excepte ceux qui choisissent le bouddhisme. «Ce sont des religions qui font l'apologie de leur déculturation. On leur dit : "Vous êtes paumés, vous êtes indifférents à la culture de vos parents, vous vous sentez aliénés dans le contexte actuel. C'est très bien ; vous êtes mûrs pour recevoir la vérité." Ils retournent alors à quelque chose qui n'est pas leur point de départ...»

Une démarche que Rachad Antonius résume en ces quelques mots : «le zèle du néophyte». Trois raisons expliqueraient cette grande séduction opérée par l'islam dans son interprétation rigoureuse, voire radicale : «Il y a un stéréotype très orientaliste qui essentialise l'islam et qui estime que la frange radicale et violente est majoritaire au sein de l'islam. Les gens qui se convertissent sont aussi victimes de courants orientalistes. Leur vision de cette religion est tellement stéréotypée qu'ils ne perçoivent cette fraction radicale que comme seule valable. Il y a le phénomène des individus, contestataires, pour qui le choix du radicalisme est plus un rejet de la société dans laquelle ils vivent qu'un appui réel à cette doctrine radicale. Ces convertis qui auraient très bien pu devenir révolutionnaires trouvent dans ce cadre une justification à leur colère. Enfin, le dernier élément et non des moindres : ceux dont le prosélytisme est le plus actif ici sont les groupes radicaux financés par l'étranger, en particulier l'Arabie Saoudite.»

Services secrets alarmistes

Le bottin du terrorisme islamique compte plusieurs cas d'Occidentaux ayant suivi l'appel du *djihad* dans sa forme la plus violente. Les exemples les plus connus sont les Français Christophe Caze, chef présumé du gang de Roubaix abattu par la police en 1996, son complice Lionel Dumont[7], actuellement en prison, Muriel Degauque, une jeune Belge de 28 ans qui a péri lors d'un attentat-suicide en Irak en novembre 2005, Richard Reid, qui a tenté de faire exploser l'avion Paris-Miami d'American Airlines le 22 décembre 2001 avec une chaussure piégée au peroxyde d'acétone, et bien d'autres encore. Dans une moindre mesure, citons encore John Walker Lindh, le jeune Américain converti à l'âge de seize ans et capturé en 2001 arme à la main auprès des talibans. Lors de son procès, il a affirmé n'avoir «jamais compris le *djihad* comme de l'antiaméricanisme ou du terrorisme […]. Je suis allé en Afghanistan parce que je croyais que c'était mon devoir religieux d'aider militairement mes frères musulmans dans leur *djihad*».

Cette voie radicale choisie par une minorité de convertis demeure source d'inquiétude pour la plupart des services de renseignements. D'autant plus que, comme le prévoyait le SCRS dans un rapport secret rédigé en 2004, le phénomène devrait prendre de l'ampleur au cours des prochaines décennies :

La conversion à l'islam ne pose aucun problème en matière de sécurité. Il importe toutefois de surveiller le

---

7. Lire à ce sujet le chapitre sur Fateh Kamel.

nombre restreint de personnes qui deviennent adeptes de l'islam radical. [...] La perception selon laquelle l'Occident s'attaque à l'islam sur plusieurs fronts continue d'attirer le monde musulman, d'où la tendance croissante à appuyer des points de vue radicaux. Les convertis surtout sont portés à adopter des points de vue extrémistes en raison de leur nouvelle ferveur : certains sont enclins à l'extrémisme parce qu'ils croient que leurs gouvernements ou sociétés sont responsables de la souffrance de leurs coreligionnaires[8].

Un an plus tard, une autre étude classée «secret» du Service canadien de renseignement considère cette sympathie pour les injustices vécues par la communauté comme un des six facteurs majeurs dans le processus de radicalisation en adoptant une «interprétation extrémiste de l'islam» :

En réaction aux présumées souffrances infligées aux musulmans, en grande partie par l'Occident, la Russie et Israël, et forts de leur loyauté envers leurs frères spirituels, ces individus ont choisi de passer aux actes. Leurs réactions affectives par rapport aux situations dans diverses zones de conflit – comme la Tchétchénie, la Bosnie, le Cachemire, la Palestine ou l'Irak – les ont, dans certains cas, poussés à s'engager à joindre des groupes extrémistes. Internet offre une mine d'informations sur la campagne que l'Occident mène contre l'islam et il unit les sympathisants à l'intérieur d'un réseau virtuel. En naviguant sur ces sites, les intéressés deviennent des cibles plus susceptibles d'être recrutées[9].

Les prisons constituent un autre pôle d'inquiétude pour les services de lutte contre le terrorisme en Occident. Au Canada, affirme encore le SCRS, «la popularité de l'islam dans

---

8. BR 2004-5/29, «Conversion de Canadiens à l'islam radical». Archives de l'auteur.
9. Étude 2005-6/11, «Processus de radicalisation des musulmans canadiens». Archives de l'auteur.

les prisons est bien connue et il est fort probable que certains détenus adoptent une version radicale de cette religion. Lorsqu'ils seront mis en liberté, les détenus s'étant convertis à l'islam radical fréquenteront inévitablement des extrémistes qui partagent leurs opinions[10]». Impossible d'en savoir plus en raison de la censure gouvernementale…

Pourquoi cet intérêt croissant des groupes extrémistes à l'endroit des convertis, canadiens en particulier? Pour des raisons stratégiques, affirment les experts. Le converti, *a fortiori* celui qui n'a jamais été musulman, a une solide connaissance de la société occidentale, peut se déplacer assez facilement à l'échelle internationale en raison de son pays d'origine et de ses papiers en règle, et manifeste une ferveur caractéristique des nouveaux adeptes.

Toujours selon les analystes du SCRS, «Al-Qaida et d'autres organisations partageant les mêmes valeurs sont conscientes de l'utilité des convertis pour, entre autres choses, diffuser de la propagande, assurer un soutien logistique et exploiter leurs connaissances de l'Ouest. Dans le cadre de la lutte contre le terrorisme, les convertis pourraient jouer un plus grand rôle et même être appelés à se livrer à des activités opérationnelles, [un passage censuré] et réussiraient plus facilement à franchir les postes de contrôle, ce qui les rendrait plus utiles à titre d'agents.»

À la GRC, on partage cette inquiétude pour les convertis. Même si le nombre de cas rapportés est encore faible, leur ferveur, pense-t-on, est un atout que les extrémistes peuvent exploiter.

Dans un autre rapport secret, le Service canadien du renseignement assure que les jeunes Canadiens qui ont adopté

---

10. BR 2004-5/39, «L'islam radical constitue-t-il un problème dans les prisons canadiennes?». Archives de l'auteur.

la doctrine extrémiste de leurs parents font «peser une menace grave sur la sécurité nationale» :

> Les enfants dont le père est djihadiste grandissent dans une atmosphère d'extrémisme qui les amène à croire qu'il est justifié de recourir à la violence pour atteindre des objectifs politiques. L'obligation d'obéir aux parents explique également pourquoi certains jeunes acceptent de se rendre en Afghanistan et au Pakistan pour suivre un entraînement au terrorisme. Enfin, face à une cause, ces extrémistes font preuve d'un zèle et d'un enthousiasme propres à la jeunesse. Ils peuvent concentrer tous leurs efforts sur une cause donnée et sont prêts à mener des opérations, qu'il s'agisse de véritables actes de terrorisme ou de la promotion du *djihad* mondial grâce à la prospection ou à la diffusion d'informations. En outre, ils sont influençables, de sorte que des membres hauts [*sic*] placés et plus expérimentés du *djihad* international peuvent les convaincre de commettre des actes[11].

On le constate à la lecture de ces rapports, les convertis à l'extrémisme islamique, quelles que soient leurs origines, représentent un vrai défi pour les services de renseignements. Ne serait-ce que pour le rôle clé qu'ils pourraient jouer pour contrecarrer les mesures mises en place par les gouvernements dans le cadre de la lutte contre le terrorisme. Ironie de la situation, dans les mosquées montréalaises, où beaucoup ont encore en mémoire les manipulations de Joseph Gilles Breault, alias Youssef Mouammar – la taupe du SCRS dans les années 1990 –, on se méfierait aussi comme de la peste de ces nouveaux musulmans suspectés d'être des infiltrateurs de la police. Chat échaudé craint l'eau froide...

---

11. BR 2004-5/07, «Tel père tel fils; la nouvelle génération d'extrémistes islamistes au Canada». Archives de l'auteur.

« *Choisis ta mort* »

Youssef, le Québécois néo-musulman, ne nie pas que les convertis soient une proie facile. On y retrouverait en effet, remarque-t-il, beaucoup de femmes divorcées et mères de famille monoparentale qui se convertissent par amour, des cas sociaux, des individus déprimés qui peuvent parfois croiser sur leur chemin, comme tous les êtres affectés par un mal de vivre, des personnages charismatiques peu fréquentables qui agissent comme de véritables gourous.

Tomber entre les griffes de recruteurs opportunistes, c'est ce qui a failli arriver à Karim. C'était à une époque où il rejetait tous ceux qui n'étaient pas musulmans, où il éprouvait même de la haine envers eux. Par exemple, lors d'une discussion dans un forum québécois, il décrit Montréal comme une ville de débauche totale. « Le résultat est que je me suis retrouvé isolé. » En novembre 2005, il étale sur la Toile son malaise dans un message intitulé « Le musulman peut-il être heureux??? » :

Salam Alikoum, Bismillah Ar-Rahman Ar-Rahim
    Je suis un peu déprimé... pour certaines raisons :
    – Pas de musique
    – Pas d'amis chrétiens ou juifs
    – Déconseillé de jouer aux jeux vidéos
    – Déconseillé de tchater
    – Ne pas jouer au soccer (mixte)
    – Minorité au Canada = musulmans je vais à l'école où l'adultère est mode courante
    – Pas d'amis car ils sortent dans les bars, clubs, ciné, etc.
    – Rares musulmans dans mon quartier
    – Je fête pas l'Aïd ;
    – Mon entourage n'écoute pas mes règles concernant la chari'a ;
    – Mon édifice de logement contient plusieurs criminels ;

- Mon coin est l'un des plus défavorisés de la ville ;
- Je suis né dans la pauvreté ;
- J'ai déjà pensé plusieurs fois au suicide ;
- Je suis malheureux mais je sens une lumière au fond de moi...
- Sans cette lumière, je me serais tiré une balle en pleine bouche ;
- Je me demande si le musulman a le droit de vivre ou de sourire en cette vie... ? ;
- Qu'Allah m'aide dans ma vie qui est misérable...
- Je voulais me confier... c'est tout !

Quelques heures plus tard, un autre usager de ce forum de discussion lui répond ceci :

Salam, frère. Je te conseille d'aller au *djihad*, si plus rien ne te retient. Choisis ta mort *fi sabilillah* [pour la satisfaction d'Allah]. Sinon émigre. Qu'Allah te facilite dans tous les cas.

Quelle réaction le jeune étudiant a-t-il eue lorsque cet internaute lui a brutalement suggéré le *djihad* dans sa version guerrière comme seule issue à sa vie « misérable » ? « J'y ai pensé, m'avoue-t-il, mais je me suis dit que si j'étais en Palestine ou à un endroit propice pour ce genre d'assaut, j'y aurais consenti sans tarder. Mais vu que la localisation géographique ne me le permettait pas, je me suis dit que ça relevait, pour le moment du moins, de l'impossible. »

Karim analyse avec lucidité son parcours sinueux de nouveau croyant qui l'a amené à butiner à droite et à gauche, en particulier sur le Web, sans réelles balises.

« Lorsque l'on tente d'apprendre l'islam sans orientation, commente-t-il, on risque de tomber sur des extrémistes ou des sectes qui exhortent à n'importe quoi. » Autre grief, l'accès limité au savoir religieux tant dans les librairies grand public que dans les rares librairies islamiques locales. « Certains se demandent pourquoi il y a des terroristes... Les jeunes musulmans comme moi veulent apprendre, mais n'ont pas d'autre choix que de chercher ce savoir sur Internet. D'où le danger de tomber sur un site extrémiste sectaire. [...] J'allais partout sur Internet, partout où il y avait le mot "islam". Je me passionnais, mais j'en ai payé les conséquences. Maintenant, je sais que plusieurs sites sont de vraies déviances. »

Le Web est devenu *la* source d'information favorite des futurs convertis ou des néo-convertis, et même « le grand imam virtuel de tout le monde » me confie, l'air dépité, un imam montréalais. Au Québec, par exemple, il existe plusieurs sites francophones – en majorité salafis – qui regorgent de *fatwas* et de mises en garde sur des sujets les plus variés : est-il permis à la femme de se présenter devant celui qui l'a demandé en mariage, parfumée et maquillée ? Pourquoi les soufis et les tablighi sont-ils des égarés ? Est-il permis de voyager vers les pays de mécréants ? Doit-on porter une alliance ? Le rasage de la barbe est-il licite ? Des sections complètes sont aussi réservées aux convertis où ces derniers partagent leurs expériences personnelles, les réactions de leur entourage familial et professionnel, etc.

À cause de son anonymat et de sa discrétion quasi assurés, le prosélytisme sur la toile est un des nouveaux défis majeurs que doivent affronter les services de lutte contre le terrorisme. Dans ce contexte de globalisation de la terreur, avec plus de 5 000 sites djihadistes recensés dans le monde sans compter les blogues, *chat* et autres espaces de discussion privés, la tache est immense. Le bon vieux système d'espionnage et d'infiltration des lieux de rassemblement comme les mosquées est devenu d'un coup obsolète si l'on en croit une récente étude canadienne :

> Les recruteurs parcourent les salles de clavardage et les cybercafés et affichent des messages sur les babillards

électroniques, à l'affût de personnes réceptives, plus particulièrement de jeunes personnes vulnérables, qu'ils pourraient inciter à entrer dans un groupe terroriste en les préparant et en les encourageant en ligne dans un contexte privé. Une fois repérées, les recrues éventuelles sont bombardées de décrets religieux, de propagande et de manuels sur la façon de prendre part au «mouvement djihadiste mondial». Celles qui se laissent appâter par les discours ou par leur curiosité sont guidées à travers un dédale de salles de clavardage secrètes ou reçoivent l'instruction de télécharger le logiciel *Paltalk*, grâce auquel les utilisateurs peuvent se parler sur le Web sans crainte d'être surveillés. C'est à ce moment que commence l'endoctrinement personnel en ligne[12].

Rencontré dans une mosquée salafiste de l'est de la ville, Issa, un jeune Québécois de souche, a rejoint l'islam en 2001 de façon conventionnelle, c'est-à-dire au contact d'autres musulmans alors qu'il étudiait au cégep. Grand, mince, habillé d'une longue tunique de prière blanche, le bas du visage cerné par la barbe de circonstance, cet assembleur en mécanique a choisi la doctrine salafiste, qu'il décrit comme le «juste milieu», parce que les autres courants véhiculent beaucoup trop d'innovations à son goût. Le discours musclé de l'imam Abou H. et sa forte personnalité n'ont pas été des facteurs pertinents dans son choix du lieu de prière. «L'important est de suivre le Coran et la *sunna*. L'individu est moins important.» Même s'il arrive à concilier sa vie de musulman et son travail, qu'il n'a jamais fait l'objet de brimades ou de commentaires désobligeants, Issa avoue qu'il se sent désormais mal à l'aise

---

12. Canadian Centre for Intelligence and Security Studies, The Norman Paterson School of International Affairs, Carleton University, 2006. www.csis-scrs.gc.ca.

au Canada, son pays, à cause des «tentations». «Mais j'ai confiance en Allah!» me dit-il.

Le mystère Tabligh

Certains nouveaux djihadistes sont passés par les rangs du Tabligh, ou *Daawat al Tabligh* (Appel de la propagation), un mouvement piétiste «revivaliste», méconnu du grand public. Il fait partie de la famille de l'islam fondamentaliste au même titre que le salafisme et le wahhabisme. Créé au début du xxe siècle par Muhammad Ilyas – un docteur de la loi de Lahore –, le Tabligh s'est rapidement propagé dans le monde entier depuis ses bases indo-pakistanaises. Aujourd'hui, les tablighi seraient près de trois millions à travers le monde.

En France, par exemple, ces prêcheurs d'Allah arpentent inlassablement par petits groupes les banlieues «chaudes» à la recherche de futurs volontaires à la conversion ou réislamisation. Leur cible favorite : les jeunes issus de l'immigration, souvent des petits délinquants, qui se sentent déracinés. Les tablighi vont s'attacher alors à les ramener dans le droit chemin, leur montrer tous les avantages qu'ils ont à rejoindre cette communauté fédératrice et reconstructrice. Les meilleurs éléments peuvent ensuite s'envoler vers le Pakistan où l'organisation gère des *madrasa* (écoles coraniques). Mais depuis quelque temps, apprend-on dans un intéressant rapport d'étude sur la révolte des banlieues en France à l'automne 2005, le mouvement subirait de plein fouet la concurrence du salafisme qui attirerait vers lui de plus en plus de déçus du Tabligh.

Selon les chercheurs, le Tabligh «souffre d'abord de la faiblesse de sa production idéologique qui fait qu'"on en fait vite le tour" selon les termes d'un ancien adepte du mouvement alors que le salafisme se fonde sur une importante collection de livrets, opuscules, cassettes. En second lieu, le Tabligh souffre d'un problème d'image. Alors que le salafisme bénéficie d'un effet de mode en raison de sa nouveauté, le Tabligh est un peu le signe de la religiosité des premiers migrants[13] ». En marge de ces deux mouvements missionnaires rivaux qui détiendraient, poursuivent les auteurs, une sorte de monopole de l'offre d'islam dans les quartiers de familles immigrées, on trouve le « militantisme des réseaux djihadistes mobilisant à partir d'un discours anti-impérialiste "islamisé" et dopé par les questions palestinienne et irakienne [...] et par les discriminations » locales. Un constat inquiétant que l'on ne doit plus considérer comme franco-français.

Olivier Roy[14] décrit le Tabligh comme un islam fondamentaliste, abstrait, virtuel et qui ne s'incarne dans aucune culture ni aucun lien social. « Les tablighi disent que l'islam a été perverti par les influences culturelles, ethniques, nationales. Il faut donc revenir à un islam supranational. » Clairement apolitique et non violent, le Tabligh suscite pourtant de plus en plus de méfiance et bien des questions. Depuis quelques années, ce mouvement est scruté avec une attention particulière par les services policiers français, en particulier la section des Renseignements généraux (RG)[15]. En 2006, plusieurs employés de l'aéroport parisien de Roissy-Charles-de-Gaulle « liés à des mouvances fondamentalistes à visée potentiellement terroriste » ont perdu leur habilitation d'accès aux zones réservées. L'Unité de coordination de la

---

13. « La France face à ses musulmans : émeutes, jihadisme et dépolitisation », rapport n° 172, International Crisis Group, 9 mars 2006. www.crisisgroup.org
14. A. de la Grange, « Les djihadistes sont des déracinés », *Le Figaro*, 30 juillet 2005.
15. En France, le Tabligh est aussi présent sous la forme d'une association nommée Foi et Pratique.

lutte antiterroriste (UCLAT) mentionnait dans ses fiches qu'au moins deux d'entre eux – dont un Français converti – étaient membres du Tabligh et avaient voyagé au Pakistan. Dans plusieurs rapports officiels, le Tabligh, bien que non relié directement à la mouvance d'Al-Qaida, est décrit comme un sas qui prépare le terrain à ses recruteurs en endoctrinant les jeunes dans un islam radical et même un vivier où viennent pêcher les islamistes djihadistes. Avis que partage l'écrivain et politologue Antoine Sfeir. Dans une autre étude réalisée en 2005 et portant sur 1 610 Français convertis à l'«islam radical», 28 % étaient issus du Tabligh, et 32 % du salafisme. On leur reproche aussi, comme dans le cas des salafistes, de pratiquer une apologie de la rupture tant vis-à-vis de la communauté que de la société dans son ensemble, ce qui conduit inexorablement à un «repli communautaire».

Ce point de vue qui tend à jeter l'anathème sur le Tabligh ne fait pas l'unanimité, loin de là. Ali Laïdi[16], ce journaliste spécialiste du terrorisme, est plus nuancé dans son jugement. Sa thèse est que les jeunes tablighi qui séjournent dans les écoles islamiques du mouvement sont «déroutés par des sergents recruteurs du *djihad* [...] parfois à leur corps défendant. La faute du Tabligh, c'est de ne pas s'inquiéter du sort de ses étudiants», écrit-il. L'ex-agent de la CIA Marc Sageman rapporte que de nombreuses recrues d'Al-Qaida utilisaient l'alibi du Tabligh pour obtenir leur visa pakistanais. Mais au lieu de se rendre comme prévu dans les écoles du mouvement, les apprentis djihadistes filaient tout droit dans des camps d'entraînement en Afghanistan pour suivre leur formation du parfait terroriste.

Les deux exemples les plus connus de tablighi djihadistes sont Khaled Kelkal, accusé d'avoir perpétré plusieurs attentats

---

16. Ali Laïdi et Ahmed Salam, *Le Jihad en Europe*, Paris, Seuil, 2002.

à Paris pendant l'été 1995, et Zacharias Moussaoui, emprisonné à vie aux États-Unis pour son implication avérée dans les attentats du 11-Septembre. En septembre 2005, en se basant sur des sources du milieu du renseignement, le quotidien argentin *La Nacion* a publié un article à la une au sujet de vingt-six membres du Tabligh entrés en Argentine au cours des derniers mois. Les individus en question provenaient du Pakistan, de Malaisie, d'Afrique du Sud, du Qatar et d'Égypte. Qu'est-ce qui justifiait cette alerte ? Selon ce journal, les autorités argentines auraient été averties de leur présence par l'Espagne où le Tabligh «fait l'objet d'enquêtes pour la participation de certains de ses membres aux attentats de Madrid» du 11 mars 2004.

La mauvaise nouvelle pour le Tabligh, c'est qu'ils sont désormais dans le collimateur des Américains. Dans une note confidentielle rédigée en 2004[17], le FBI considère que le mouvement piétiste est une couverture idéale pour les membres de réseaux terroristes présents dans le pays. Ils estiment aussi que certains tablighi auraient la capacité de commettre un attentat. Le même document rapportait que sept d'entre eux étaient alors l'objet d'enquêtes ; de plus, un autre missionnaire d'Allah, haut responsable d'une mosquée du Midwest, était suspecté de vouloir recruter des convertis pour de sombres projets... En janvier 2006, un médecin d'origine pakistanaise résidant en Arizona depuis quinze ans, Nadeem Hassan, et son épouse Amber sont arrêtés à l'aéroport JFK de New York à leur retour de pèlerinage à La Mecque. Au cours de son interrogatoire, le couple apprend avec stupeur que leur carte verte est révoquée au motif que M. Hassan aurait omis de mentionner ses liens avec le Tabligh, groupe que le

---

17. «FBI Monitors Islamic Group for Terror Ties», NBC, 18 janvier 2005.

Département de la sécurité intérieure (DHS) lie au terrorisme. Menacé d'emprisonnement, le couple est obligé de quitter le pays pour son pays d'origine, le Pakistan.

Intérêt mitigé

Au Canada, la nébuleuse du Tabligh ne semble pas être un motif d'inquiétude pour le moment. C'est du moins ce que laissent entendre les différentes sources policières approchées lors de mon enquête. Quant à savoir si ce désintérêt apparent est le reflet de la réalité, seul l'avenir le dira... J'ai appris toutefois que le mouvement a fait l'objet d'un rapport secret du SCRS en 2003. Un document aux conclusions nuancées où, une fois encore, les analystes ont noté que certains extrémistes sont passés par ses rangs et que le mouvement gagne en popularité. Le Tabligh est aussi accolé au cas de Maher Arar, cet ingénieur d'Ottawa arrêté à l'aéroport JFK de New York le 26 septembre 2002 alors qu'il se préparait à s'envoler vers Montréal. Accusé à tort d'être un membre d'Al-Qaida, déporté en Syrie, il y est demeuré emprisonné jusqu'au 5 octobre 2003. Voici la transcription d'un interrogatoire mené le 18 mai 2005 devant la Commission d'enquête sur les actions des responsables canadiens relativement à Maher Arar :

> Me Edwardh : Étiez-vous au courant de l'allégation selon laquelle M. Arar s'était rendu au Pakistan ?
>
> M. Livermore[18] : Oui, j'étais au courant de cette allégation.
>
> Me Edwardh : Et quelle est la source d'information qui vous a permis d'être au courant de cette allégation ?
>
> M. Livermore : Eh bien, encore, je crois que je dois formuler une objection.

---

18. Directeur général du Security and Intelligence Bureau du Département des affaires étrangères des États-Unis.

Mᵉ Edwardh : Étiez-vous au courant de l'allégation selon laquelle il se serait rendu au Pakistan à la demande d'un groupe qui s'appelle Jama'at Tablighi ?

M. Livermore : Encore une fois, je ne suis pas... cela ne me dit rien. J'ai peut-être lu cette information à ce moment-là. Mais si c'est le cas, je l'ai oubliée.

Des fuites parues dans la presse en 2003 relataient que Maher Arar aurait avoué, au cours d'interrogatoires menés par les autorités américaines puis par les services de sécurité syriens, qu'il s'était rendu au Pakistan à la demande de membres montréalais du Tabligh[19].

À Montréal, deux dossiers très médiatisés auraient pu braquer les projecteurs sur le Tabligh, mais personne, dans les médias en particulier, n'a cherché à en savoir plus sur ces énigmatiques missionnaires d'Allah. Les trouver n'est pas chose aisée. Le mouvement qui compterait plusieurs centaines d'adeptes à Montréal, cultive un secret à toute épreuve. Il peut aussi compter sur un obscur réseau de petites mosquées de garage et de sous-sol. Ses adeptes se rendent aussi dans les autres mosquées de la ville où ils sont accueillis à bras ouverts. Sauf à la mosquée Assuna, paraît-il. En 2005, le Marocain Adil Charkaoui, arrêté en 2003 en vertu d'un certificat de sécurité et sous le coup d'une expulsion vers le Maroc, a témoigné être allé au Pakistan entre les mois de février et juillet 1998. « [...] Entre autres, il a assisté à une réunion annuelle d'un groupe musulman, Adawaa Wa Tabligh, qui prêchait souvent dans la région de Montréal », a-t-on appris lors d'une audience devant la Cour fédérale.

En entrevue, Adil Charkaoui ne cache pas son agacement face à ce procès d'intention fait au Tabligh : « Même dans les

---

19. « Rapport sur les événements concernant Maher Arar », p. 535, www.ararcommission.ca

régimes les plus répressifs contre les extrémistes, en particulier les baassistes de l'Irak de Saddam Hussein, et de la Syrie, le Tabligh est toléré, me dit-il. Ces gens-là savent qu'ils ont affaire à un groupe qui prône la non-violence, qui n'a pas de visées politiques. Il fait du prosélytisme auprès des musulmans et des non-musulmans. C'est tout. Quant à leurs *madrasa*, ce ne sont pas des usines fabriquant des terroristes. La plupart des jeunes qui étaient avec moi en 1998 regardaient les matchs de la coupe du monde de foot [soccer] en cachette...» Il se dit toutefois déçu de son séjour dans ces écoles religieuses pakistanaises. Savoir islamique limité, formation sommaire des professeurs, niveau intellectuel assez faible et vision très réductrice de l'Occident. «Aujourd'hui, je peux dire que je n'ai pas trouvé ce que je cherchais, dit-il. Je déconseille à n'importe quel jeune de s'y rendre. Mieux vaut aller étudier en Arabie Saoudite ou en Égypte.»

À l'inverse, Fateh Kamel semble fasciné par le Tabligh, un mouvement dont il se sent proche. Il apprécie leur «façon de voir l'islam et de suivre la tradition du prophète». Aussi, le fait que l'on puisse mettre en doute les bonnes intentions de ceux dont il partage les valeurs le contrarie : «Cela prouve qu'ils sont en train de combattre l'islam et non pas l'islamisme. Ils veulent que nous-mêmes ayons peur de l'islam.»

Drame rue Kent

Le nom du Tabligh est mêlé à un événement tragique – et aussi mystérieux que ce mouvement – survenu le 1er décembre 2005 dans le quartier Côte-des-Neiges. Premier acte. Il est environ 6 h 40 ce matin-là lorsqu'une équipe de policiers de la SQ, de la GRC et de la police de Montréal cerne un petit duplex de la rue Kent. Cet édifice à la façade en pierres et aux fenêtres bleues abrite une garderie, mais surtout un individu suspecté d'être membre d'un réseau de fraudeurs nord-africains spécialisés dans le clonage de cartes de crédit. Les policiers se présentent à la porte de son appartement, mandat d'arrestation en main. L'opération Glory vient de débuter... Six autres perquisitions ont lieu simultanément dans la métropole. En tout, ce sont 44 mandats qui ont été émis. Fait important à signaler, c'est la Section de lutte au terrorisme de la SQ qui avait pris cette enquête en main à l'origine. Ceci après avoir obtenu des informations selon lesquelles les cinq individus visés étaient mêlés à « une activité terroriste d'usurpation identitaire et de fabrication de faux passeports ». Fausse piste, assure-t-on ensuite tant du côté policier que judiciaire. Le communiqué publié par la Sûreté du Québec dans les heures qui ont suivi mentionne qu'il n'y avait pas de « lien direct » entre les activités criminelles de ce réseau et une quelconque activité terroriste. Pourtant, une source digne de foi m'a affirmé que cette opération avait été menée sous la houlette de cette escouade.

Ces fraudeurs sévissaient aussi dans des stations-service, des banques, etc. Ils y plaçaient des « glaneuses », lecteurs de pistes magnétiques, pour copier les informations confidentielles à l'insu de leurs victimes. Une fois les cartes de crédit clonées, ils les utilisaient notamment pour remplir les réservoirs de leurs autos et celles de leurs nombreux amis... À qui étaient destinés finalement les faux papiers? Où allait l'argent? Déterminer et prouver hors de tout doute qu'il a servi ensuite à financer une cause « terroriste » quelque part dans le monde est une autre paire de manches, font remarquer les policiers que j'ai interrogés. « La Couronne travaille avec des faits, explique un ancien policier spécialisé en terrorisme. Ils ne voient pas les associations et les liens. » Les policiers voient des terroristes partout, ironise de son côté un procureur de la Couronne.

« *Allah est plus grand* »

Deuxième acte. Au moment même où les policiers commencent leur perquisition dans le duplex de la rue Kent, un jeune étudiant Marocain âgé de 25 ans vient de quitter la *muzalla*[20] Muaz bin Jabal où il prie et lit le Coran depuis 5 h 45 du matin en compagnie de deux autres personnes. Cette *muzalla* est parfaitement dissimulée au sous-sol du bâtiment mitoyen, 3706, rue Kent, au coin du chemin de la Côte-des-Neiges. Ce n'est pas une salle de prière comme on se l'imagine, mais plutôt un petit espace de quelques mètres carrés. La dizaine d'adeptes du Tabligh, tous résidants du secteur, font leurs prières sur une moquette verte miteuse, coincés entre un mur d'un côté et les appareils électroménagers appartenant à Mosleh, l'occupant des lieux originaire du Bengladesh, de l'autre. L'entrée, une porte discrète sur laquelle est collée une minuscule étiquette avec une mention en arabe, est située en contrebas de l'allée menant au garage du duplex où les enquêteurs sont à l'œuvre.

Comme beaucoup d'adeptes du Tabligh, Mohamed Anas Bennis porte la longue gandoura blanche traditionnelle du Prophète et son visage est orné d'une barbe bien taillée. Mosleh est un des derniers à l'avoir vu vivant. Selon ce qu'il me raconte, il était environ sept heures lorsqu'il a aperçu Mohamed Anas assis sur les marches devant son immeuble. « J'étais étonné de le voir. Je lui ai dit : "Pourquoi es-tu assis ici dans le froid ? Tu ferais mieux de rentrer chez toi..." » Était-il vraiment sept heures ? Mosleh n'est pas capable de le confirmer.

---

20. *Muzalla* : lieu de prière de quartier installé dans un logement, une école, etc.

S'il était vraiment cette heure-là, il aurait dû voir les autos de la SQ et du SPVM stationnées devant chez ses voisins ainsi que les agents en faction sur le trottoir. Or, il jure n'avoir rien remarqué. Pas plus qu'il n'a vu de couteau entre les mains d'Anas ou remarqué un comportement anormal. Mosleh n'a pas insisté. Il est parti se coucher, me confie-t-il.

Selon le rapport de police, vers 7 h 15, Mohamed Anas Bennis, couteau dans une main, se trouve sur le trottoir de la rue Kent, à une dizaine de mètres plus à l'ouest du lieu de l'opération Glory. Et surtout dans la direction opposée à celle qu'il doit emprunter pour retourner vers sa résidence. Son chemin croise celui de deux jeunes policiers qui viennent relever leurs collègues en faction depuis l'aube. Une voix crie : «Sors les mains de tes poches!» En invoquant Allah, le jeune Marocain se jette alors avec son arme sur un des deux agents, le blessant au cou. Des coups de feu claquent. Mohamed Anas Bennis est foudroyé de deux balles au thorax et à l'abdomen. Dans les minutes qui suivent, d'autres policiers occupés à revêtir à la hâte leur gilet pare-balles accourent sur les lieux du drame.

Réveillée par le bruit des détonations, une voisine se précipite sur son balcon et aperçoit des agents immobiles, leur arme braquée à bout de bras vers le sol. Anas, inconscient, est transporté par les ambulanciers d'Urgences-santé à l'Hôpital général juif où son décès est constaté officiellement à 8 h 4.

Dans son court rapport d'investigation daté du 31 janvier 2006, le coroner Rafael Ayllon conclut à un «décès violent suite à un choc et des hémorragies massives engendrées par des plaies de balle». Il cite le rapport d'autopsie effectué le lendemain du drame au Laboratoire des sciences judiciaires et de médecine légale qui précise que les deux balles ont «perforé plusieurs viscères dont le poumon droit, l'estomac, la rate, le rein gauche et le cœur». Quant aux circonstances du décès,

En novembre 2006, le journal marocain publié à Montréal Atlas-Mtl n'a pas hésité à publier à la une la photo du corps du jeune Mohamed Anas Bennis abattu un an plus tôt. (Collection de l'auteur.)

le Coroner se montre peu bavard. Il reproduit presque mot pour mot la version policière de cet événement nébuleux :

> Dans le rapport policier du poste 25 du Service de police de la ville de Montréal, les agents [...] se sont dirigés vers le 3714, rue Kent afin de relever le personnel intervenant

dans une opération dirigée par la Sûreté du Québec le 1er décembre vers 6 h 40. Les deux agents marchaient sur le trottoir vers le domicile lorsque M. Bennis s'est dirigé dans leur direction soit sud-ouest et en arrivant à cette hauteur un des policiers a été poignardé par le monsieur dans le cou et à la jambe droite sans aucun motif connu. L'agent a tiré sur lui avec son revolver et l'individu est tombé par terre.

Comme le prévoit la politique ministérielle en pareil cas, c'est un autre service de police qui est immédiatement chargé de l'enquête, en l'occurrence les policiers de Québec. Une équipe de policiers quitte la capitale nationale pour mener leur enquête sur place.

Très vite, la polémique enfle au cœur de la communauté musulmane. La thèse de la bavure policière est lancée. Mohamed Anas a été victime de son apparence, croit-on. « Mon fils pratiquait, mais ce n'était tout de même pas un terroriste ! » clame son père Mohamed Bennis, conseiller financier à la Chambre de commerce canadienne au Maroc, qui débarque trois jours plus tard à Montréal. Effondré, il me confie alors ne pas croire un mot de la version policière qui évoque la légitime défense.

Comment expliquer alors que le policier qui a tiré a été blessé non seulement au cou, mais aussi à la jambe ? Cela sous-entend, en déduit le père, que Mohamed était à terre lorsqu'on lui a tiré dessus. Son fils, poursuit-il, a été victime autant d'un délit de faciès que d'une absence de maîtrise et d'une erreur technique du jeune policier. M. Bennis exprime aussi sa « peur que l'affaire ne tombe entre les mains de la rue », sous-entendu des extrémistes, si ce dossier est mené avec absence de transparence et de justice. Le frère de la victime, Mohamed-Larbi[21], se dit prêt à accepter la thèse de

---

21. Hugo Meunier, « Jeune homme abattu par la police à Montréal », *La Presse*, 29 décembre 2005.

la police. «Mais est-ce que deux policiers armés n'ont pas d'autres moyens d'immobiliser un homme avec un couteau?» se demande-t-il.

Mohamed Anas Bennis est enterré le 10 décembre au cimetière musulman de Laval après une prière dite dans une mosquée de Saint-Laurent.

Ses funérailles ne calment pas la polémique, loin de là. Un collectif «Justice pour Anas» est mis sur pied. Le 7 janvier 2006, plusieurs centaines de personnes descendent dans les rues du centre-ville pour protester et demander la tenue d'une enquête indépendante. «Que Mohamed Anas se promène avec un couteau de cuisine à sa sortie de la mosquée ce matin du 1er décembre, personne ne nous fera avaler une couleuvre de cette taille. Mieux vaut croire au père Noël», déclare une de ses sœurs[22]. Dans la foule, Adil Charkaoui et... l'ancien ministre de l'Immigration, Denis Coderre. Celui-là même qui a signé son certificat de sécurité en mai 2003. Une présence malvenue aux yeux de plusieurs participants qui conspuent alors allégrement l'ex-ministre. Jusqu'au moment où un imam avertit discrètement les frondeurs de calmer leurs ardeurs...

Les médias marocains en font aussi leurs choux gras. «Pourquoi ont-ils tué Mohamed Anas Bennis?» se demande le journal *Atlas-Mtl* en gros titre à la une. À l'intérieur, deux photos de la victime prises en des moments heureux. On y voit un jeune homme joufflu, cheveux courts et sourire radieux entouré de sa famille à l'occasion de son dix-neuvième anniversaire. Anas y est décrit comme «un jeune homme tranquille», «équilibré [...] qui ne buvait pas, ne fumait pas et ne se droguait pas». Né le 29 juin 1980 à Casablanca, il s'installe quelques mois plus tard en compagnie de sa famille à

---

22. Hanane Hachimi, «L'affaire Anas : un Marocain tué par la police au Canada», *Le Reporter*, 23 janvier 2006.

Montréal. Anas fait ses études à Boucherville, puis au Collège Saint-Lambert et enfin à Concordia. À 18 ans, il crée un site Internet consacré au sport et il était en train d'en concevoir un autre sur le commerce international. Un projet qui occupait l'essentiel de son temps. Il ne quittait son ordinateur que pour accomplir ses prières à la *muzalla* Muaz bin Jabal.

Un jeune Montréalais qui l'a bien connu dresse, quant à lui, un portrait moins flatteur de la victime. Selon lui, Anas tenait un discours de plus en plus antioccidental. Il était même devenu à ses yeux «un peu fanatique». Cet interlocuteur ne m'en dira pas plus.

La nébuleuse affaire Anas Bennis plonge petit à petit dans l'oubli. Les mois passent, aucune nouvelle de l'enquête. En septembre 2006, Najla, sa deuxième sœur, exprime clairement sa frustration et son impatience. Pour cette dernière, il est clair que ce silence n'augure rien de bon.

Une rapide vérification auprès de la police de Québec me permet alors de découvrir que celle-ci a terminé son enquête à la fin du mois de mars et que le dossier a été remis par la suite au bureau du procureur de la Couronne de Rimouski. Incroyable mais vrai, le procureur qui avait hérité du dossier en avril n'avait toujours pas eu le temps de s'en occuper depuis. Raisons invoquées : surcharge de travail puis congé de maladie ! Il promet toutefois que la famille et le public connaîtront le fin mot de l'histoire d'ici le 1er décembre 2006, date anniversaire du décès de la victime.

Le samedi 4 novembre, soit six semaines plus tard, le ministère de la Justice publie en catimini le communiqué de presse suivant :

Aucune accusation criminelle ne sera déposée à la suite du décès de M. Mohamed Anas Bennis

QUÉBEC, le 4 nov. Le 1er décembre 2005, à Montréal, M. Mohamed Anas Bennis décédait au cours d'une intervention policière menée conjointement par le Service de police de la Ville de Montréal et la Sûreté du Québec.

[...] L'examen du rapport d'enquête du Service de police de la Ville de Québec a été confié au substitut en chef adjoint du Procureur général du Bureau de Rimouski, le 13 avril 2006.

Une étude exhaustive de la preuve n'a pas permis de conclure à la commission d'une infraction criminelle. En conséquence, aucune accusation criminelle ne sera déposée.

Le procureur représentant la famille de M. Bennis a été informé de la décision de ne pas porter d'accusation criminelle dans cette affaire.

La thèse de la bavure est donc définitivement écartée. Mohamed Bennis, qui a fait à nouveau le voyage depuis le Maroc pour rencontrer le procureur de Rimouski, n'en démord pas à la sortie de son entretien : son fils a été victime d'une bavure. La longueur de l'enquête cache quelque chose, clame-t-il en dénonçant une loi occulte qui protégerait les policiers. Fou de rage, il remet même en question toute l'enquête, d'autant plus qu'il n'aurait pas eu le droit de voir les preuves, en particulier les images filmées par les caméras de surveillance d'une compagnie de télécommunication située en face du lieu du drame. « Même en admettant que mon fils ait vraiment tenté d'agresser le policier, dit-il, il y avait moyen de le maîtriser ou de le blesser, mais pas le tuer. »

Dans le clan des policiers, c'est aussi la colère. Un an d'enquête pour un événement « clair comme de l'eau de roche », c'est « aberrant et ça envoie un mauvais message aux policiers », déplore Yves Francœur, président de la Fraternité des policiers de Montréal, tout en compatissant à la douleur du père du jeune Anas Bennis. « Pendant ce temps-là, le jeune policier [...] qui a été poignardé et se voit obligé de faire feu prend ça difficilement. Le doute s'est installé dans son esprit. »

Quarante-cinq minutes

L'énigme demeure. Que s'est-il passé entre 6 h 30 lorsque Anas a terminé la prière de l'aube et 7 h 15, heure à laquelle il a été abattu ? Sachant que la seconde prière ce jour-là devait avoir lieu à 7 h 14 (*sunrise*), y a-t-il eu une première altercation avec les policiers alors que Anas attendait aux abords de la *muzalla* ? On ne le saura peut-être jamais. Il n'en demeure pas moins que deux thèses s'opposent : la théorie de la bavure policière, du côté des proches de la victime, et celle de l'agression volontaire à caractère religieux ou d'un problème de maladie mentale, du point de vue des enquêteurs. Peut-être que ces deux options font partie de la vérité ?

Un an après le drame, Mosleh n'imagine toujours pas Anas, un « bon garçon très tranquille » tuer un policier. Même s'il déplore que certains adeptes égarés et influençables aient fini dans les camps d'Al-Qaida, il dépeint le Tabligh comme un mouvement très tranquille, pacifique, qui n'incite pas à la violence mais plutôt à l'amour et à la bonté. « Personne n'a le droit de tuer qui que ce soit. »

Cette passion de Mohamed Anas pour le controversé mouvement piétiste Tabligh était assez récente. Environ six mois, affirment ses proches. Ce que sa sœur Khadija appelle « un changement spirituel » accompagné d'une métamorphose de son apparence physique et vestimentaire. Pas de quoi affoler toutefois celle qui partageait son appartement. Selon un journal marocain[23], Anas s'intéressait de plus en plus à la religion depuis quelques années. Il faisait régulièrement ses prières. « Il avait même commencé à convertir des amis canadiens à l'islam. Il a réussi à en convertir quatre pendant ces deux dernières années. Il ne s'agit nullement d'un cas isolé, car une partie

---

23. *Idem.*

de la communauté musulmane du Québec est constituée de personnes nouvellement converties à l'islam», indique-t-on. Lors de son dernier Ramadan, Anas s'est rendu jusqu'à cinq fois par jour dans la petite *muzalla* pour faire ses prières.

Debout dans un froid polaire, une pancarte à la main, à quelques mètres du lieu où, un an plus tôt jour pour jour, son frère a perdu la vie, Khadija, surmontant difficilement son chagrin, tente de comprendre l'inexplicable. Les dix derniers jours du Ramadan, me confie-t-elle les larmes aux yeux, Anas les a passés cloîtré, reclus, dans une mosquée du nord de la ville pour se détacher complètement du monde extérieur. Avait-elle remarqué quelque chose de nouveau dans ses propos, un changement de perception de la société dans laquelle il vivait, une radicalisation comme le suggère une de ses ex-connaissances? Khadija me jure que non avant de fondre en larmes. «Mon frère n'était pas un violent. Lorsqu'une chicane éclatait entre nous, il prenait toujours du recul et attendait que les choses se calment.» À ses côtés, révolté, son père demande quant à lui le soutien de «toutes les associations marocaines des droits de l'homme afin de traduire les autorités responsables du drame qui a touché [sa] famille devant la justice internationale».

Au QG du Tabligh

«Anas était tout jeune dans le mouvement, me confie Aasim, un jeune Pakistanais à la barbe presque adolescente qui se présente comme l'imam de la mosquée Madani dans le nord de Montréal. Il est venu quelquefois ici. Il était nouveau, vous savez. C'est Mosleh qui m'a téléphoné pour me prévenir qu'il était mort. Je ne sais pas ce qui a pu se passer ce jour-là.»

Nous sommes au quartier général du Tabligh. Aasim, habillé de la tunique et du bonnet de prière blancs, est adossé au mur, les yeux fixés vers le sol. Le jeune imam semble perdu dans ses pensées. Dans la pièce juste derrière lui, quelques fidèles font leurs ablutions, le rituel purificateur préalable à la prière. Un site Internet musulman (Islamic Finder) présente la mosquée comme le « centre principal du Tabligh pour le Québec et les provinces de l'Atlantique ». On invite aussi chaque adepte qui arrive dans le secteur à s'y rendre. « C'est de là que votre itinéraire sera décidé », ajoute l'auteur de la fiche. Mon interlocuteur, lui, affirme qu'il n'y a pas plus de quartiers généraux dans le Tabligh au Pakistan qu'au Québec ou ailleurs. Son mouvement, dit-il, préfère la décentralisation, essaimer des petites mosquées et *muzalla* à droite et à gauche, afin que les tablighi puissent propager la doctrine dans leur propre quartier.

En fait, qualifier de quartier général cet édifice peut paraître bien pompeux et nécessite un bel effort d'imagination. Les milliers d'automobilistes qui empruntent le boulevard Laurentien chaque jour passent devant ce vieux bâtiment grisâtre et lugubre qui ressemble à une affreuse polyvalente des années 1960 sans savoir ce qu'il abrite. Juste à côté, clin d'œil involontaire, un gigantesque panneau publicitaire sur lequel une agence de voyages promet « Le paradis à bon prix ». Il faut pousser une porte vitrée anonyme, coincée au milieu d'une succession de petites boutiques musulmanes dont une boucherie *halal* et un importateur de marbre, pour accéder, un étage plus haut au sanctuaire des tablighi. Ce qui devait être autrefois un local pour bureaux a été transformé en une vaste salle de prière. Trois hommes discutent à voix basse dans un coin, assis en tailleur.

Né au Pakistan, Aasim est québécois depuis seulement trois ans après un passage en Alberta. Dans un français presque parfait, il m'explique tranquillement que le Tabligh n'est pas un groupe, encore moins une *Jama'at* (groupe islamique) avec une gouvernance centrale, et ne poursuit aucun but politique, contrairement à d'autres groupes islamiques, tels les Frères musulmans.

Le mot clé, qui sortira de sa bouche des dizaines de fois lors de notre long entretien, symboliserait à lui seul ce qu'est le Tabligh : effort. Effort est la traduction littérale du mot *djihad* qui, dans son sens non guerrier, signifie l'effort que l'on doit faire sur soi-même pour faire plaisir à Dieu, lutter contre ses mauvais penchants. « Le Tabligh, c'est plus un effort ; l'effort de partager la foi. C'est très très simple... Nous parlons aux gens d'Allah, de sa grandeur. On les encourage à revenir vers l'islam pour être des modèles de l'islam aux yeux des non-musulmans. [...] Comment agrandir une famille de la bonne façon, comment élever ses enfants en les éloignant des mauvaises choses, comment interagir avec les gens... Le Tabligh est une invitation en direction de soi-même à améliorer notre vie, augmenter notre croyance, la connaissance de Dieu. C'est aussi faire l'effort dans son propre quartier, inviter tout le monde aux prières. »

Aasim est étonné que son « effort » soit si controversé, jugé suspect même dans certains pays et par de nombreux spécialistes de l'islam, policiers et services de renseignement. Les exemples de tablighi qui ont fini dans les rangs d'Al-Qaida ne sont pas représentatifs de la doctrine qu'il s'attache à propager avec abnégation, jure-t-il : « Ce n'est pas parce qu'un élève fait des bêtises après avoir quitté une école que toute l'école est mauvaise », argumente-t-il. Aasim regrette seulement être « très loin du but » : « La plupart des musulmans sont encore très éloignés de leur religion. Notre but est justement de les faire revenir vers elle. Ils prennent une chose, deux à la rigueur, ce qui est facile. Des gens sont venus ici et ont perdu leur identité, tiraillés entre leurs valeurs et les idéaux de l'Occident. »

Cette invitation au retour, ce repli même, vers des valeurs fondamentales de l'islam, l'imam ne la juge pas incompatible avec celles de la société civile canadienne. Pas plus qu'elle ne nuirait à la nécessaire intégration des membres de la communauté musulmane. Il ne partage pas mes réserves face à cette doctrine ambiguë et par certains aspects si proches de l'argumentaire des radicaux notoires au point que la frontière entre les deux serait plus mince qu'un fil. «On peut être un bon musulman sans être un mauvais citoyen. Qui vous empêche au Canada de faire votre prière, de jeûner pendant le Ramadan?» Aasim s'en prend à la philosophie salafi qu'il considère à l'opposé de ses valeurs. «Le Prophète est venu pour tout le monde. Ce n'est pas une bonne chose que de se séparer de la communauté. De considérer tout le monde, y compris les musulmans qui ne pensent pas comme eux comme votre ennemi est contre-productif. [...] C'est peut-être une cause du fanatisme que l'on observe aujourd'hui...»

Si le salafisme séduit de plus en plus de monde, en particulier chez les Québécois de souche, il est difficile de cerner l'ampleur du phénomène Tabligh. L'imam de la *muzalla* où allait prier Mohamed Anas Bennis avançait le chiffre de deux cents tablighi dans la métropole. Un chiffre très prudent, à mon avis. Aasim refuse, lui, de le chiffrer. Même chose pour le nombre de Québécois convertis dans son groupe. Tout ce que j'apprendrai à ce sujet est que les prêcheurs d'Allah concentrent leurs «efforts» sur les musulmans. Une fois convertis ou reconvertis, les plus motivés peuvent, s'ils le désirent, approfondir leur foi dans une des écoles du mouvement en Inde ou au Pakistan. Il leur faudra toutefois subir un «filtrage» en bonne et due forme, prévient-il, démentant au passage les allégations concernant les liens supposés entre Maher Arar et le Tabligh.

16 h 16. L'appel à la prière du *maghrib* s'élève dans les couloirs. Des dizaines d'hommes, dont un assez jeune, sont

déjà assis dans la grande salle vitrée. La moitié environ sont habillés en «civil». Aasim s'excuse. Il doit interrompre la conversation pour reprendre son rôle d'imam. À l'extérieur, il fait presque nuit. Les petits boutiquiers ferment leurs portes à la hâte puis s'engouffrent dans l'édifice. Sur une des vitrines, un panneau : «De retour dans cinq minutes.»

Bel Agir, islamiser la modernité

Assis en tailleur sur une confortable moquette verte, une cinquantaine d'hommes écoutent avec attention le Dr Abdellali el Massaoul parler de la place du Coran dans la vie du Prophète. Ce professeur en sciences coraniques à l'université Mohamed-Ibn-Abdallah à Fez est venu tout spécialement à Montréal pour donner une série de conférences au Centre Bel Agir, dans le quartier Villeray. Dans sa biographie, il est fait mention de sa «contribution à la conférence des oulémas de l'islam sous le thème "Récupérer Al-Quods [Jérusalem pour les juifs et les chrétiens] et aider le peuple palestinien : un devoir religieux" organisée par l'Union des Oulémas Musulmans au Liban en janvier 2002».

Fondée en 2002, l'association Bel Agir ne ménage pas ses efforts pour se faire connaître de la communauté musulmane à Montréal. Fêtes, camping dans les Laurentides, etc., elle a même réussi l'exploit de rassembler des centaines de musulmans le 23 octobre 2006 au Stade olympique, rien de moins, pour fêter l'Eid Al Fitr, soit la fin du Ramadan. Elle se félicite aussi d'être à l'origine de la conversion d'étudiants québécois. Des jeunes qui sont devenus musulmans au contact d'autres musulmans avec qui ils partagent les mêmes valeurs, c'est-à-dire qu'ils ne fument pas, ne boivent pas, n'ont pas de relations sexuelles, explique Rachid, un porte-parole de Bel Agir. Les conflits en Palestine ou en Irak et les «massacres» qui s'y produisent sont aussi un vecteur non négligeable de ce phénomène de conversion, en plus de susciter la colère grandissante dans la communauté, reconnaît ce responsable.

Grâce à d'efficaces collectes de fonds, que ce soit à la sortie des mosquées ou lors de soupers charitables au cours desquels des femmes vont même jusqu'à offrir leurs bijoux, Bel Agir a acquis un triplex de 10 000 pieds carrés rue Saint-Hubert, en piteux état, pour un montant de 475 000 dollars afin de le transformer en centre communautaire. Une facture additionnelle de 200 000 dollars. Cette association qui, sans tambour ni trompette, est en train de s'imposer dans la diaspora musulmane montréalaise, en particulier marocaine, est en fait une «filiale» du mouvement islamiste marocain Al Adl Wa Al Ihsane (traduit dans sa version française par «Justice et spiritualité»), fondé en septembre 1987 par le cheikh Abdesalam Yassine. Al Ihsane est l'aboutissement d'un «Jamaa Islamia» (mouvement islamiste) créé six ans auparavant par Yassine. La devise du vieux cheikh que l'on dit fortement influencé par le parcours de l'ayatollah Khomeyni, tient en une phrase : «Il s'agit d'islamiser la modernité, non de moderniser l'Islam.» Une doctrine qu'il a développée dans un de ses nombreux ouvrages. Son mouvement officiellement non reconnu mais toléré souhaite renverser le régime monarchiste pour le remplacer par un état islamique, un califat, «où le peuple sera le seul et vrai maître de jeu» avec la *charia* en toile de fond. Et seule une révolution islamique, à l'iranienne, permettra de l'imposer.

Face à un tel programme, il est évident que rien n'a été épargné aux islamistes d'Al Ihsane et à leur chef spirituel depuis plusieurs années par les autorités du royaume chérifien. Emprisonnements, assignations à résidence, bannissement des mosquées, arrestations, procès, etc. Sur son site Internet francophone, Al Adl Wa Al Ihsane dresse la liste de ce qu'il

« endure » au Maroc : « l'épreuve des kidnappings, des détentions arbitraires, de la torture et de l'humiliation, des violations de domicile et leur mise sous scellés, du vol de mobilier et de biens, des licenciements ; de la confiscation du droit à l'expression, du droit d'opinion et de constitution d'associations ; de l'interdiction de la quasi-totalité des droits de citoyenneté, des accusations et procès fabriqués de toutes pièces, de la confiscation du droit à l'*I'tikaf* [retraite spirituelle] dans les mosquées, des visites aux malades, des funérailles, de célébrer les baptêmes... »

Ne pouvant se constituer en parti politique officiel, Al Ihsane a trouvé le truc pour s'enraciner dans la société marocaine. Le mouvement a créé trois sections – féminine, jeunesse et syndicale – qu'elle utilise pour s'implanter au sein d'une multitude d'associations, de syndicats, d'organismes communautaires et de projets sociaux. Son prosélytisme est particulièrement actif au sein des universités. Al Ihsane peut aussi compter sur la fille de son fondateur, Nadia Yassine, un ancien professeur de français, diplômée en sciences politiques, qui a fait ses études dans les établissements scolaires les plus huppés. L'égérie islamiste attend de passer en procès au printemps 2007 à la suite de propos portant atteinte à l'institution monarchique lors d'une entrevue. Privée de passeport jusqu'en 2003, elle ne ménage pas ses efforts depuis pour porter la bonne parole à travers le monde, de l'Espagne à la Hollande en passant par les États-Unis. La fille du cheikh est aussi de toutes les tribunes médiatiques.

Attention, préviennent certains, Al Ihsane n'est pas si inoffensif et innocent que ça. Dans une étude intitulée « Al Adl Wa Al Ihsane, de la désobéissance civile à la terreur[24] »,

---

24. www.ambafrance-ma.org/presse. Revue de presse de l'ambassade de France au Maroc, 26 septembre 2006.

le chercheur Lakhdar Ferrat démontre qu'Al Adl Wa Al Ihsane inculque à ses militants des idées de *djihad* basé sur le refus du système en place et l'espoir d'instaurer un pouvoir musulman dont le cheikh aura les rênes. L'auteur entrevoit surtout un risque réel d'affrontement à court ou moyen terme, tout simplement parce que les troupes ne vont plus patienter longtemps avec de beaux discours. Le piège est là. Cette frustration ressentie face à la promesse d'un joli cadeau qui demeure utopique peut entraîner l'implosion du groupe, suivie de la formation de groupuscules incontrôlables.

À des milliers de kilomètres du royaume, Rachid, porte-parole montréalais de Bel Agir préfère me tenir un discours rassurant. Al Ihsane n'est pas venu au Canada pour le transformer en pays islamique mais plutôt pour «protéger l'identité des musulmans», qu'ils deviennent un exemple de valeur, «un modèle bien réussi». Et de rappeler que la philosophie du «professeur Yassine» est inspirée de l'école soufiste qui «fait appel aux valeurs humaines et s'oppose au terrorisme».

Le ton devient subitement plus acerbe lorsque l'on aborde la question marocaine. «Tout le pouvoir est concentré chez le roi. C'est la décadence, la faillite dans tous les domaines. Le Maroc est le deuxième pays le plus corrompu au monde. Nous effectuons un travail à long terme. Pour calmer le peuple, il faut un parti sérieux. Un jour ou l'autre, il est inéluctable que les islamistes prendront le pouvoir.» C'est n'importe quoi, proteste un Marocain, membre de l'Association musulmane Montréal-Nord. Celui-ci ne comprend vraiment pas le message propagé par cette association montréalaise. Il le juge agressif, contraire à la vocation pacifiste de l'islam et néfaste pour l'image du Maroc, un pays qui est en train de changer à 200% avec le jeune roi Muhammad VI, fils du défunt Hasan II.

Observatoire sélectif

Al Ihsane et Bel Agir sont aussi liés à la création, en juillet 2006, par certains de ses membres d'un organisme baptisé Observatoire canadien de droits de l'homme. L'OCDH est également enregistré dans le registre des entreprises du Québec sous l'appellation de Al marsad al canadi lihokok Al Insane. L'Observatoire se définit[25] comme un «organisme canadien dont la vocation est le renforcement du respect des droits humains. Il vise à faire connaître les violations des droits de l'homme commises par les régimes totalitaires dans le monde et à protéger les populations civiles, au moins en faisant connaître leurs souffrances et en mettant à découvert leurs bourreaux».

Sur son site Web, l'Observatoire affiche plusieurs photos chocs de cadavres de femmes et d'enfants palestiniens tués par l'armée israélienne ainsi que d'une rue de la bande de Gaza recouverte d'une mare de sang. Une vraie boucherie. À peine créé, l'OCDH a organisé pas moins de quatre manifestations en un mois dans les rues de Montréal. Deux pour soutenir les peuples libanais et palestiniens, et deux autres… pour protester contre la répression au Maroc devant le consulat du pays! C'est justement à l'occasion d'une de ces démonstrations, le 29 juillet 2006, que le groupuscule montréalais s'est distingué de façon fracassante. L'un des individus présents aurait clairement mentionné à un journaliste qu'il était temps de passer du discours au *djihad*[26]. Rachid, mon interlocuteur de Bel Agir, perd de son assurance lorsque je lui demande des explications : quel est le lien qui unit Bel Agir, ou Al Ihsane, et ce mystérieux observatoire? Cette parenté m'est décrite comme une simple «relation amicale» par l'intermédiaire

25. www.ocdh.ca
26. *Zone libre enquêtes, op. cit.*

d'un des membres de Bel Agir qui est aussi un des dirigeants de l'Observatoire[27]. Quant à l'appel au *djihad* en plein centre-ville de la métropole québécoise, le porte-parole rejette toute responsabilité : «Ça se peut que quelqu'un ait dit ça, mais nous ne sommes pas responsables. Ce qui compte, c'est ce que disent les officiels.»

Sur la défensive, Abdelkarim K., le président de l'OCDH me tient le même discours évasif. Une manifestation rassemble forcément des gens qui ont chacun leur façon de voir les choses, déclare-t-il. En même temps, sans les démentir formellement, il émet des réserves sur la teneur exacte des propos entendus ce jour-là et la traduction erronée qui a pu en être faite.

La députée libérale Fatima Houda-Pepin, musulmane d'origine marocaine, n'est pas de cet avis. Elle a évoqué l'imposture de ces groupes d'éléments radicaux très sophistiqués, «très bien financés, très bien structurés», envoyés en mission depuis l'étranger en se dissimulant derrière un «observatoire canadien des droits humains. Donc, ils s'approprient la notion des droits humains, ils s'approprient l'appartenance au Canada[28] […]».

Le Marocain Rachid Najahi est à la tête du groupe de presse Atlas Média, qui produit une émission de radio ainsi que le journal *Atlas-Mtl*. Rachid Najahi est formel : les agissements de ce groupuscule, «un cercle fermé», et de son cousin Bel Agir inquiètent fortement la communauté et pas seulement marocaine, me dit-il. Pour faire passer ce message, il a aussi publié sur le site Internet d'Atlas Média un communiqué rédigé par un collectif des associations maroco-canadiennes

27. Lors de mon passage dans les locaux de Bel Agir, celui qui m'avait accueilli et s'était présenté comme responsable est aussi un des trois administrateurs de l'OCDH tel que mentionné dans le Registre des entreprises du Québec.

28. *Zone libre enquêtes*, Radio-Canada, 9 septembre 2006.

très critique envers le «pseudo» Observatoire, en rappelant le caractère vindicatif et outrancier des slogans criés devant le consulat du Maroc au cours de l'été 2006. L'OCDH y est notamment suspecté de troubler la marche du Maroc vers une démocratie réelle rejetant toute tentation obscurantiste[29]. «J'ai été qualifié de traître à la suite de cette initiative, affirme Rachid Najahi. [...] Nous défendons l'intégration ; un énorme travail est effectué dans ce but, donc nous ne voulons pas voir des choses comme cela au Québec.»

À la suite de cette manifestation, les autorités se seraient aussi penchées sur le cas de ce mystérieux organisme et de ses trois dirigeants. Pas étonnant lorsque l'on appelle à la guerre sainte au cœur de Montréal. Surpris cependant, le président de l'OCDH soutient quant à lui que personne ne l'a contacté depuis le reportage incriminant son organisme. L'ambassade du Maroc au Canada s'est refusée à tout commentaire !

---

29. www.atlasmedias.com/manif_consulat.htm

CHAPITRE 6

Adil Charkaoui, présumé agent dormant d'Al-Qaida

> *« Moi, le seul boum auquel je veux contribuer*
> *c'est le démographique! »*
> *Adil Charkaoui*

Le réseau de Ben Laden a recours à des agents dormants et à des kamikazes pour mener ses opérations terroristes internationales. Les agents de Ben Laden sont souvent établis dans un pays étranger longtemps – jusqu'à plusieurs années – avant qu'une opération donnée soit exécutée. Avant l'opération, ils ont l'air de citoyens ordinaires, menant des vies de gens respectables et évitant d'attirer l'attention des autorités jusqu'à ce qu'ils soient activés.

Cette description simplifiée, proche de l'image d'Épinal, de l'agent dormant figure dans le dossier déposé le 17 décembre 2001 en Cour fédérale par le SCRS contre l'ex-Montréalais Mourad Ikhlef. Le Service canadien du renseignement avait alors « des motifs de croire [qu'il] s'est livré à des actes de terrorisme et est ou a été membre du Groupe islamiste armé (GIA) algérien[1] ». Mais, toujours selon le gouvernement canadien, cette description s'applique aussi au cas d'Adil Charkaoui, un autre Montréalais affublé depuis 2003 de cette étiquette d'agent dormant membre d'une organisation islamiste marocaine liée à Al-Qaida.

Le rituel est immuable. Comme chaque mercredi depuis sa libération du centre de détention de Rivière-des-Prairies le 18 février 2005, Adil Charkaoui, un Montréalais d'origine marocaine, arrive à 9 h 30 devant les bureaux de Citoyenneté et Immigration Canada, rue Saint-Antoine, dans le centre-ville de Montréal. Sachant qu'il peut être expulsé à tout moment vers le Maroc, il aura pris soin juste avant de quitter son domicile d'embrasser tendrement ses trois jeunes enfants : Asmaa, Abdallah et Kwallah. On ne sait jamais... Accompagné de son père, de sa mère ou de son beau-frère, l'homme pousse la lourde porte vitrée, salue le gardien de sécurité planté derrière un petit bureau, prend l'ascenseur jusqu'au premier étage, traverse une petite salle d'attente, se dirige d'un pas assuré vers un des guichets vitrés, appose sa signature sur une feuille de présence et quitte sans tarder cet édifice qui abrite aussi les bureaux du Service canadien du renseignement de sécurité (SCRS).

Cette routine hebdomadaire est l'une des seize conditions de libération que lui a imposées le juge de la Cour fédérale Simon Noël, le 17 février 2005.

La liste est longue : Charkaoui doit demeurer chez lui entre 22 heures et 7 heures ; ne pas se servir d'un cellulaire, d'un Blackberry, d'un téléavertisseur ou d'un téléphone hormis celui de son domicile ; pas plus que d'un ordinateur ;

---

1. « Résumé des informations », Mourad Ikhlef, Cour fédérale, 17 décembre 2001. Archives de l'auteur.

ne pas entrer en contact avec certains individus ; être toujours accompagné d'un des trois membres de sa famille cités plus haut ; ne pas quitter l'île de Montréal ; et, enfin, porter un bracelet électronique GPS (Electronic Monitoring Device) à la cheville qui permet aux autorités de suivre le moindre de ses déplacements à la trace grâce à un satellite. La filature du XXIe siècle, gracieuseté de Big Brother. Pour lui, cet attirail dernier cri est le bracelet de la honte. Le simple fait de vivre avec ce boulet électronique, une première au Québec, est indescriptible, selon lui. « J'agonise, je meurs tous les jours[2]. »

Dans sa décision accordant une libération conditionnelle à Adil Charkaoui, le juge écrit toutefois ceci : « Le danger à la sécurité nationale et à celle d'autrui s'est atténué avec le passage du temps et l'interaction d'un concours de circonstances mentionné ci haut. Je dirais même que le danger est neutralisé au moment de la présente évaluation. » Bref, du point de vue des autorités, cela peut se résumer de cette façon : Charkaoui est « brûlé », mais on ne sait jamais.

Danger. Le mot est aussi clair que court. Résident canadien depuis 1995, Charkaoui, un jeune père de famille intellectuellement brillant, titulaire d'une maîtrise en sciences de l'éducation, féru de littérature française du XIXe siècle, est regardé par le gouvernement canadien comme un danger pour la sécurité nationale. Le SCRS le considère, sur la base d'une preuve en majeure partie secrète pour protéger ses sources, comme un agent dormant d'Al-Qaida, lié au Groupe islamiste combattant marocain (GICM[3]). Le Service canadien

---

2. Marco Fortier, « Adil Charkaoui est-il un terroriste ou un bon père de famille ? », *Le Journal de Montréal*, 26 février 2006.

3. Le GICM est une mystérieuse organisation supposément liée à Al-Qaida. Elle serait à l'origine des attentats de Casablanca, le 16 mai 2003, et de Madrid, le 11 mars 2004, mais n'a jamais revendiqué ces actions.

*Adil Charkaoui exhibe l'appareil
GPS que la Cour l'oblige à porter.*
(Photo : Olivier Jean / © Journal
de Montréal.)

du renseignement affirme en outre, en se basant sur les
témoignages d'Abou Zoubeida (un des principaux recruteurs
pakistanais d'Oussama ben Laden) et d'Ahmed Ressam, qu'il
s'est rendu à au moins trois reprises en Afghanistan entre les
années 1993 à 1998.

En janvier 2002, lors d'un interrogatoire mené par des
agents du SCRS venus tout spécialement du Canada, Ahmed
Ressam aurait clairement reconnu Adil Charkaoui sur les
photos de filature qu'on lui présentait. Adil Charkaoui, en
compagnie de qui, affirmait-il alors, il a suivi un entraînement
dans un camp d'Al-Qaida en Afghanistan au cours de l'été
1998. Abou Zoubeida aurait confirmé les dires de Ressam le

17 juillet 2003 sur la foi des mêmes photos. Sur ces documents, Adil Charkaoui apparaîtrait de profil et coiffé d'une casquette, tantôt joufflu sur l'une, tantôt plus maigre sur l'autre, le teint très basané, un sac de sport de l'équipe de karaté du Québec sur le dos. «J'ai moi-même de la difficulté à me reconnaître sur ces photos tellement leur qualité est mauvaise», précise Adil Charkaoui.

Si ces témoignages s'avéraient fondés, Adil Charkaoui ne serait pas le seul Canadien à avoir fréquenté les montagnes afghanes à la même époque. Hormis Ahmed Ressam, cité auparavant, il faudrait ajouter dans le livre d'or des camps djihadistes, si l'on en croit la documentation judiciaire disponible, les noms du patriarche torontois Ahmed Said Khadr[4], dit «Al-Kanadi», et de ses fils Abdullah, Abdurahman, Omar et Abdulkari.

Mais aussi Abderraouf Jdey, Faker Boussora, Hassan Almrei[5], Mohamed Harkat, Fateh Kamel, Abderraouf Hannachi, Saïd Atmani, Hamid Aich, Moustapha Labsi, Abdelmajid Dahoumane et autres.

Presque tous ces personnages ont résidé à Montréal au cours des quinze dernières années et l'un d'entre eux y réside toujours.

J'ai aussi appris au fil de mes recherches que, hormis ces cas médiatisés ou médiatiques, au moins une dizaine d'autres «Afghans» méconnus du grand public auraient été repérés par les services policiers rien qu'au Québec, toujours à Montréal. Des ex-moudjahidin surveillés de près compte tenu de leurs

4. Cet ami proche d'Oussama ben Laden a été tué lors de combats avec les forces pakistanaises en Afghanistan en 2003. Il avait été arrêté en 1996 par les autorités pakistanaises pour son implication supposée dans un attentat à la bombe contre l'ambassade d'Égypte à Islamabad en 1995. Mais il avait été libéré à la suite d'une intervention de Jean Chrétien.
5. Actuellement détenu au Canada en vertu d'un certificat de sécurité.

> **Conséquences pour le Canada**
>
> 10. Les individus qui ont fréquenté des camps d'entraînement terroriste ou qui ont opté isolément pour l'islam radical doivent être considérés, pour un avenir indéterminé, comme des menaces pour la sécurité publique au Canada. Il est très peu probable qu'ils abandonnent leurs opinions sur le jihad et la pertinence de recourir à la violence. [...] compte tenu des longues périodes de planification habituellement nécessaires pour les actes terroristes, les extrémistes peuvent rester « sous le radar » pendant des mois ou des années avant de mener des opérations. L'incarcération n'est certes pas une garantie que l'extrémiste adoucira sa position avec le temps; c'est plutôt le contraire.
>
> 11. Il est communément admis que dans toute la gamme des extrémistes, il y a ceux qui apportent leur soutien et, à l'autre extrémité, ceux qui acceptent de mener des opérations, y compris des attentats suicide. Dans ce dernier cas, les extrémistes s'engagent à fond pendant de nombreuses années et leur dévouement dure longtemps.

Les individus qui ont fréquenté des camps afghans et qui résident en ce moment au Canada sont des menaces à la sécurité du pays, estime le SCRS dans ce rapport rédigé en 2005.

antécédents et de la menace qu'ils pourraient faire peser, dit-on. À ce chiffre, il faut ajouter les inconnus difficiles à quantifier.

Dans les camps afghans

À cet instant du récit, il est opportun d'ouvrir une longue parenthèse pour expliquer l'histoire et le fonctionnement de ces centres de formation au *djihad*, les *mukhayyam*. Dans la même synthèse déposée lors des procédures contre Mourad Ikhlef, le SCRS avance que l'organisation extrémiste islamiste sunnite exploitait, en septembre 2001, une douzaine de camps en Afghanistan – ainsi que des petits hôtels –, « dans lesquels jusqu'à 5 000 militants pourraient avoir été formés ».

L'étape préalable de la sélection se déroulait à Peshawar, une ville du nord-ouest du Pakistan proche de la frontière afghane et de la mythique passe de Khyber, un verrou stratégique long de 53 kilomètres, emprunté par toutes les armées d'envahisseurs depuis Alexandre le Grand jusqu'aux troupes coloniales anglaises. Le Marocain Omar Nasiri[6], un ex-agent double de la DGSE[7] française infiltré dans les réseaux d'Al-Qaida, raconte qu'il a été d'abord repéré alors qu'il se trouvait au printemps 1995 à Raiwind dans un centre du Tabligh (Tabligii Jamaat), un groupe prosélyte et pacifiste dont il est question ailleurs dans notre enquête. Son recruteur l'a ensuite accompagné à Peshawar où il a subi un interrogatoire serré de sélection mené par un groupe de sept Arabes.

Une fois déclarés bons pour la cause, souvent par Abou Zoubeida, ces activistes de toutes nationalités, «dont des Arabes, des Africains [...] et des Pakistanais» étaient ensuite habillés de vêtements afghans pour ne pas éveiller les soupçons. Des guides leur faisaient traverser la frontière pour être ensuite dirigés vers des structures plus ou moins sophistiquées, parfois des tentes de fortune, où ils étaient regroupés par nationalité mais parfois aussi selon leur langue. Chaque cellule constituée était placée sous la responsabilité d'un émir, ou chef. Ce regroupement par pays était justifié par le fait que ces hommes étaient ensuite censés «travailler» ensemble une fois rentrés dans leur pays d'origine.

Pendant leur séjour qui variait entre cinq et six mois, les recrues recevaient un entraînement militaire et une formation au contre-espionnage. On leur enseignait à faire sauter des installations militaires, les infrastructures de production d'énergie, les réseaux de transports (aéroports), les grands hôtels abritant des conférences, les techniques de guérilla urbaine, et toutes les tactiques de filature et de repérage visant

---

6. Omar Nasiri, *Au cœur du djihad. Mémoires d'un espion infiltré dans les filières d'Al-Qaida*, Paris, Flammarion, coll. «Enquête», 2006.
7. Direction générale de la sécurité extérieure.

à l'assassinat ; on leur enseignait également à tuer à mains nues, et à manier toutes sortes d'armes, de la mythique AK-47 au lance-roquettes RPG, et bien d'autres choses encore.

Cette formation « technique » – le comment – était appuyée par une formation idéologique – le pourquoi. Dans un rapport « secret » rédigé en 2005, le Service canadien du renseignement se penche plus spécialement sur ce qu'il résume sous le vocable de l'endoctrinement[8]. Peu importe le type de formation opérationnelle reçue, explique le SCRS, toutes les recrues formées dans les camps d'entraînement liés à Al-Qaida pendant les années 1990 « étaient endoctrinées selon une forme extrémiste de l'islam appelant les adeptes à tuer ceux qui, à leurs yeux, représentaient l'ennemi. [...] Pour montrer l'ampleur de la guerre, la bataille contre l'ennemi a été placée dans le contexte d'une lutte mondiale avec une civilisation agressive résolue à détruire le monde musulman. De nombreux traités historiques – rédigés par d'éminents djihadistes comme Saïd Qutb – démontrent l'étendue de cette guerre. Les individus exposés à cette idéologie sont devenus des partisans à vie du *djihad* ».

Les auteurs de ce document abordent aussi l'épineuse question du suicide et du martyr, ou *shahid*[9] :

> Un important volet de la formation idéologique abordait la question de savoir s'il est acceptable de se sacrifier pour la grande cause. Comme le suicide est interdit par l'islam, un autre terme a été utilisé pour exprimer le fait de choisir de se donner la mort pendant une opération. Un extrémiste qui se tue dans une attaque est en réalité un martyr. Des

---

8. « Extrémistes islamiques et détention, combien de temps durera la menace ? », SCRS, 27 avril 2005. Archives de l'auteur.

9. Le mot arabe pour « martyr » (*shahid*) et la racine grecque de « martyr » (*martirios*) évoquent tous deux la notion de « témoin ». Ceux qui meurent pour témoigner de leur foi ou défendre leurs croyances sont des martyrs. Source : rapport du SCRS.

versets coraniques de même que l'histoire et la tradition islamiques sont utilisés pour montrer que ceux qui se tuent en défendant leur foi ne sont pas réellement morts et sont considérés comme des héros. L'histoire de l'islam regorge d'opinions formulées par des érudits selon qui le martyre au nom de l'islam est acceptable. Ce cautionnement religieux est très important pour ceux qui se perçoivent comme de purs musulmans. Plusieurs extrémistes ont réussi à mener des opérations suicide spectaculaires, comme les responsables des attentats du 11 septembre 2001, Richard Reid – «l'homme à la chaussure explosive» – et les auteurs des attentats de Bali en octobre 2002.

Enfin, le souci impératif de la sécurité et la préservation obsessionnelle du secret une fois immergés dans leur environnement quotidien faisait aussi partie intégrante du programme. Appelé à témoigner à New York en juillet 2001 lors du procès de Mokhtar Haouari[10], Ahmed Ressam, son complice allégué, a expliqué dans le détail le type de conseils que l'on prodiguait aux moudjahidin : «Quand vous œuvrez dans un groupe, chaque personne connaît seulement ce qu'elle est supposée faire, pas plus, pour préserver vos secrets. Évitez les endroits qui sont suspects ou qui peuvent attirer la suspicion sur vous, comme les mosquées. Évitez de porter des vêtements qui vont attirer la suspicion sur vous. Quand vous parlez au téléphone, parlez de façon très naturelle[11] […]. »

---

10. Le Montréalais Mokhtar Haouari a été arrêté le 10 janvier 2000 à Montréal à la demande des autorités américaines pour complicité dans le complot mené par Ahmed Ressam contre l'aéroport de Los Angeles. Il a été extradé aux États-Unis, jugé et condamné à 24 ans de prison. Mokhtar Haouari avait racheté la boutique de Fateh Kamel, boulevard Saint-Laurent.

11. U.S.A. *vs* Mokhtar Haouari, United States District Court, Southern District of New York, juillet 2001.

Certains témoins affirment que les élèves disposaient aussi d'une abondante documentation technique distribuée avec générosité par les États-Unis aux «combattants de la liberté» du temps de la guerre contre les Russes.

Les camps les plus cités dans différents documents officiels et ouvrages traitant du réseau Al-Qaida sont ceux de Khaldan (ou Khalden) et Darunta, un complexe proche de Jalalabad où les recrues apprenaient à manipuler les explosifs et à construire des circuits électroniques. C'est aussi là qu'Ahmed Ressam dit avoir été le témoin d'expériences menées avec des armes chimiques notamment sur des chiens enfermés dans des cages aux parois en plastique transparent puis mis à mort par inhalation d'un mélange de cyanure et d'acide sulfurique. On les initiait aussi, toujours selon Ressam, à utiliser les systèmes de ventilation des immeubles pour y disperser des gaz mortels afin d'y faire le maximum de victimes.

Située dans la province afghane de Paktia, à proximité des hautes montagnes de Tora Bora et de la frontière pakistanaise, Khalden – que les apprentis djihadistes rejoignaient après plusieurs heures de route puis de marche dans un environnement montagneux et aride – était l'un des plus importants camps de formation. La plupart des Canadiens listés plus haut auraient foulé son sol rocailleux à l'instar des pirates de l'air du 11-Septembre, de l'auteur du premier attentat de 1993 contre le World Trade Center, de Richard Reid, de Zacharias Moussaoui et de bien d'autres. Omar Nasiri soutient en tout cas y avoir vu trois des membres de la famille Khadr «Al-Kanadi», le père Ahmed, ainsi que deux de ses fils : Abdurahman, dit Hamza, et son cadet Omar, dit Oussama. Bien qu'âgés de seulement 12 et 10 ans, ils s'entraînaient activement au maniement des armes, mais demeuraient de piètres tireurs, se souvient avec amusement Omar Nasiri. Les deux jeunes Canadiens djihadistes en herbe étaient de plus réputés pour leurs chicanes perpétuelles…

Du temps des Soviets

Cette organisation de recrutement et de formation était déjà fonctionnelle du temps de la guerre contre les Soviétiques. Quelle que soit son affiliation, chaque groupe de moudjahidin « afghans » disposait de sa propre structure. Les autorités russes estimaient leur nombre à environ un millier. La logistique, le recrutement de volontaires et le financement étaient assurés pour la plupart par le MAK, soit Maktab al Khidamat (Bureau des services) basé justement à Peshawar. Cette centrale de la résistance avait été fondée en 1984 à la fois par le cheikh jordanien d'origine palestinienne Abdallah Azzam et par Oussama ben Laden, qui avait été son élève alors qu'il enseignait la théologie à l'université du roi Abdulaziz de Djedda en Arabie Saoudite. Le MAK disposait de ramifications dans plusieurs pays arabes, en Europe et jusqu'aux États-Unis, à Brooklyn et Boston notamment. Ces centres de recrutement locaux étaient dissimulés derrière un organisme paravent dont l'appellation officielle avait une connotation charitable : Al Kifah Refugee Center.

Une fois formés aux techniques terroristes et de guérilla et à la fabrication d'engins explosifs, ces militants auraient été dispersés dans une cinquantaine de pays, dont le Canada. On aurait également retrouvé la trace de centaines de ces combattants parmi les rebelles tchétchènes se battant contre la Russie, les indépendantistes ouïgours dans la province chinoise du Xinjiang, à majorité musulmane, les rebelles islamistes qui luttent contre le gouvernement de l'Ouzbékistan et les guérilleros musulmans opposés au régime indien au Cachemire[12].

---

12. « Résumé des informations », Mourad Ikhlef, op. cit.

Selon l'un des spécialistes de l'islam radical, Jason Burke, Abdallah Azzam, le mentor du futur ennemi public numéro un, fut l'un des premiers à prôner dans ses écrits le goût du martyr pour assurer la réussite du *djihad*, le sixième pilier de la foi, non seulement contre l'occupant soviétique mais aussi au-delà des montagnes afghanes, dans «toutes les autres terres jadis musulmanes», de la Palestine au Yémen, du Liban à l'Andalousie. Il ne manquait pas de rappeler un passage des *hadith* dans lequel le Prophète promet au valeureux *shahid* l'absolution de tous ses péchés, 72 vierges aux yeux noirs (certaines traductions évoquent plutôt le mot fille plutôt que vierge) et la permission d'emmener au paradis 70 membres de sa famille[13]. L'auteur relève avec justesse que le style imagé et allégorique d'Azzam préfigure la rhétorique utilisée ensuite par tous les groupes djihadistes de ce monde dans leurs textes de propagande ou de revendications. Exemple, cet extrait d'un texte rédigé en hommage à un certain Yahya, premier Saoudien tué au combat en 1985 :

> O Yahya! Ton sang suave s'est mis à couler et pas un de ceux qui ont touché ton corps ou se sont parfumés avec ton sang n'a pu empêcher l'odeur du musc de remplir ses narines.

Et d'ajouter :

> Tu as refusé de laisser bafouer l'honneur des musulmans [...]. Tu n'es pas resté assis pendant que les musulmans étaient humiliés [...] et tu as préféré t'avancer résolument vers Allah.

La débâcle russe en 1989, suivie du départ de Ben Laden pour l'Arabie Saoudite puis pour le Soudan, n'a pas pour

---

13. Jason Burke, *Al-Qaida, la véritable histoire de l'islam radical*, Paris, La Découverte, 2005, p. 91 et 92.

autant sonné le glas de nombre de ces universités du *djihad*. Sauf que la plupart vont changer de vocation ; les volontaires d'un *djihad* défensif moulé sur la matrice afghane étant progressivement évincés dès le début des années 1990 par la cohorte de supporters étrangers du nouveau *djihad* salafiste mondial. Ces radicaux, ulcérés par la présence d'une coalition internationale en Arabie Saoudite, terre sacrée de l'islam, en riposte à l'invasion du Koweït par l'armée de Saddam Hussein, entreprennent de placer dans leur ligne de mire les croisés et les juifs du monde entier. Al-Qaida, littéralement « la base », étend ses tentacules dans un Afghanistan qui tombe progressivement entre les mains des talibans. À des milliers de kilomètres de là, dans les Balkans, la guerre dans l'ex-Yougoslavie offre un nouveau champ de bataille aux moudjahidin venus prêter main forte aux musulmans bosniaques qui affrontaient les redoutables troupes et milices serbes.

Entre-temps, le 24 novembre 1989, Azzam est assassiné dans un attentat à la voiture piégée à Peshawar. L'ex-agent de la CIA Marc Sageman, qui a côtoyé les djihadistes à la même époque au Pakistan, croit que Azzam, « défenseur du *djihad* traditionnel » des combattants de la liberté afghans, a été éliminé par les salafistes égyptiens (et peut-être par Ben Laden) parce qu'il focalisait sur la libération de la Palestine en plus de s'opposer à une internationalisation tous azimuts de la lutte contre les impies. L'agenda de ces futurs djihadistes salafistes prévoyait aussi un « détournement » du MAK au profit d'Al-Qaida, avance Sageman, avec la mise à l'écart des vrais moudjahidin afghans, natifs du pays, les vétérans de la guerre contre les Russes avec qui la cohabitation devenait de plus en plus difficile.

Omar Nasiri rapporte, lui, que les discours d'Azzam prêchaient la destruction d'Israël et le *djihad* mondial. Il cite la déclaration du propagandiste qui l'a le plus marqué : « L'amour du *djihad* s'est emparé de ma vie, de mon âme, [...] de mon cœur et de mes émotions. Si c'est du terrorisme que d'être prêt, alors nous sommes des terroristes[14]. »

Le 23 février 1998, moins de deux ans après son retour triomphal sur le sol afghan, Oussama ben Laden rédige une *fatwa* sous la bannière du Front Islamique mondial pour le *djihad* contre les juifs et les croisés (Al-Jabhah al-Islamiya al-Alamiyah li-Qital al-Yahud wal-Salibiyyin) dans laquelle il affirme que tout musulman a pour devoir de tuer les citoyens américains et leurs alliés, civils ou militaires, où qu'ils soient[15]. Plusieurs autres groupes endossent cette déclaration unilatérale de guerre, entre autres le Djihad islamique égyptien (al Jihad) dirigée par Ayman al-Zawahiri[16].

Un mois plus tard, un « Front islamique mondial » met la police de Montréal, la GRC et même le FBI sur un pied d'alerte après avoir envoyé des communiqués dans lesquels il menace de commettre un attentat au gaz sarin dans le métro. La GRC découvrira rapidement que l'auteur de ces missives n'avait aucun lien avec les funestes projets d'Oussama ben Laden. Il s'agissait plutôt d'un canular monté de toutes pièces par un Québécois converti à l'islam et par ailleurs informateur du SCRS[17].

---

14. Omar Nasiri, *Au cœur du djihad, op. cit.*, p. 200.
15. « Résumé des informations », Mourad Ikhlef, *op. cit.*
16. Ex-membre des Frères musulmans, ce médecin, en plus de prodiguer dès soins à Ben Laden (qui souffre d'insuffisance rénale), est rapidement devenu l'idéologue et le numéro deux d'Al-Qaida. C'est lui que l'on voit apparaître régulièrement, avec ses grandes lunettes, coiffé d'un turban d'abord blanc puis plus récemment noir, une AK-47 placée de façon immuable à sa droite, dans les vidéos de propagande du mouvement.
17. À ce sujet, voir le chapitre « Le Montréalistan salafi des purs... et durs ».

Charkaoui neutralisé

C'est donc à cette même époque de la montée en puissance d'Al-Qaida qu'Adil Charkaoui, connu selon les affirmations de Ressam et Zoubeida sous le pseudonyme de Zubeir Al-Magribi, aurait suivi sa formation dans le camp de Khaldan[18].

Ce stage en Afghanistan est l'une des raisons qui ont poussé le solliciteur général du Canada, Wayne Easter, et le ministre de l'immigration Denis Coderre, à signer le 16 mai 2003 en vertu de l'article 77 de la Loi sur l'immigration et la protection des réfugiés un certificat de sécurité[19] à l'endroit d'Adil Charkaoui pour qu'il soit expulsé du Canada ainsi qu'un mandat d'arrestation.

«Les ministres croient que M. Charkaoui a été et est toujours membre du réseau d'Oussama ben Laden, une organisation qui a été, est ou sera l'auteur d'actes de terrorisme, qu'à ce titre, l'intimé s'est livré, se livre ou se livrera au terrorisme et, qu'en conséquence, l'intimé a constitué, constitue ou constituera un danger pour la sécurité du Canada», peut-on lire dans un jugement rendu par la Cour fédérale en 2003[20].

---

18. Charkaoui (Re) (C.F.), 2003 CF 1419.
19. Le certificat de sécurité est une procédure applicable uniquement aux non-citoyens canadiens (réfugiés, résidents, etc.) dont la présence constituerait une menace à la sécurité nationale. Les personnes visées – terroristes, espions, etc. – peuvent être arrêtées puis détenues sans accusations et en vertu de preuves secrètes, en attendant leur expulsion. Le dernier cas connu, à la fin 2006, était un espion russe arrêté à Montréal le 14 novembre puis extradé vers la Russie le 25 décembre suivant.
20. Charkaoui (Re) (C.F.). 2003 CF 1419.

L'Agence des services frontaliers du Canada insiste sur le caractère exceptionnel et «mûrement réfléchi» de la procédure :

> – Le certificat est produit uniquement dans des cas précis où il faut protéger des renseignements pour des raisons de sécurité nationale ou de sécurité d'autrui.
>
> – Compte tenu des conséquences graves de la délivrance du certificat, le processus est utilisé judicieusement.
>
> – Ce genre de certificat n'est délivré que dans de rares cas pour des raisons très sérieuses, soit quand il s'agit d'expulser les personnes qui présentent le plus grand risque pour la société canadienne ou pour autrui[21].

Dans l'après-midi du 21 mai 2003, Adil Charkaoui, qui ne se doute pas qu'il est filé depuis plusieurs jours, s'engage insouciant sur la bretelle d'accès à l'autoroute 20 est, dans l'arrondissement de LaSalle. Il a rendez-vous à l'Université de Montréal pour un exposé oral. En jetant un œil dans son rétroviseur, Adil Charkaoui remarque une auto-patrouille qui se rapproche rapidement de lui, gyrophares allumés. Les policiers lui intiment l'ordre de s'arrêter sur la voie d'accès, déserte malgré l'heure, puis d'ouvrir son coffre. En un instant, plusieurs autres véhicules surgissent en trombe comme dans un film hollywoodien. Les portes s'ouvrent, des agents de la GRC, du SCRS, de la SQ, de l'Agence des services frontaliers se précipitent et entourent Adil Charkaoui.

«Vous êtes en état d'arrestation, nous allons vous déporter dans votre pays d'origine», lui annonce un des membres de l'Équipe intégrée de la sécurité nationale (EISN), mandat d'arrestation en main.

Menotté sur-le-champ, Charkaoui est immédiatement incarcéré au centre de détention de Rivière-des-Prairies où

---

21. www.cbsa-asfc.gc.ca/newsroom/factsheets/2005/certificat-f.html

il demeurera durant vingt et un mois. Après Mohammad Mahjoub, Mohamed Harkat, Mahmoud Jaballah et Hassan Almrei, Adil Charkaoui, 30 ans, est le cinquième résident d'origine arabe à être visé par un certificat de sécurité depuis 2000. En attendant leur expulsion, tous sont ou ont été détenus en vertu de preuves gardées secrètes. Protection de la sécurité nationale, se défendent les autorités canadiennes.

Au SCRS, on tient mordicus à cet outil de la loi d'immigration destinée aux résidents permanents et réfugiés, comme l'a déjà expliqué son directeur, Jim Judd :

> La difficulté dans le cas de ces individus, c'est qu'ils sont venus ici et que, si nous avons de la chance, nous parvenons à découvrir leur provenance et leurs connexions terroristes. Le problème c'est qu'ils sont dormants, qu'ils ne font rien pendant trois ans, qu'ils veulent acquérir la citoyenneté canadienne qui est magique pour eux et obtenir le passeport qui l'accompagne avant de se replonger dans le milieu terroriste. C'est pour cette raison que nous devons les intercepter avant qu'ils n'obtiennent leur citoyenneté canadienne parce qu'ensuite, nous ne pouvons plus appliquer la Loi sur l'immigration et la protection des réfugiés. [...] Cette procédure est très coûteuse pour nous. Nous avons sélectionné les gens dont nous sommes persuadés qu'ils représentent une menace grave, des gens qui sont des figures de proue du mouvement terroriste. Ce que nous voulons, c'est les arrêter avant qu'ils n'obtiennent leur citoyenneté. C'est cela qui est important[22].

Du maccarthysme, rétorque Charkaoui qui exige d'être accusé au criminel si on a quoi que ce soit à lui reprocher, afin qu'il puisse bénéficier d'un procès juste et équitable.

---

22. Intervention de Jim Judd le 22 février 2005 à Ottawa devant le Sous-comité de la sécurité publique et nationale du Comité permanent de la justice, des droits de la personne, de la sécurité publique et de la protection civile.

Suivi à la trace par le SCRS

Sur le boulevard Henri-Bourassa Est, à Montréal-Nord, entre les boulevards Langelier et Lacordaire, se tient une petite pizzeria, Pizza Trio, qui fait le bonheur des élèves de l'école primaire Le Carignan située à un pâté de maisons de là. Ce restaurant « 2 pour 1 » de taille modeste, où logent à peine une cuisine, un comptoir et cinq petites tables, est situé au pied d'un immeuble en briques jaunes de trois étages. L'ensemble est baptisé pompeusement Place Rolland. Pizza Trio fait pitié, coincé entre un imposant restaurant et un café italiens, un dépanneur asiatique et un salon de coiffure. Aujourd'hui, il doit affronter la concurrence de plusieurs enseignes de restauration rapide installées dans un nouveau et gigantesque centre commercial de l'autre côté du boulevard.

Adil Charkaoui avait acquis cette modeste pizzeria à l'été 2001 avec l'aide de son père, et celle d'un autre Montréalais d'origine marocaine, un restaurateur prénommé Samir[23], qui lui avait entre autres fourni pour environ 9 000 dollars d'équipement sur crédit en plus de lui donner un coup de main, pendant quelques semaines après l'ouverture du commerce[24]. Samir, qui a témoigné en faveur d'Adil Charkaoui lors d'audiences en Cour fédérale, a raconté à cette occasion s'être rendu en Bosnie à la fin de la guerre (1996) dans le cadre d'une mission humanitaire en compagnie de Saïd Atmani et Abdellah Ouzghar. Ces deux Montréalais ont été condamnés *in absentia* à cinq années de prison à Paris en avril 2001 pour activités terroristes[25].

---

23. Pour préserver son anonymat à sa demande, nous ne mentionnons que son prénom.
24. Charkaoui (Re) (C.F.), 2005 CF 248.
25. C'est lors de ce même procès que Fateh Kamel, considéré par les services antiterroristes français comme le chef de la cellule islamiste de Montréal, a été condamné à huit ans de prison.

Samir a quant à lui été interrogé à trois reprises par le SCRS en 1997, puis à deux reprises après les attentats du 11 septembre 2001, dont une fois quelques jours après les événements. Les espions canadiens voulaient, semble-t-il, en savoir plus sur son commerce, ses fréquentations et certains membres de la communauté. Samir prétend avoir reçu une offre de collaboration de la part du SCRS. Il s'y est opposé. «À chacun son métier», m'a-t-il dit. Son téléphone a aussi été placé sous écoute. Mais il l'a appris plus récemment par une lettre officielle.

Compte tenu de son historique, il y a tout lieu de croire, et Samir s'en doute, que le fait qu'il soit citoyen canadien l'a probablement empêché de connaître le même genre de déboires que son compatriote Charkaoui. Dans le code criminel canadien, aucun article ne punit le séjour dans une zone de guerre, à condition de ne pas s'attaquer à des citoyens ou des intérêts canadiens. Pas plus que la loi antiterroriste C36 entrée en vigueur en 2001 ne punit la fréquentation d'individus jugés suspects ou déjà condamnés dans des dossiers de nature «terroriste», tant qu'il n'y a pas complot ou complicité.

Aujourd'hui, Samir œuvre toujours dans le domaine de la restauration ; il est le propriétaire d'un petit café-restaurant de la rue Bélanger. Derrière son comptoir, affairé à préparer un savoureux thé traditionnel avec des feuilles de menthe fraîche, Samir rechigne poliment à ressasser le passé. Même si son nom a été cité publiquement lors des audiences d'Adil Charkaoui, il préfère désormais éviter toute publicité... D'un ton calme et affable, il déplore, tout en versant consciencieusement de l'eau bouillante dans une petite théière en fer-blanc, que sa communauté soit si facilement stigmatisée, en particulier ceux qui, comme lui, se sont déplacés en Bosnie pour apporter leur aide à une population opprimée. Aujourd'hui, c'est la situation en Tchétchénie, en Palestine, en Irak et en Afghanistan qui le révolte. Lui-même se sait toujours dans l'œil du SCRS. Tout comme certains de ses clients qui seraient contactés par les agents fédéraux après avoir été aperçus entrant dans son commerce, soutient-il.

À l'inverse de Samir, Adil Charkaoui, alors étudiant à la maîtrise à l'Université de Montréal, s'était lancé dans la restauration à contrecœur, faute de trouver un emploi dans l'enseignement. Ceinture noire, il donnait aussi des cours de karaté dans une mosquée. Endetté, l'étudiant met fin à cette expérience désastreuse, en vendant son commerce en mars 2003. Jusque-là, ses semaines étaient bien remplies, partagées entre les longues heures consacrées à faire tourner sa pizzeria, ses études universitaires et... les visites impromptues d'agents du SCRS. Pour ces derniers, son commerce n'était qu'une façade destinée à cacher ses activités criminelles à la fois en lui offrant une certaine légitimité, et plus concrètement en servant éventuellement de lieu de rencontre et de source de financement.

C'est le 30 décembre 2000 qu'Adil Charkaoui a compris qu'il était dans la mire des autorités canadiennes. Le Montréalais est formel : il s'est fait broyer petit à petit par la machine étatique pour avoir refusé de collaborer, de devenir un mouchard du SCRS et leur traducteur. Cet argument de la cabale policière est récurrent dans les témoignages de plusieurs individus visés par des enquêtes de terrorisme. Le certificat de sécurité signé à son encontre ne serait alors qu'une basse vengeance. Ce que nie une source très proche du dossier à l'époque. Le dossier Charkaoui est suffisamment solide et accablant, m'a confié cette source, pour ne pas empêcher «de dormir en paix» ceux qui ont pris la décision de le neutraliser à titre préventif. Et d'insister : ce qui a été rendu public n'est qu'une infime partie de la preuve. Charkaoui a beau jeu de jouer la victime, déplore-t-on avec agacement, sachant qu'il est impossible par exemple au SCRS de contre-attaquer en dévoilant au public la totalité de la preuve. Pas plus qu'il n'était envisageable un seul instant de faire confiance à un personnage mêlé au terrorisme pour traduire des conversations tenues par des individus soupçonnés de s'adonner eux aussi à des activités menaçant la sécurité nationale, m'a-t-on dit par ailleurs.

Pour la commodité du récit, nous avons choisi de laisser le plus souvent possible Adil Charkaoui raconter la cascade d'événements qui ont précédé son arrestation. Il s'agit évidemment de sa version des faits telle que recueillie lors de plusieurs entretiens qu'il m'a accordés au cours de l'année 2006. Le dernier s'est déroulé pendant le congé de Noël, autour d'un café dans l'ambiance feutrée d'une grande librairie du centre-ville. Entouré de livres, un décor familier pour ce féru de littérature, Charkaoui a remonté le temps, réglant au passage ses comptes avec la machine policière. Faute de preuves tangibles, la grande question pour le public est : qui dit vrai? On devrait éventuellement en avoir une idée plus précise lorsque la justice se penchera enfin sur la validité du certificat de sécurité de ce Montréalais.

> Le 30 décembre 2000, ma femme, qui était enceinte, et moi étions dans le hall de l'aéroport de Dorval, où nous nous apprêtions à prendre l'avion pour le Maroc pour un séjour en famille lorsque plusieurs agents de la GRC en civil, dont un caporal, nous ont entourés. L'un d'entre eux a saisi notre chariot à bagages :
>
> «Monsieur Charkaoui, nous aimerions inspecter vos bagages.» Arrivés au sous-sol, certains agents étaient euphoriques en nous apercevant. Quand on est arabe, on est habitué à cette notion d'injustice ; un concept clé semblable à ce qu'ont vécu les juifs dans les années trente.

En ouvrant ses valises, les agents fédéraux découvrent des bottes Caterpillar et surtout dix démarreurs à distance, des objets très prisés au Maroc avec une bonne valeur de revente. Ils demandent aussi à inspecter son portefeuille et son carnet d'adresses. Charkaoui récupère le tout une demi-heure plus tard, sans explications. Néanmoins, les agents font en sorte que sa femme et lui puissent rejoindre la salle d'embarquement à temps pour prendre leur vol.

À sa grande surprise, il est rejoint par le caporal de la GRC :

Évitez de prendre cet avion, monsieur Charkaoui. Restez avec votre famille et prenez le vol suivant.

«Pourquoi?» lui ai-je demandé. C'était le Ramadan. Nous avons partagé les dattes et le lait que j'avais emportés pour la rupture du jeune. Le caporal s'est montré plus bavard.

Nous avons trois listes à la GRC, m'a-t-il confié. Une de tueurs en série, une de pédophiles et celle de présumés terroristes.

C'était la première fois que j'apprenais que j'étais ciblé. N'ayant rien à me reprocher, je n'ai pas tenu compte de son avertissement. Arrivé à l'aéroport au Maroc, j'ai été interrogé pendant trois heures. Un chef de la DST marocaine m'a demandé si j'étais un islamiste. J'ai aussi appris qu'ils avaient été avertis qu'un dangereux terroriste arrivait du Canada! [...] Durant tout mon séjour, j'ai été suivi à la trace, espionné.

Un mois plus tard, Adil Charkaoui et son épouse font escale à l'aéroport JFK de New York. Trois agents du FBI montent à bord de leur avion qui se prépare à décoller pour Montréal. Ils enjoignent au couple de les suivre.

Coupé du monde, Adil Charkaoui est interrogé toute la nuit dans une pièce située au sous-sol de l'aéroport, avant d'être libéré une douzaine d'heures plus tard. Les agents fédéraux veulent tout savoir sur ses parents, ses amis, les mosquées où il se rend pour prier. Ils souhaitent aussi obtenir la liste de personnes à qui il a donné des cours d'autodéfense dans un local situé à proximité de la mosquée Assuna. En fait, il paraît clair que les autorités américaines connaissent déjà tout de sa vie ou presque. Qui leur a fourni ces informations, se demande aujourd'hui Adil Charkaoui, si ce n'est le Canada?

Lorsque cet épisode, qu'il considère comme un enlèvement, lui revient en mémoire, il ne peut s'empêcher de faire le parallèle avec l'affaire Maher Arar et d'imaginer le pire scénario si cet événement avait eu lieu après les attentats du 11 septembre 2001 et ceux de Casablanca en 2003.

À peine rentré dans la métropole, Adil Charkaoui ne cache rien de sa mésaventure. Il en parle à ses parents, contacte Amnistie internationale, alerte les associations musulmanes.

> J'en ai aussi parlé aux imams, poursuit-il. Ils m'ont dit : «Tu n'es pas le seul, nous ne pouvons rien faire.» Deux semaines plus tard, je reçois l'appel d'un homme qui se présente comme représentant du gouvernement fédéral. Il veut me rencontrer au sujet de mon dossier de citoyenneté. Lorsque je me présente [le 27 février 2001], j'ai droit à un interrogatoire en règle face à deux agents du SCRS et non une simple rencontre de routine avec un fonctionnaire du ministère de l'Immigration. Les agents me posent des questions sur Abdellah Ouzghar et Abousofian Abdelrazik[26]. Au fil de la conversation, les questions sont devenues de plus en plus déplacées et n'avaient aucun rapport avec la citoyenneté. J'ai été questionné sur le conflit israélo-palestinien. Une vraie boîte de Pandore. Ça a commencé avec les Palestiniens, puis : est-ce que je considère le Hamas comme un mouvement de libération nationale et ainsi de suite. [...] À la fin, ils m'ont proposé de travailler pour le gouvernement fédéral, sans jamais me dire que je serais un

---

26. Ex-Montréalais considérés par les autorités comme membres de réseaux terroristes.

mouchard. Ils me flattaient en me promettant un bel avenir au Canada, jouaient la carte de l'argent, de la citoyenneté... [...] Ça, c'était avant le 11 septembre 2001. Après, finie la carotte! Le ton a changé. C'était : tu vas travailler avec nous ou bien c'est le Maroc.

Trois jours après les attentats, les mêmes agents pointent le bout de leur nez aux environs de midi dans la pizzeria d'Adil Charkaoui. C'est l'heure du lunch. Les élèves de l'école primaire voisine débarquent par grappes pour commander leur pizza. En sueur, son tablier noué autour de la taille, Charkaoui court de la cuisine à la salle, donne des ordres aux livreurs. Ce n'est pas vraiment le bon moment pour entamer une conversation de cette importance avec la sérénité requise. Les deux «espions» commandent un cappuccino. Puis c'est la ronde des questions : «Est-ce que vous savez où est Ben Laden? Est-ce que vous connaissez Untel?» «Ils me montraient des photos de mauvaise qualité sur lesquelles figuraient des gens que je n'avais jamais vus ou simplement aperçus une fois dans ma vie.»

Adil Charkaoui n'est pas d'humeur à plaisanter. Il proteste, veut savoir «pourquoi les musulmans sont ainsi harcelés».

À la fin du mois de janvier 2002, Adil Charkaoui est à l'ouvrage dans son Pizza Trio lorsqu'il reçoit à nouveau de la visite qu'il raconte en ces termes :

> Les semaines précédentes, j'avais refusé toutes les entrevues. Ils voulaient même me donner un cellulaire pour me joindre facilement. Moi, je voulais être prof de littérature française ; je ne me voyais pas en espion de l'État. [...] Une fois à l'intérieur de mon restaurant, les agents m'ont demandé de monter dans leur voiture pour aller faire un petit tour. [...] Ils m'ont répété que si je voulais vraiment démontrer ma loyauté au Canada, je devais travailler pour eux. Ils avaient un exemplaire du Coran par terre sous leurs pieds. [...] Ils me posaient des questions sur le *djihad*, telle ou telle sourate

du Coran. Je leur ai fait remarquer qu'ils souillaient ce que plus d'un milliard de personnes considéraient comme un livre sacré. Pour se justifier, ils m'ont montré une Bible qui traînait au même endroit. Ils voulaient me provoquer. Je suis descendu en claquant la portière.

– Tu vas le regretter, m'a prévenu l'un des agents.

– C'est vous qui allez le regretter, ai-je rétorqué. Je vais vous dénoncer.

– On te laisse trois jours pour réfléchir sinon tu vas goûter aux délices de la DST marocaine.

Charkaoui ne change pas d'avis. Trois jours plus tard, sa réponse est invariable : c'est NON. Il apprend alors de la bouche des agents qu'il a été dénoncé par des individus «haut placés», dont Ahmed Ressam.

Au cours de l'été qui suit, Charkaoui est à nouveau abordé par les agents du SCRS. À la porte de son domicile cette fois. «Leur tactique est toujours la même : un qui parle, l'autre qui t'observe pendant ce temps-là. Cette fois ils m'ont parlé de mon séjour dans des *madrasa* au Pakistan en 1998 – un voyage que j'avais déclaré dans mon dossier de citoyenneté –, de mon profil qui correspondait à celui de nombreux extrémistes... »

Comme je l'évoque dans un chapitre précédent, Adil Charkaoui a passé plusieurs mois au Pakistan, en 1998. Se disant amoureux de l'Asie, ce voyage était à la fois un rêve de gamin, une volonté d'approfondir un pan de la culture musulmane qu'il ne maîtrisait pas et la curiosité de découvrir de quelle manière la foi se pratiquait dans cette région[27]. Cinq mois durant, selon ses dires, il a parcouru le pays, de Karachi à Lahore en passant par Islamabad, fréquentant

---

27. Marco Fortier, «Le profil d'un terroriste?», *Le Journal de Montréal*, 26 février 2006.

plusieurs écoles coraniques dont certaines reliées au Tabligh. « C'était la vraie bohème... »

Après cette dernière confrontation avec le SCRS, c'est le calme plat. Ni rencontre ni téléphone. Le silence. Adil Charkaoui croit que la tempête est derrière lui. Erreur. Pendant ce temps-là, le SCRS peaufine son rapport de renseignement en matière de sécurité (acronyme anglais : SIR). Ce document contient un certain nombre d'informations classifiées et non classifiées. Une fois revu dans le détail par les services juridiques, les faits confirmés, le rapport est ensuite approuvé par le directeur du SCRS, puis transmis au ministère de la Sécurité publique. Lorsque ce dernier a apposé sa signature sur le certificat de sécurité, il est transmis à son homologue de l'immigration qui le paraphe à son tour. Rendu à cette étape, le cercueil est presque cloué.

Dix mois plus tard, en mai 2002, le passé rattrape Adil Charkaoui sur l'autoroute métropolitaine alors qu'il se rend à l'Université de Montréal. Il étudiait alors les stéréotypes sur les Arabes et les musulmans dans les livres scolaires au Québec. Le couvercle venait de se refermer sur lui.

La bataille juridique et médiatique

Enfermé dans sa cellule, Adil Charkaoui occupe son temps en dévorant des ouvrages sur le terrorisme. Dans sa bibliothèque figurent en bonne place les livres d'enquête du journaliste français Éric Laurent (*La Guerre des Bush, La Face cachée du pétrole*), de Jason Burke (*La Véritable Histoire de l'islam radical*), ainsi que l'essai de John Saul *Les Bâtards de Voltaire*, un ouvrage qu'il affectionne plus particulièrement. Au début de sa détention, Charkaoui dévore aussi *Le Monde diplomatique* jusqu'au moment où il est privé de journaux étrangers pour d'obscures raisons administratives.

Inspiré par le célèbre *J'accuse* d'Émile Zola, Charkaoui le littéraire trempe à son tour sa plume dans le vitriol pour rédiger ce texte acerbe :

Leçon de phonétique

Tout de go, une précision : mon nom est Charkaoui et non pas Zarkaoui. Ch et z sont certes des constrictives palatales, cependant, la première est sourde tandis que la seconde est sonore.

Cette mise en garde s'adresse à toutes les personnes souffrant de paranoïa pour ne pas dire d'incompétence tout court et ce, ici comme à l'étranger.

Lui, selon des rumeurs, il dirige la résistance irakienne à Fallouja et il est le cerveau d'une pléthore d'attentats à travers le monde. Moi, je n'ai jusqu'à date dirigé qu'une pizzeria 2 pour 1 et les seuls attentats dans lesquels j'ai trempé dans le passé sont des « attentats » à la pudeur de quelques midinettes à la morale rigoriste !

Lui, selon l'imagination débridée des médias de l'embedement, il est l'instigateur de boums à répétition, moi, le seul boum auquel je veux contribuer c'est le démographique ! (Ma femme et moi souhaitons ardemment au moins doubler le nombre d'enfants que nous avons déjà.)

Lui, toujours selon l'Oncle Sam, il passe ses journées à mélanger poudre et dynamite. Moi, je fais plus dans le mélange des genres, littéraires bien entendu ! [...]

Enfin, *j'accuse* le SCRS de cibler les communautés arabe et musulmane (harcèlement, intimidation...) après le 11 septembre, de sous-traiter la torture dans des pays tels que la Syrie ou la Jordanie (c.f. « torture par procuration » dans l'affaire Arar).

J'accuse les ex-ministres Denis Coderre et Wayne Easter d'avoir signé contre moi un certificat de sécurité me privant de tous mes droits civils sans que les allégations du SCRS soient prouvées par un tribunal indépendant.

J'accuse le ministère des Affaires étrangères d'avoir obtenu en faveur du SCRS des garanties diplomatiques afin de faciliter ma déportation vers ce que le ministère de Citoyenneté et immigration Canada, Amnistie internationale et Human Rights Watch ont qualifié de risque majeur à la vie, torture et traitement cruel et inhumain.

J'accuse l'agence des services frontaliers qui relève du nouveau ministère de la Sécurité publique de cautionner la déportation vers des pays pratiquant la torture et appliquant la peine de mort.

À l'extérieur des murs du centre de détention, la bataille pour la libération du présumé agent dormant ne fait que commencer. Sur le front médiatique en premier lieu avec la naissance de la Coalition Justice pour Adil Charkaoui, qui regroupe plusieurs associations musulmanes, des associations de défense des droits des immigrés et réfugiés, des activistes, des personnalités du monde politique et artistique. Jour après jour, semaine après semaine, mois après mois, cette coalition championne du lobbying va œuvrer avec une abnégation exemplaire, organisant des manifestations, des pétitions, tenant les médias informés de l'évolution du dossier. Si bien qu'Adil Charkaoui va rapidement devenir le prisonnier le plus célèbre du Canada. Sur le front juridique, les deux avocates de Charkaoui, Johanne Doyon et Dominique Larochelle, ne vont pas ménager leurs efforts. Les procédures et les audiences se multiplient de la Cour fédérale jusqu'en Cour suprême où les juges planchaient encore au moment d'écrire cet ouvrage sur la constitutionnalité des certificats de sécurité.

Malgré le caractère secret de la preuve, point central de la controverse entourant ces certificats, les informations parcellaires distillées au compte-gouttes par le juge au cours des audiences ne manquent toutefois pas d'intérêt. Leur lecture permet non seulement d'entrevoir une parcelle des charges déposées par le SCRS contre Adil Charkaoui, mais aussi de mieux cerner l'implantation de supposés réseaux djihadistes au Québec ainsi que le profil de ses différents acteurs.

À Montréal, en juillet 2003, lors de la première audience devant le juge Simon Noël, de la Cour fédérale, en vue d'une éventuelle remise en liberté, le chef adjoint au niveau des « enquêtes sur le terrorisme islamique et sunnite » au SCRS, identifié seulement par le prénom Jean-Paul, est venu expliquer le rôle d'un « agent dormant », que ce soit dans le milieu de l'espionnage ou du terrorisme. Après avoir suivi une formation spécifique, la personne en question est renvoyée dans son pays d'origine non sans avoir reçu quelques conseils que Jean-Paul résume ainsi : « Retourne à ta vie habituelle, fais comme si de rien n'était. Tu ne dis à personne que tu as suivi ces cours-là. Et puis un de ces jours quelqu'un va venir te voir, tu vas peut-être recevoir un message, une lettre, un courriel, un coup de téléphone et puis c'est le temps de faire ce qu'on veut que tu fasses tout simplement[28]. » Alors, poursuit Jean-Paul, cette personne retourne à son existence quotidienne comme si de rien n'était ; elle se fond dans la société occidentale, suivant en cela les conseils d'Oussama ben Laden. Jusqu'au jour où elle est activée pour commettre un acte dans le pays où elle réside ou dans un pays étranger.

En ce qui concerne Adil Charkaoui, les représentants du gouvernement réaffirment sans détour que le Montréalais « est membre du réseau de Ben Laden ». Sa passion du karaté et des arts martiaux est considérée comme facteur accablant au prétexte « qu'un des pirates de l'air qui a participé au détournement du vol 93 de la compagnie American Airlines s'était entraîné aux arts martiaux en préparation du 11-Septembre ».

---

28. Charkaoui (Re) (C.F.), 2003 CF 882.

« Dis-moi qui tu fréquentes... »

Le juge Noël relève aussi, après avoir examiné plusieurs témoignages, une zone d'ombre dans la vie d'Adil Charkaoui qui s'étale de 1992 à la fin de cette décennie et qui englobe entre autres son voyage de cinq mois au Pakistan en 1998. Le juge se dit préoccupé par les contacts qu'aurait eus le Montréalais avec cinq personnes fortement suspectées ou condamnées dans des dossiers de nature terroriste, soit Abousofian Abdelrazik, Samir Ait Mohamed, Saïd Atmani, Abderraouf Hannachi et Abdellah Ouzghar. Des personnages évoqués à plusieurs reprises dans cet ouvrage. Face à un tel tableau, le juge Noël maintient la détention d'Adil Charkaoui. Il en sera de même en janvier 2004 lors d'un nouvel examen de son dossier.

Aujourd'hui, Charkaoui proteste avec véhémence contre ces rapprochements trop hâtifs à son goût, ce que certains décrivent comme une culpabilité par association. « Ce sont des contacts superficiels ; Hannachi, par exemple, je le connaissais à peine. C'est lui qui appelait à la prière à la mosquée Assuna. [...] Si je vais voir un imam pour lui poser une question en rapport avec la religion, est-ce que cela fait de moi un agent dormant ? » Quant à Abousofian Abdelrazik, Adil Charkaoui demeure persuadé que son ami « le Soudanais », avec qui il n'a pas le droit d'entrer en contact, est innocent. Il affirme que c'est plutôt le SCRS qui lui a fortement suggéré de nouer des liens avec Abdelrazik en 2000. « Je lui ai tout raconté. J'ai éprouvé de la sympathie pour lui dès lors qu'il m'a confié sa difficulté à vivre le harcèlement du SCRS qui le suivait partout, [...] son appartement fouillé en son absence... » Charkaoui se porte aussi à la défense d'Ouzghar qui, au moment de cet entretien, attendait de savoir s'il serait extradé en France pour purger une peine de cinq ans de prison pour activités terroristes : « Ouzghar n'est pas un combattant, assure Charkaoui. Il n'y a qu'Atmani qui ait combattu en Bosnie. »

Cette question des fréquentations trop suspectes aux yeux des autorités pour n'être qu'un simple hasard revient régulièrement dans les dossiers de terrorisme. Prenons encore par exemple le cas de Mourad Ikhlef, évoqué au début de ce chapitre. Dans le dossier déposé par le SCRS, il est écrit ceci : « Ikhlef a été interrogé à six reprises par des agents du service. Ikhlef a reconnu avoir été en contact avec plusieurs individus susmentionnés [Atmani, Ressam, Kamel, etc.] mais a déclaré qu'il s'agissait de pures coïncidences si ces individus sont reliés au terrorisme. » Dans son jugement rendu en 2002, le juge de la Cour fédérale Pierre Blais se montre cinglant :

> À en croire M. Ikhlef, il y aurait eu erreur sur la personne ; comme s'il s'était trouvé toujours à la mauvaise place, au mauvais moment. Comme si également c'était pure coïncidence que la plupart de ses amis qu'il côtoyait quotidiennement au cours de l'année 1990, à Montréal, et à Vancouver, sont maintenant derrière les barreaux ou l'objet de condamnations diverses en France, en Angleterre, en Algérie et aux États-Unis.
>
> Si la maxime « Dis-moi qui tu fréquentes, je te dirai qui tu es » n'a pas d'applications légales et encore moins force de loi, cela aura du moins permis aux autorités canadiennes de scruter avec plus d'attention les agissements de M. Ikhlef au cours des dernières années pour en arriver aux conclusions que l'on sait.

Des témoins clés qui se rétractent

Le 16 avril 2004, nouveau coup de théâtre. Le quotidien *Aujourd'hui Le Maroc* publie en exclusivité les « révélations » d'un ancien émir du GICM, Noureddine Nfiâ (ou Nafia), dit Abou

Mouaad, condamné à vingt ans de prison pour son implication dans les attentats de Casablanca et de Madrid. Considéré comme le coordinateur principal entre les différentes cellules européennes du GICM, l'émir Nfiâ aurait avoué en 2003 aux enquêteurs marocains que son groupe disposait d'une «cellule dormante» au Canada ainsi que quatre autres en France, en Italie, en Belgique et en Grande-Bretagne. En ce qui concerne le Canada, il se contente de citer deux alias, «Abou Zoubir le Canadien», identifié par le SCRS comme étant Adil Charkaoui, et un résident d'Ottawa âgé de 28 ans, «Abdeslam le Canadien». Repris par les principales agences de presse, ces aveux fracassants font rapidement le tour du monde. Depuis, Nfiâ aurait changé d'avis, expliquant que ses aveux avaient été obtenus sous la torture.

«J'ai été confondu avec Ahmed Ressam, proteste Adil Charkaoui. Je me retrouve dans une situation kafkaïenne bâtie à partir de soupçons non vérifiés.»

Dans le même genre d'idée, Adil Charkaoui n'accorde aucune crédibilité au témoignage de Ressam, un drogué au crack soutient-il, qui a affirmé l'avoir vu dans le camp de Khalden, en Afghanistan. Ressam que les avocates de Charkaoui n'ont jamais pu contre-interroger malgré leur insistance. Tant Ressam que Abou Zoubeida, actuellement détenu à Guantanamo, ont été utilisés à toutes les sauces dans beaucoup de dossiers à travers le monde, plaide Charkaoui. Les médias américains ont rapporté en effet que Ressam a identifié depuis le début de sa collaboration en 2001 quelque 130 membres présumés de cellules terroristes, qu'il a témoigné dans deux procès et a coopéré avec les autorités canadiennes, françaises, italiennes, anglaises et allemandes[29]!

---

29. Mike Carter, «Justice Department argues for tougher sentence for Ressam», *The Seattle Times*, 14 novembre 2006.

De l'autre côté de l'océan Atlantique, depuis son chic bureau parisien du boulevard Saint-Germain, l'avocate Isabelle Coutant-Peyre fait écho aux doutes de Charkaoui. L'épouse de Ilich Ramírez Sánchez, dit Carlos, avocate de plusieurs militants islamistes accusés de terrorisme en France, se demande même, non sans perfidie, si Ressam est au courant de tous les témoignages à charge qu'il a livrés depuis son arrestation en 1999. Avec fougue, elle dénonce les pressions que le *bomber* aurait subies de la part de l'escouade antiterroriste française : « Le juge Jean-Louis Bruguière[30] est intervenu comme témoin – en prêtant serment – en janvier 2001 à Seattle au procès de Ressam. Je considère qu'il est inadmissible et illégal qu'un juge chargé d'une procédure mettant en cause Ressam se présente également comme témoin au procès contre celui-ci. Bruguière l'a aussi fait interroger en janvier puis en juin 2002. Participaient également aux interrogatoires de juin 2002, son collègue Jean-François Ricard et deux policiers de la DST. Il s'agit de pressions et de manipulations inadmissibles. [...] Cela a duré du 10 juin au 14 juin 2002, retranscrit en 359 pages d'interrogatoires. Donc, soit cet interrogatoire a duré jour et nuit, mais ils font état d'interruptions pour les repas et la nuit, soit tout était fabriqué à l'avance et on lui [Ressam] en a fait un résumé ! [...] Ressam a été menacé et a raconté n'importe quoi. »

Ajoutons à cette opinion tranchée que le principal intéressé incarcéré dans le pénitencier à très haute sécurité de Florence[31], dans le Colorado, a non seulement interrompu toute collaboration mais en prime commence à se rétracter.

---

30. Jean-Louis Bruguière est un juge français spécialisé dans les dossiers de terrorisme.

31. Plusieurs autres islamistes connus y sont incarcérés, dont le Français Zacharias Moussaoui, Richard Reid et Ramzi Yousef.

Mesure-t-il subitement dans quel pétrin il s'est placé, à cause de ses dénonciations en série, vis-à-vis de ses coreligionnaires dont il devine la légitime rancœur? Ou bien avait-il, dans certains cas, dit n'importe quoi sous la pression ou encore a-t-il été appâté par la remise de peine promise en échange de sa collaboration? On imagine que la sombre perspective d'être condamné à cent trente ans de prison peut inciter un petit soldat égaré du *djihad* sans réelle envergure à se délier la langue. Les policiers que j'ai interrogés à ce sujet penchent évidemment pour la première hypothèse, sachant qu'il est admissible à une libération dans quatorze ans. Certains n'auront pas oublié en si peu de temps...

Premier exemple concret de cette marche arrière : dans une lettre manuscrite, rédigée en arabe, datée du 11 novembre 2006 et adressée au juge John C. Coughinour, du district de Seattle, Ahmed Ressam disculpe totalement un autre Montréalais, Hassan Zemmiri[32] (alias Ascène Zemiri, Hassan Zamiry ou Zumiri), qu'il avait précédemment dénoncé comme étant un de ceux qui lui avaient apporté un soutien logistique dans la préparation de son complot du Millénaire contre l'aéroport de Los Angeles. «M. Hassan Zamiry est innocent, écrit-il. Il ne savait rien de ce projet et ne m'a aidé en rien.» Ressam explique ce virage à 180 degrés par l'état de choc et le désordre psychologique dans lequel il se trouvait lors de cet interrogatoire. Il regrette que, par la suite, les procureurs de la poursuite ne lui aient pas laissé la possibilité de clarifier son témoignage initial qu'il estimait pourtant confus et imprécis.

---

32. Né en 1967 à Alger, marié à une Canadienne convertie, Zemmiri a été capturé en décembre 2001 en Afghanistan. Il est détenu depuis à Guantanamo sous l'identité de Hassan Zumiri, matricule 533.

Cour fédérale de Montréal, juillet 2004, troisième requête de remise en liberté. Faute de pouvoir contre-interroger Ahmed Ressam, la défense d'Adil Charkaoui décide de faire témoigner en sa faveur un des jeunes membres de la famille Khadr, «la famille Al-Qaida», Abdurahman. Comme nous l'avons expliqué précédemment, cette «fameuse» famille torontoise, a tissé des liens étroits avec Oussama ben Laden et ne s'en cache pas. Lorsqu'ils séjournaient en Afghanistan, les Khadr se faisaient un devoir et une fierté de rencontrer leurs compatriotes qui avaient obtenu le privilège de séjourner dans les structures locales du mouvement... Abdurahman Khadr, arrêté à Kaboul en 2001 puis détenu à Guantanamo, est formel : «Je n'ai jamais vu Charkaoui avant aujourd'hui», confirme-t-il devant la Cour. Et pourtant, soutient-il, il se trouvait à Khalden à l'époque où Charkaoui était censé y être[33]. Un témoignage qui n'impressionne pas certains policiers compte tenu, disent-ils, du peu de crédibilité de son auteur. Abdurahman a suscité dans le passé bien des doutes au sujet de la véracité de ses témoignages. Le mouton noir de la famille, fantasque à ses heures, a surpris tout le monde à son retour au Canada en novembre 2003 lorsqu'il a soutenu avoir signé avec la CIA en 2002 à Kaboul un contrat de «taupe». Sa première mission fut d'être incarcéré à Guantanamo afin d'espionner ses compagnons de détention. Toujours selon ses dires, il aurait ensuite été envoyé en Bosnie puis aurait refusé une mission en Irak.

Au cours de la même audience, signe que la mobilisation ne faiblit pas dans la société civile, plusieurs personnalités québécoises de renom sont venues offrir la somme de 50 000 dollars à titre de caution pour la libération

---

33. Communiqué de la Coalition Justice pour Adil Charkaoui, «Khadr blanchit Charkaoui et met en doute le dossier».

conditionnelle de Charkaoui, «l'agent dormant». Sur cette liste de bienfaiteurs, on relève les noms des députés du Parti québécois Louise Harel et Daniel Turp, le théologien Gregory Baum et la comédienne Pascale Montpetit.

Il se passe aussi pendant cette journée un événement cocasse qui reflète à merveille l'ambiance de mystère, de suspicion et de paranoïa qui enveloppe de tous bords les dossiers de sécurité nationale. Les supporters d'Adil Charkaoui s'agitent, se concertent. Nerveux, ils observent avec attention un homme trop «sérieux» à leur goût. Assis au fond de la salle dans la section réservée au public, l'homme a posé à ses côtés un «porte-documents paré d'un trou circulaire ressemblant étrangement, aux dires de plusieurs personnes présentes, à l'objectif d'une caméra sortie tout droit d'un mauvais film policier, filmant les gens venus à la Cour pour appuyer Adil[34]».

Six mois plus tard, en janvier et février 2005, le dossier Charkaoui revient en Cour pour une quatrième tentative de remise en liberté. C'est la première fois que le Montréalais témoigne et apporte des réponses aux nombreuses questions de la Cour. Les autorités déposent à huis clos de nouvelles preuves à son encontre. Rien ne filtre de l'institution fédérale, hormis un nouveau sommaire des informations se résumant ainsi :

– l'enquête sur M. Charkaoui est continue ;
– les autorités marocaines ont identifié M. Charkaoui comme étant membre du Groupe islamique combattant marocain (le GICM) ;
– le GICM est un groupe lié à Al-Qaida et il aurait signé les attentats du 16 mai 2003 à Casablanca et du 11 mars 2004 à Madrid ;

---

34. *Idem.*

– lors d'un voyage en Afghanistan au début de 1998, M. Charkaoui aurait suivi un stage militaire et une formation théologique à l'institut de charia à Khalden ;

– l'émir du GICM, Noureddine Nafia, détenu au Maroc, révèle que M. Charkaoui aurait été endoctriné à Montréal par un imam libyen ;

– des fonds auraient été collectés pour implanter des cellules dans différents pays, soient le Canada, le Pakistan, l'Allemagne, la France et le Royaume-Uni ;

– M. Charkaoui a maintenu contact et aurait transmis une somme de 2 000 dollars (CAN) au GICM et il aurait remis un ordinateur portatif à un membre du GICM[35].

Cependant, le juge Noël acquiesce à sa demande de remise en liberté aux conditions évoquées au début de ce chapitre. Dans son long jugement, il salue au passage, et avec sensibilité, la famille d'Adil Charkaoui :

Bien qu'on puisse s'attendre à ce que les membres d'une famille se rallient en de telles circonstances, il demeure que leur persistance, leur dévouement dans la démarche sont édifiants et tout à l'honneur de la famille. On y retrouve potentiellement un sanctuaire de quiétude et possiblement de sécurité.

Sceptique

Adil Charkaoui se crispe lorsque notre conversation s'engage sur le terrain du terrorisme, de l'extrémisme. Le danger communiste, dit-il, a été remplacé par le danger islamiste. Une de ses théories est qu'Al-Qaida aurait été créé par l'Occident. «C'est quoi Al-Qaida ? a-t-il déjà déclaré en

---

35 . Charkaoui (Re) (C.F.), 2005 CF 248.

entrevue. C'est Ben Laden et une dizaine d'individus qui ont combattu les Russes en Afghanistan, aidés par l'Occident et les États-Unis. Après la guerre, ils sont rentrés dans leur pays où ils ont été incarcérés, torturés et tués. Bush leur a donné une publicité incroyable et ils sont devenus les fameux combattants contre l'impérialisme américain. »

Adil Charkaoui revendique haut et fort son statut de sceptique. Et, comme tout sceptique qui se respecte, il adhère à la populaire théorie du complot en ce qui a trait aux attentats du 11-Septembre, à son avis « la plus grande supercherie de l'histoire ». Il ne s'est pas gêné pour s'exprimer à ce sujet lors de l'audience en Cour fédérale de février 2005. Son témoignage est résumé ainsi dans le jugement correspondant :

> Il a [...] raconté à la Cour comment il concevait difficilement que quelqu'un « qui se trouve dans un pays moyenâgeux dans une grotte » (c'est-à-dire, Oussama ben Laden, en Afghanistan) ait pu perpétrer un attentat de l'ampleur du 11 septembre 2001 aux États-Unis. M. Charkaoui a fait remarquer qu'en décembre 2000, il fut fouillé par le FBI à l'aéroport JFK lorsqu'il était accompagné de sa femme enceinte mais que 19 jeunes hommes arabes ont pu monter à bord d'avions le 11 septembre 2001 sans problème. Il trouve curieux le fait que les 19 passeports de ces hommes aient été retrouvés mais que les boîtes noires des quatre avions sont toujours manquantes. D'après ses lectures et ses études sur l'Internet et dans les journaux, M. Charkaoui n'est pas convaincu que ces attentats ont été commis par des musulmans ; il dit que c'est aussi probable qu'ils furent perpétrés par les néoconservateurs et autorités religieuses des États-Unis[36].

---

36. *Idem.*

«Oui je suis un sceptique, me dit-il. J'ai besoin d'avoir des preuves. [...] Au Canada, il y a eu avant le 11-Septembre et après le 11-Septembre. Ça fait longtemps que le SCRS répète que ça va péter, mais il ne se passe rien. C'est la même chose avec le soi-disant réseau de Fateh Kamel. C'est quoi son réseau? C'est qui? Tout ça n'est pas une question de justice mais uniquement pour faire plaisir à l'oncle Sam. Les autorités veulent démontrer que le Canada n'est pas un havre de paix pour islamistes. Mais on ne fait pas de différence entre musulman pratiquant, islamiste, extrémiste, terroriste. C'est quoi la définition du terrorisme? Pourquoi tous les bouchers sanguinaires serbes de la guerre en Bosnie n'ont jamais été arrêtés, alors qu'en même temps on accable des gens comme Ouzghar par exemple qui ont été en Bosnie pour aider la population. Moi, j'ai de la sympathie pour les Tchétchènes, les Bosniaques. [...] Se faire exploser est un geste de désespoir... De voir sa maison détruite, sa fille violée par des soldats... Parce que l'être humain aime la vie.»

CHAPITRE 7

Le bottin québécois du « terrorisme », de A à Z

À tort ou à raison, de Atmani à Zemmiri, en passant par Ressam et Ouzghar, de nombreux Canadiens résidant au Québec au cours des dix dernières années ont été désignés par les autorités comme membres de réseaux terroristes ou impliqués dans des activités reliées au terrorisme. La plupart de leurs noms sont cités également à un moment ou à un autre dans cet ouvrage.

Que sont-ils devenus aujourd'hui? C'est à cette question que cette enquête tente de répondre. Certains ont disparu dans la nature sans jamais avoir été arrêtés et condamnés au Canada. D'autres, bien que reconnus coupables par la justice, en général étrangère, continuent de clamer leur innocence. Enfin, plusieurs sont détenus à Guantanamo sans jugement, ou dans leur pays d'origine.

La plupart des biographies qui suivent sont tirées essentiellement de sources ouvertes, c'est-à-dire de documents officiels déclassifiés et de documents judiciaires utilisés comme base documentaire. Elles sont enrichies de renseignements et anecdotes recueillies au cours de mes recherches, provenant aussi de plusieurs ouvrages de référence.

Point important à signaler, il ne s'agit pas d'un bottin exhaustif. Certains personnages ont été volontairement écartés en raison de leur rôle mineur.

Abdelrazik (Abousofian)
Situation inconnue

Le 26 juillet 2006, le Département d'État américain publie un communiqué officiel de trois lignes dans lequel il est mentionné qu'un certain Abousofian Abdelrazik, titulaire des nationalités soudanaise et canadienne, représente un risque significatif pour la sécurité des États-Unis et de ses citoyens. Pour appuyer cette décision, les Américains affirment, dans une tout aussi courte biographie, qu'Abdelrazik était membre d'une «cellule extrémiste de Montréal». Présenté comme un proche associé d'Abou Zoubeida, il aurait recruté et accompagné Abderraouf Hannachi dans le camp de Khalden en 1996. Quelques jours plus tard, l'Union européenne emboîte le pas et ajoute le nom d'Abdelrazik, connu aussi sous l'alias de «Djolaiba le Soudanais», à leur liste de «personnes et entités liées à Oussama ben Laden, au réseau Al-Qaida et aux talibans» pour lesquelles s'applique un gel des fonds et des ressources économiques. Son nom figure aussi sur des listes similaires émises par divers pays, organismes financiers ainsi qu'Interpol.

Abdelrazik est né en 1962 à Al-Bawgah, au Soudan. Comme rapporté dans cet ouvrage, il a résidé quelques années à Montréal et a été placé sous enquête par le SCRS tout comme une de ses connaissances, Adil Charkaoui, qui n'a plus le droit d'entrer en contact avec lui. Samir E., un restaurateur appelé à témoigner en 2003 à la Cour fédérale dans le dossier

Charkaoui a révélé que « la femme de M. Abdelrazik est morte et que celui-ci a laissé ses enfants au Canada pour repartir au Soudan ». Entre-temps, Abdelrazik a aussi témoigné par vidéo au procès d'Ahmed Ressam.

Selon Adil Charkaoui, Abdelrazik se serait plaint de sa situation auprès de députés fédéraux qui seraient intervenus en sa faveur afin qu'il obtienne un passeport. Il aurait ensuite quitté le Canada en toute légalité. Certaines sources avancent qu'il aurait été arrêté une fois au Soudan, puis libéré. Depuis, il aurait entrepris des démarches auprès de l'ambassade canadienne pour obtenir un passeport lui permettant de rentrer au Canada. S'il obtenait satisfaction, il aurait toutefois de la difficulté à embarquer dans un avion, étant inscrit sur la *No flight list* américaine.

Abi Khalil (Naji Antoine)
Détenu aux États-Unis

La première fois que les Canadiens ont entendu parler de Naji Antoine Abi Khalil, c'était le 27 avril 1992 et pour une raison qui n'a rien à voir avec une affaire de terrorisme : ce jour-là, sa femme Lina a accouché de cinq magnifiques poupons à l'Hôpital général juif de Montréal. Les premiers quintuplés du Québec! C'est la folie médiatique. Le magazine *7 Jours* suit année après année l'évolution de cette famille libanaise rescapée de la guerre. Reportages complets sur plusieurs pages, photos en studio et même un livre, *La Merveilleuse Histoire des quintuplés*, aux Éditions 7 Jours. Les Abi Khalil sont devenus des stars. Même au Liban, où le quotidien *Anwar* leur consacre deux pages à leur arrivée pour leur premier Noël en famille.

Sur toutes les photos, Naji, un bonhomme costaud et souriant, toujours par monts et par vaux à cause de son travail

Naji Antoine Abi Khalil s'est fait connaître au Québec après que son épouse eut donné naissance à des quintuplés le 27 avril 1992. Il est ensuite apparu à plusieurs reprises dans le magazine 7 Jours (ici en février 1994).

dans l'import-export, donne l'image du vrai papa gâteau entouré de sa progéniture. Mais Naji Abi Khalil, chrétien maronite, change de rubrique le 19 mai 2004. Le résident d'une coquette demeure de Dollard-des-Ormeaux, alors à la tête d'une compagnie d'import-export et aussi d'un café dans le

Quartier latin, est arrêté ainsi qu'un complice dans un entrepôt de la 44ᵉ rue à Manhattan par un agent d'infiltration du FBI. Celui-ci se faisait passer pour un client voulant expédier du matériel militaire (lunettes de visées nocturnes) au Hezbollah chiite. Curieux à première vue car, pendant la guerre civile, encore fraîche dans les mémoires, les milices chrétiennes et le Hezbollah n'ont eu de cesse de s'affronter. La seule explication plausible est le coup d'argent.

Naji Antoine Abi Khalil, 40 ans, était depuis 2001 dans la mire des policiers du FBI, mais aussi de la GRC et de Scotland Yard, car suspecté de blanchir de l'argent pour le compte du crime organisé. L'homme d'affaires était arrivé à New York deux jours avant son arrestation par un vol en provenance de Montréal. Les contacts avaient été établis avec l'agent double dans une chambre d'hôtel truffée de caméras et de micros. Dans une chambre voisine, les enquêteurs, assistés par un traducteur, ne perdaient pas une miette de la conversation.

En août 2005, à Little Rock (Arkansas), Abi Khalil a plaidé coupable à trois accusations, dont celle d'avoir apporté une aide matérielle à un groupe terroriste. Le 2 février 2006, il a été condamné à cinq ans de prison.

Ameziane (Djamel Saiid Ali)
Détenu à Guantanamo

Ce n'est qu'en mars 2006 que l'on a appris qu'un troisième Montréalais, Djamel Ameziane, était détenu à Guantanamo sous le matricule 310. Né en Algérie en 1967, Ameziane est arrivé au Canada en 1995 avec un faux passeport allemand. Il a résidé à Montréal jusqu'à son départ en 2000 pour l'Afghanistan… avec un faux passeport français.

Selon la preuve dévoilée par les Américains, Ameziane aurait reçu près de 1 500 dollars des mains d'un Tunisien non identifié pour son voyage. Certaines sources évoquent le nom de Raouf Hannachi, connu pour avoir « recruté » dans les mêmes conditions Ressam et Labsi.

Ameziane a suivi les combattants talibans dans les montagnes de Tora Bora lors de l'offensive américaine de la fin de l'année 2001, avant d'être capturé. Pour l'avocat américain Robert D. Rachlin qui s'est saisi de son dossier, Ameziane est un de ces gars qui étaient à la mauvaise place, au mauvais moment.

Atmani (Saïd)
Se trouverait au Maroc ou au Canada

Le nom de Saïd Atmani est associé étroitement par les autorités à ce que l'on a appelé la « cellule islamiste de Montréal ». Son parcours est relaté dans un document judiciaire présenté en décembre 2001, en Cour fédérale, lors des procédures d'expulsion de Mourad Ikhlef :

> Karim Saïd Atmani est né à Tanger (Maroc) le 1er octobre 1966. Après avoir reçu un entraînement en Afghanistan, il s'est battu avec les moudjahidin en Bosnie pendant la guerre civile. En 1995, Atmani s'est embarqué clandestinement à bord d'un cargo libérien à destination du Canada. Il a débarqué à Halifax et a demandé le statut de réfugié quelques semaines plus tard après s'être installé à Montréal. Il s'est vu refuser le statut de réfugié, mais n'est jamais parti du Canada.
>
> À Montréal, Atmani a partagé un appartement avec Ahmed Ressam et était l'un des bras droits de Fateh Kamel. Atmani était aussi un faussaire de documents réputé pour le Groupe islamique armé (GIA) et pour le *djihad*. Les services de renseignements français savaient qu'il était lié à des groupes radicaux qui étaient des « organisations de gangsters terroristes ». La police prétend également maintenant qu'Atmani dirigeait un réseau de voleurs qui

dérobaient des ordinateurs et des téléphones cellulaires à Montréal pour financer les activités de militants islamistes, nouvelle tendance en vertu de laquelle des extrémistes se livrent à des activités criminelles pour financer des activités terroristes. En [octobre] 1998, Atmani a été arrêté à Niagara Falls et expulsé vers la Bosnie[1].

Précisons qu'à l'époque, les médias montréalais avaient mentionné que Saïd Atmani avait été extradé en France et qu'il y était détenu. Ce qui est faux. Comme il est indiqué dans ce document du SCRS, les Canadiens l'ont extradé en Bosnie. En France, les enquêteurs voulaient l'interroger dans le cadre de l'affaire du gang de Roubaix[2].

Suite du document :

En avril 2001, un tribunal français a condamné Atmani par contumace à 5 ans d'incarcération pour «association de malfaiteurs en relation avec une entreprise terroriste et trafic de faux documents». Atmani était l'un des 24 défendeurs qui ont été reconnus coupables au cours de ce procès tout comme Fateh Kamel, Ahmed Ressam, Abdellah Ouzghar, et Adel Boumezbeur. Atmani a été arrêté en Bosnie par la suite [en avril 2001 à Zenica] et il a été extradé vers la France en juillet 2001 [il a aussi été déchu de sa nationalité bosniaque obtenue en janvier 1995]. Atmani a demandé à subir un nouveau procès [...]. Il a de nouveau été condamné à 5 ans de prison, le 25 octobre 2001. Dans son réquisitoire, le procureur du parquet antiterroriste, Marc Trévidic, notait que le numéro où pouvait être joint Saïd Atmani à Montréal avant qu'il ne soit expulsé du Canada «avait été en relation avec le nommé Abou Zoubeida, chargé de la réception des moudjahidin étrangers à Peshawar [Pakistan] et responsable des relations extérieures du camp de Khalden en Afghanistan[3]».

---

1. Cour fédérale, Mourad Ikhlef, résumé des informations, annexe F.
2. Lire à ce sujet le chapitre «Fateh Kamel», p. 41.
3. Cour fédérale, Mourad Ikhlef, *op. cit.*

Dans le premier jugement rendu en avril 2001, évoqué plus haut, il est écrit que les autorités canadiennes reprochaient à Atmani « sa participation présumée à un groupe islamiste armé impliqué dans des activités criminelles au Canada » et étant « reconnu par différents organismes d'exécution comme une personne qualifiée d'extrémiste violent ».

Après sa libération, Atmani est reparti se réfugier en Bosnie où il s'est marié et a vainement tenté d'obtenir asile. Il a été de nouveau arrêté en février 2006 par la police à Sarajevo. Il avait en sa possession une carte d'identité ainsi qu'un permis de conduire bosniaques obtenus mystérieusement. Il a été expulsé dès le lendemain de sa capture vers le Maroc où l'on a perdu sa trace depuis. Atmani serait possiblement revenu à Montréal, selon certaines sources.

Saïd Atmani fait partie des six individus avec lesquels Adil Charkaoui n'a pas le droit d'entrer en contact depuis sa libération en février 2005.

Boumezbeur (Adel)
Emprisonné en Algérie

En 1995, alors qu'en France le gang de Roubaix prend de l'ampleur, Adel Boumezbeur, un cuisinier né en 1968 à Alger, par ailleurs citoyen canadien, s'installe officiellement au 6301 place de la Malicorne, un petit immeuble de trois étages à Anjou. Étant le seul à pouvoir justifier de revenus officiels, c'est lui qui signe le bail. En fait, il ne s'y installera définitivement qu'en 1997. Trois autres colocataires – Ahmed Ressam, qui logeait jusque-là au YMCA du centre-ville, Saïd Atmani et Moustapha Labsi – fréquentent aussi les lieux. Tous les trois ont en commun d'être sous le coup d'une mesure d'expulsion à la suite du refus par le Canada de leur attribuer le statut de réfugié. Bien sûr, cette décision rarement appliquée à l'époque ne les empêche pas de dormir sur leurs deux oreilles...

Très rapidement, selon les enquêteurs français, cet appartement devient le quartier général de ce que l'on décrira plus tard comme la «cellule islamiste de Montréal», et surtout l'une des «places essentielles de la filière de passeports destinés à des islamistes extrémistes».

Hormis les quatre colocataires, plusieurs autres individus décrits comme membres de ce réseau y font des visites régulières ou occasionnelles. Pour discuter entre copains, faire la fête, regarder la télévision et s'en prendre à cet Occident trop immoral à leur goût. Les autorités fédérales, qui y ont dissimulé des micros à la suite d'informations reçues de leurs homologues français et italiens, ne perdent pas une miette des conversations de cette «bande de gars», petits voleurs sans envergure. Mais elles ne semblent pas s'en alarmer outre mesure[4]. «Pendant cette période, le SCRS ne considérait pas les activités mêmes de Ressam comme une menace à la sécurité du Canada[5]», peut-on lire dans un rapport annuel du Comité de surveillance des activités du renseignement de sécurité (CSARS).

Le 6301, place de la Malicorne ne sert pas que de lieu de rassemblement et de défoulement verbal. Les membres du groupe téléphonent et y reçoivent des appels du monde entier. Le numéro 514-354-... devient celui d'un vrai centre d'appel de l'activisme islamique international. Lorsque les enquêteurs français épluchent par la suite les relevés de téléphone de la ligne téléphonique de cet appartement, ils recensent des communications établies avec l'International Humanitar Hilfs Organisation d'Istanbul (organisme servant de paravent à une organisation islamiste impliquée dans une tentative d'assassinat du président turc), Zenica et Sarajevo (Bosnie), le domicile d'un

---

4. Marc Sageman, *Le Vrai Visage des terroristes, op. cit.*, p. 189.
5. «Rapport du CSARS 2002-2003», consulté sur le site Internet de l'organisme fédéral : www.sirc-csars.gc.ca

des membres du gang de Roubaix, l'Arabie Saoudite, la Corée du Sud, l'Irlande, la Grande-Bretagne, la Belgique, etc.

En avril 1999, Boumezbeur quitte l'appartement de la place Malicorne pour un autre situé au 2525, rue Sherbrooke Est. À cette époque, Ressam (alias Antoine Benni Noris) est de retour de son stage de formation en Afghanistan. L'ombre du filet des enquêteurs français plane déjà au-dessus de Montréal. Le 4 octobre 1999, lors d'une perquisition menée par la GRC à la demande du juge français Jean-Louis Bruguière qui a fait le déplacement pour l'occasion, les policiers saisissent dans l'appartement de Boumezbeur sept passeports volés à des touristes, un faux passeport belge, des documents relatifs au GIA, ainsi que des « numéros de téléphone très révélateurs » inscrits dans un carnet d'adresses. Boumezbeur témoigne ensuite brièvement au palais de justice, toujours dans le cadre de l'enquête du juge Bruguière, puis disparaît sans laisser d'adresse !

Le 9 août 2000, le juge français signe un mandat d'arrêt à diffusion internationale contre Boumezbeur, considéré officiellement comme en fuite.

Son procès s'ouvre en son absence à Paris en février 2001. Boumezbeur fait partie du groupe de 24 individus (dont Ahmed Ressam, Fateh Kamel, Saïd Atmani et Abdellah Ouzghar) jugés à la suite du démantèlement du gang de Roubaix. Le 6 avril suivant, il est déclaré coupable sous trois chefs d'accusation, dont participation à une association de malfaiteurs en vue de la préparation d'un acte de terrorisme. Boumezbeur, l'« aubergiste » du GIA, écope par contumace d'une peine de cinq ans d'emprisonnement, d'une interdiction définitive du territoire français et d'un nouveau mandat d'arrêt.

Où était passé Boumezbeur depuis octobre 1999 ? Il semble qu'il soit demeuré au Canada, possiblement jusqu'en 2004, malgré les deux mandats d'arrêt internationaux. Date à laquelle il est parti... Dans un communiqué diffusé en avril 2006 sur le site Internet de l'organisme Algeria-Watch, on apprend qu'Adel Boumezbeur a été arrêté le 3 avril 2006 à une heure du matin à son domicile d'El Harrach au cours de la même rafle visant Dahoumane et Ikhlef. Les auteurs du communiqué ajoutent ceci : «Boumezbeur Adel avait été arrêté une première fois à son retour du Canada il y a deux ans. Il était entré à Alger pour célébrer son mariage. Il avait été incarcéré à la prison de Serkadji. Début mars 2006, il avait été libéré dans le cadre de la "réconciliation nationale". »

Boussora (Faker)
Recherché

Une récompense de cinq millions de dollars US est offerte par les autorités américaines pour la capture de cet ex-résident montréalais né en 1964 en Tunisie. Il est inscrit sur les listes du FBI depuis 2002, aux côtés d'Oussama ben Laden, et d'un autre Montréalais, Abderraouf Jdey. Voici sa biographie telle que proposée par le site américain *Rewards for Justice*, du Département d'État :

Faker Boussora, aussi connu sous le nom de Abou Youssef al-Tunisi, est un ressortissant tunisien ayant des liens importants avec l'extrémisme radical islamique. Agent formé par Al-Qaida, il a fait part de son intention de devenir un martyr kamikaze. Boussora est un comparse d'Abderraouf Jdey, soupçonné de terrorisme et on pense que ces deux individus se déplacent ensemble.

Boussora a quitté sa Tunisie natale en 1988 pour s'installer en France. Il a quitté ce pays en 1991 et a immigré à Montréal, au Canada, faisant fréquemment la navette entre le Canada et la Tunisie dans les années 1990. Boussora est devenu citoyen canadien en 1999 et il a fréquenté la mosquée El-Sunna (ou Assunah) à Montréal.

Boussora a quitté le Canada en 1999 et s'est peut-être rendu plus d'une fois en Afghanistan entre 1999 et 2000. Il a suivi un entraînement d'Al-Qaida pendant qu'il se trouvait en Afghanistan et est par la suite rentré au Canada.

Boussora a été identifié pour la dernière fois comme pouvant se trouver en Turquie au début de 2002 et il est possible qu'il se déplace dans la région. Les autorités sont cependant toujours préoccupées par le fait qu'il peut tenter de retourner au Canada ou aux États-Unis pour planifier une attaque terroriste ou y prendre part. On pense que Boussora est peut-être atteint d'une grave maladie et en très mauvaise santé, qui lui a fait perdre du poids et changé son aspect physique.

Charkaoui (Adil)

Adil Charkaoui a été arrêté le 21 mai 2003 à Montréal en vertu d'un certificat de sécurité signé conjointement par les ministres fédéraux de l'Immigration et de la Sécurité publique. Les autorités et le SCRS considèrent ce résident permanent immigré au Canada en 1995 comme un agent dormant d'Al-Qaida. Adil Charkaoui est demeuré détenu pendant vingt et un mois avant de bénéficier d'une remise en liberté assortie de conditions draconiennes. Cet enseignant, soutenu par une vaste coalition, a engagé une série de procédures judiciaires pour échapper à son expulsion vers le Maroc.

Dahoumane (Abdelmajid)
Détenu en Algérie

Dahoumane, ou Abdelmajid Djahoumane ou Dahoumène, dit «Rougi» (le Rouquin), est le complice le plus direct de

Ressam dans la préparation du complot du Millénaire. Les deux Montréalais sont arrivés à la mi-novembre à Vancouver et ont loué une chambre au motel 2400 qu'ils ont transformée en atelier clandestin de pyrotechnie.

Le 14 décembre 1999, Dahoumane a aidé Ressam à cacher les composants explosifs, détonateurs, circuits électroniques du futur engin explosif dans le coffre d'une Chrysler 300M qu'ils avaient louée. Ressam et Dahoumane ont pris la route de la ville côtière de Tsawwassen puis ont embarqué sur un premier traversier en direction de Victoria, sur l'île de Vancouver. C'est à cet endroit que leurs chemins se sont séparés. Ressam est monté au volant de son véhicule à bord d'un second bateau, le *M/V Coho*, vers Port Angeles. (Tous les détails de cette affaire se trouvent ci-dessous au nom de Ressam.) Dahoumane, lui, a pris le bus pour retourner à Vancouver et disparaître.

Né en Algérie, c'est dans cette même ville de la côte ouest qu'Abdelmajid Dahoumane débarque le 18 octobre 1995 avec dans ses poches un faux passeport français au nom de Abdelrahic Benyhia. Il demande le statut de réfugié, mais son dossier est rejeté en 1997. Dahoumane n'a pas attendu le verdict des autorités pour quitter la Colombie-Britannique sans laisser d'adresse et s'installer à Montréal, où on le retrouve au 6585, avenue du Parc. Bien que clandestin, il n'a rien à craindre. La preuve, Immigration Canada attend l'arrestation de Ressam en décembre 1999 pour émettre un mandat d'amener à l'encontre de son complice Dahoumane. Dans les jours qui suivent, la GRC perquisitionne son appartement de l'avenue du Parc mais le fugitif, on s'en doute, a déjà pris le large pour une destination inconnue.

Le 6 avril 2000, le Département d'État américain offre une prime de cinq millions de dollars pour sa capture. Un an plus tard, presque jour pour jour, les autorités algériennes annoncent que Dahoumane a été arrêté, sans plus de précision, à son retour d'un camp afghan où il aurait reçu une formation en armes et explosifs. Arrêté quand? Où? Mystère.

Jugé et condamné pour appartenance à une organisation terroriste et participation au terrorisme international, Dahoumane est emprisonné dans la prison de Serkadji. Libéré en mars 2006 suite à une amnistie décrétée envers les islamistes, Dahoumane est arrêté de nouveau à son domicile dans la nuit du 3 avril (tout comme Mourad Ikhlef et Adel Boumezbeur), et jeté encore une fois en prison. Le ministre algérien de la Justice justifie ce cafouillage apparent comme étant la « correction d'une fausse situation » due à une « erreur professionnelle commise par des juges »... Il confirme par la même occasion que les arrestations simultanées de Dahoumane et de deux autres Montréalais, Ikhlef et Bouzmebeur, sont reliées au dossier Ahmed Ressam. En fait, il semble que Paris et Washington aient fait pression auprès du régime algérien pour que ces trois islamistes soient à nouveau incarcérés.

Bien que son extradition soit réclamée par la justice américaine, les autorités algériennes ont mentionné que Dahoumane devrait d'abord affronter la justice de son pays.

Hammoud (Assem)
Détenu à Beyrouth

Sur certaines photos dévoilées par sa famille, le jeune Assem Hammoud, un ex-étudiant de l'Université Concordia, a toutes les allures d'un play-boy, avec son sourire de star, ses cheveux gominés, ses lunettes à la mode, entouré de trois jolies étudiantes canadiennes. On le voit encore se prélasser sur un yacht. Assem est également un amateur de voitures de sport désireux de participer à des rallyes au Liban. À Beyrouth, il se déplace dans une rutilante MG décapotable rouge cerise, fréquente les boîtes de nuit et boit de l'alcool...

Mais pour le FBI et la police danoise, Assem Hammoud, 31 ans, professeur d'économie à la Libanese International University de Beyrouth, est un présumé terroriste, recruté en 1994 par Al-Qaida, qui projetait avec sept autres complices, de faire sauter des tunnels situés sous le fleuve Hudson, dont le Holland Tunnel, pour inonder une partie de Manhattan. Et tuer le plus de civils possible.

Les attentats-suicides devaient avoir lieu à l'automne 2006. Hammoud aurait été repéré par les autorités alors qu'il discutait de ses projets sur des *chat rooms* en se cachant derrière le pseudonyme de « Amir al-Andalousli ». Un membre important d'Al-Qaida visé par une enquête au Danemark l'aurait également dénoncé.

Assem Hammoud a été arrêté en avril 2006 à Beyrouth à la demande des autorités américaines. Hammoud avait obtenu un baccalauréat en commerce en juin 2002 à l'École de gestion John-Molson de l'Université Concordia après sept années d'études. À Montréal, il vivait au-dessus de ses moyens, louant des appartements qu'il n'était pas toujours en mesure de payer. Il a aussi travaillé pendant deux mois, une fois son diplôme en poche, dans une banque à Pointe-Claire[6].

Cinq jours avant son arrestation, Assem Hammoud aurait fait une demande de visa à l'ambassade du Canada à Beyrouth. Il comptait revenir en Amérique du Nord juste après avoir subi un entraînement « militaire » dans un camp affilié à Al-Qaida au Pakistan[7]. L'enquête s'est aussi déplacée à Montréal où la GRC a interrogé un ami de Hammoud.

---

6. Christiane Desjardins, « Un présumé complice d'Hammoud sous surveillance à Montréal – Hammoud a travaillé pour la Banque Nationale », *La Presse*, 11 juillet 2006.
7. « Jet-Set Jihadist », *New York Daily News*, 9 juillet 2006.

Comment imaginer que ce joyeux fêtard soit un dangereux terroriste ? Pour les autorités libanaises et plusieurs spécialistes du terrorisme, la double vie fait partie de la formation des extrémistes islamistes afin de se faufiler « sous le radar » des services de renseignements. Mais certains experts doutent aussi de la viabilité du complot terroriste fomenté par Hammoud et ses complices. Un complot plus virtuel que réel, disent-ils. Ce sera à la justice de trancher.

Hannachi (Abderraouf ou Raouf)
Détenu en Tunisie

On sait peu de choses de la vie de Raouf ben Larbi Hannachi à Montréal. Si ce n'est que ce Tunisien d'origine né en 1963, devenu citoyen canadien en 1986, était chargé, dans les années 1990, d'appeler les fidèles à la prière dans la mosquée Assuna, rue Hutchison.

En plus de raconter avec brio ses exploits de vétéran, il est admis que Hannachi a joué aussi le rôle occasionnel de facilitateur auprès des apprentis djihadistes. Reste à savoir quelle était sa réelle importance dans l'organisation. Marc Sageman le décrit comme un personnage périphérique, volubile, mais qui, comme d'autres « liens faibles » du *djihad* mondial sont placés volontairement en premier plan tandis que les éléments clés demeurent dans l'ombre[8].

En juillet 2001, appelé à témoigner lors du procès de Mokhtar Haouari devant le juge J. F. Keenan, à New York, Ahmed Ressam a déclaré que c'était son « ami » Hannachi qui lui avait organisé son périple, ainsi que celui de son compère Moustapha Labsi, de Montréal vers le camp afghan de Khalden en mars 1998.

---

8. Marc Sageman, *Le Vrai Visage des terroristes, op. cit.*, p. 304 à 307.

Hannachi aurait quitté le Québec en octobre 2001, peu après les attentats du 11-Septembre parce qu'il était harcelé par le SCRS, a affirmé Samir, le restaurateur montréalais appelé à témoigner en Cour fédérale dans le cadre du dossier d'Adil Charkaoui. Selon ses proches, Hannachi se serait envolé pour la Tunisie le 10 novembre 2001 pour rendre visite à sa mère, gravement malade à l'époque. Samir a aussi expliqué qu'Hannachi était une connaissance d'Adil Charkaoui (depuis sa libération, ce dernier n'a pas le droit de communiquer avec Hannachi).

Abderraouf Hannachi a été arrêté le 9 octobre 2003 en Tunisie puis condamné par le tribunal militaire permanent de Tunis à six ans de prison pour « appartenance à une organisation terroriste agissant à l'étranger ». Le verdict a été confirmé en janvier 2005 par la Cour de cassation. La section canadienne-francophone d'Amnistie internationale (coordination-Tunisie) a mené une campagne en janvier 2006 pour demander au gouvernement canadien de faire pression sur la Tunisie afin qu'Hannachi soit rejugé, qu'il y ait une enquête indépendante sur des allégations de torture et que sa famille ne soit plus « intimidée ou harcelée », tant au Canada qu'en Tunisie[9]. Sa famille, que j'ai rencontrée, nie catégoriquement qu'il soit allé en Afghanistan et qu'il ait participé à de quelconques activités terroristes, entre autres au Canada. Elle n'accorde aucune crédibilité au témoignage d'Ahmed Ressam.

Ikhlef (Mourad)
Détenu en Algérie

Mourad Ikhlef est né en 1968 à El Harrach, le même quartier d'Alger où est né et a résidé Fateh Kamel, une de ses connaissances. Ikhlef est arrivé au Canada le 28 août 1993 et a immédiatement demandé le statut de réfugié. Pour appuyer

---

9. Site Internet Tunisnews.net, bulletin n° 2079 du 30 janvier 2006.

sa revendication, il a présenté un article du journal algérien *Libertés* daté du 14 septembre 1993 dans lequel il est mentionné qu'un certain Mourad Yekhlef a été condamné à mort par contumace en raison de son « appartenance à un groupe armé, possession d'armes et sabotage ». Ikhlef obtient son statut de réfugié en avril 1994.

Le nom de Mourad Ikhlef refait surface à plusieurs reprises en France lors du procès du gang de Roubaix en 2001. Bien qu'il ne soit pas poursuivi dans le cadre de cette procédure, il est écrit dans le volumineux jugement rendu en avril 2006 qu'il est membre du groupe et « était un familier de l'appartement de la place Malicorne » à Montréal, où avaient notamment l'habitude de se retrouver Ahmed Ressam, Saïd Atmani, Adel Boumezbeur et Moustapha Labsi, tous condamnés en avril 2001 par la justice française.

Au Canada, Ikhlef, père de deux enfants résidant sur le Plateau Mont-Royal, est déjà l'objet de toutes les attentions depuis au moins 1997. Dans un document déposé par le SCRS en décembre 2001 en Cour fédérale, il est écrit ceci :

> Ikhlef a été interrogé à six reprises par les agents du Service. Ikhlef a reconnu avoir été en contact avec plusieurs des individus susmentionnés [Ressam, Haouari et autres] mais il a déclaré qu'il s'agissait de pures coïncidences si ces individus sont liés au terrorisme. [...] Lors d'une entrevue en 1997, Ikhlef a déclaré qu'il connaissait Fatah Kamel car ils viennent tous deux du même quartier en Algérie, ajoutant qu'il n'était pas proche de lui. [...] Ikhlef a dit qu'il était contre le GIA qui tuait des gens » [et] qu'il n'avait pas fréquenté Ahmed Ressam de façon régulière. Le service de renseignement révèle aussi que « certains membres de la communauté lui attribuent le surnom de « Mourad GIA »[10].

---

10. SCRS, *Résumé des informations concernant Mourad Ikhlef, op. cit.*

Même si Ikhlef a objecté que Ressam n'était qu'une vague connaissance, c'est pourtant ce dernier qui a indirectement précipité sa chute. Dans une déposition en date de juillet 2001, Ressam a longuement évoqué le rôle de conseiller technique joué par «un individu» dans la préparation de son complot contre l'aéroport de Los Angeles. L'individu en question, aurait raconté Ressam, «avait de l'expérience dans le *djihad* et avait été impliqué dans un attentat à l'aéroport d'Alger en 1992». Pourtant, même si Ressam ne cite pas son nom, le SCRS «croit», «en raison de la description» – Ikhlef serait relié à l'attentat de 1992 –, que ce conseiller est Ikhlef. Il a été démontré aussi qu'Ikhlef avait accompagné Ressam à Vancouver en 1997. Mais Ikhlef a prétendu qu'il s'agissait d'un voyage de tourisme et de pêche, pendant que Ressam, toujours selon Ikhlef, commettait des vols!

Ikhlef a été arrêté le 12 décembre 2001, soit quelques jours après la signature d'un certificat de sécurité à son encontre. Lors des audiences devant la Cour fédérale en janvier et février 2002, Ikhlef a nié être allé en Afghanistan ou en Bosnie, et a affirmé ne rien connaître d'Al-Qaida, des armes et des explosifs. Il a admis avoir rencontré «Boumezbeur, Ressam, Kamel, Atmani et tous les autres individus qui étaient à Montréal à ce moment-là. Il mentionne que les gens se rencontraient pour discuter, regardaient la télévision et qu'il n'était pas question de politique et encore moins de terrorisme, et s'il avait été question le moindrement de complot visant des actes de terrorisme, [...] il serait parti tout simplement[11]».

Il a aussi qualifié Ressam de «petit voleur» qu'il n'a jamais soupçonné d'être membre d'un réseau terroriste.

Toutes ces explications n'ont pas convaincu le juge Pierre Blais. Dans son ordonnance du 8 mars 2002, le magistrat

---

11. Cour fédérale, DES-8-01, ordonnance concernant Mourad Ikhlef.

canadien écrit qu'il « n'y a pas erreur sur la personne » et confirme la validité du certificat de sécurité, ouvrant ainsi la voie à l'expulsion d'Ikhlef vers l'Algérie. Ce qui fut fait, presque un an plus tard, le 28 février 2003.

Selon Amnistie internationale, il a été appréhendé à son arrivée sur le sol algérien, « maintenu en détention secrète dans une caserne du Département du renseignement et de la sécurité pendant dix jours. Il a par la suite été déclaré coupable, à l'issue d'un procès inique, d'"appartenance à un groupe terroriste opérant à l'étranger dans le but de nuire aux intérêts de l'Algérie" et condamné à une peine de sept années d'emprisonnement ». Libéré le 26 mars 2006 à la suite d'une amnistie décrétée par le président Bouteflika en faveur de centaines d'islamistes (dans le cadre de la « réconciliation nationale »), Mourad Ikhlef a été de nouveau arrêté chez lui, à Alger, le 3 avril vers une heure du matin, par une dizaine de membres des forces de sécurité en civil accompagnés de policiers en uniforme[12]. Deux autres ex-Montréalais libérés en même temps qu'Ikhlef, dont le complice présumé de Ressam, Abdelmajid Dahoumane, et Adel Boumezbeur, tombent aussi à nouveau dans les filets de la police lors de cette opération.

Quelques jours plus tard, le ministre algérien de l'Intérieur justifiait ces réincarcérations par des éléments nouveaux fournis par les autorités américaines et françaises concernant le complot du Millénaire. Début 2007, Ikhlef se trouvait toujours incarcéré dans la prison de Chlef à 200 km à l'ouest d'Alger[13].

---

12. Communiqué d'Amnistie internationale du 3 avril 2006, « Craintes de torture ou de mauvais traitements ».
13. Communiqué « Nouvelles arrestations après libération dans le cadre de la réconciliation nationale et la paix en Algérie » publié par Algeria-Watch le 9 avril 2006.

Jdey (Abderraouf)
Recherché

Une récompense de cinq millions de dollars US est offerte par les autorités américaines pour la capture de ce citoyen canadien né en 1965 en Tunisie. Connu de la GRC et du SCRS, il est inscrit depuis 2002 sur la liste du FBI des «terroristes» les plus recherchés ou ceux pour lesquels de l'information est recherchée à leur sujet aux côtés d'Oussama ben Laden et d'un autre Montréalais, Faker Boussora. Voici sa biographie telle que proposée par le site américain *Rewards for Justice* du Département d'État :

> Abderraouf Jdey, aussi connu sous le nom de Farouk al-Tunisi, est depuis longtemps affilié à l'extrémisme. Il a été étroitement lié à des agents d'Al-Qaida et impliqué dans la planification de piratages aériens et d'opérations terroristes. Jdey est un complice de Faker Boussora, un Tunisien soupçonné d'être un terroriste, et on pense que les deux hommes se déplacent ensemble.
>
> Jdey a quitté sa Tunisie natale en 1991 et a émigré à Montréal, au Canada, devenant citoyen canadien en 1995. Pendant qu'il se trouvait au Canada, Jdey a fait des études de biologie à l'Université de Montréal et fréquenté la mosquée El-Sunna (ou Assunah) de cette ville.
>
> Jdey a quitté le Canada en 1999 et a suivi un entraînement au combat et acquis une expérience dans ce domaine en Afghanistan jusqu'à la fin de l'an 2000. Il a participé à la lutte contre l'Alliance du Nord afghane et a rédigé une note déclarant son intention de devenir un martyr pour le djihad en se suicidant. Pendant ce temps, Jdey est aussi apparu dans une vidéo bien connue sur le martyre, qui a été découverte par la suite dans la maison d'un dirigeant d'Al-Qaida en 2001.
>
> Après un retour dans la région de Montréal en 2001, où il s'est entendu avec des extrémistes sur les moyens de

rejoindre le djihad, Jdey a quitté le Canada. Depuis, on a perdu sa trace. Il a été identifié pour la dernière fois comme pouvant se trouver en Turquie au début de 2002 et il est possible qu'il se déplace dans la région. Les autorités sont cependant toujours préoccupées par le fait que Jdey peut tenter de retourner au Canada ou aux États-Unis pour planifier une attaque terroriste ou y prendre part[14].

En 2004, les rumeurs les plus folles ont circulé à son sujet. Mohammed Mansour Jabarah, un jeune étudiant ontarien détenu aux États-Unis pour complot terroriste[15], aurait en effet rapporté aux agents du SCRS que Jdey serait à l'origine de l'écrasement du vol AA587 dans Queens à New York, le 12 novembre 2001, peu après son décollage[16]. Le Montréalais aurait utilisé la méthode de la chaussure piégée, la même utilisée sans succès par Richard Reid un mois plus tard sur le vol AA63 reliant Paris à Miami. Les autorités américaines ont toujours nié la thèse de l'attentat, concluant plutôt à un problème d'ordre mécanique pour expliquer cet écrasement.

---

14. Site Internet de Rewards for Justice.
15. Selon Stewart Bell, auteur de *Terreur froide* (Éditions de l'Homme, 2004), Jabarrah, alias «Sammy», a été arrêté en mars 2002 à Oman et rapatrié le mois suivant au Canada par des agents du SCRS. Il a été ensuite transféré aux États-Unis, où il serait toujours détenu. Depuis, Jabarrah «aurait conclu un marché» avec les autorités et décidé de livrer plusieurs secrets aux enquêteurs. Il a notamment révélé avoir été chargé de faire sauter des ambassades occidentales dans le Sud-Est asiatique, en particulier à Manille. Son frère Abdulrahman a été tué par les policiers saoudiens en juillet 2003 après une série d'attentats meurtriers contre des Occidentaux à Riyad.
16. Daniel Pipes, «Why did American Airlines 587 crash?», www. danielpipes.org, 30 août 2004.

Kamel (Fateh)
Vit au Québec

L'histoire de Fateh Kamel est l'objet d'un chapitre complet dans cet ouvrage. Kamel a toujours clamé son innocence, reconnaissant seulement qu'il s'était rendu en Bosnie dans les années 1990 pendant la guerre civile dans un cadre strictement humanitaire et qu'il n'a jamais été impliqué dans aucune activité de nature terroriste.

Labsi (Mustapha)
Situation inconnue

L'Algérien Mustapha Labsi résidait dans l'appartement de la place de la Malicorne, à Montréal, en compagnie de Saïd Atmani, Adel Boumezbeur et Ahmed Ressam, en compagnie de qui il a participé à un entraînement militaire en Afghanistan durant le printemps et l'été 1998. Mustapha Labsi a fait partie du groupe de Montréalais poursuivis en France pour appartenance à un réseau terroriste international. Le procès s'est toutefois déroulé en son absence, Labsi ayant été arrêté en février 2001 dans une résidence du nord de Londres dans le cadre d'une enquête antiterroriste. Libéré, il a été arrêté de nouveau à la demande des autorités françaises. Malgré une longue bataille judiciaire, il n'a pas pu éviter l'extradition vers la France en janvier 2006 pour y être jugé. En avril 2006, il a finalement été condamné à cinq ans de prison assortis d'une interdiction définitive du territoire français pour « association de malfaiteurs en relation avec une entreprise terroriste ». Il aurait été expulsé par la suite ou serait en passe de l'être. Son nom figure sur une liste de 11 islamistes radicaux indésirables en France, des imams et des « référents religieux », accusés par le ministère de l'Intérieur de prêcher la violence et de chercher à recruter de nouveaux adeptes.

Mohamed (Samir Ait)
Lieu inconnu

Samir Ait Mohamed, Algérien arrivé au Canada le 14 novembre 1997 muni d'un faux passeport belge, est considéré par la justice américaine comme un des complices d'Ahmed Ressam dans la préparation du complot du Millénaire[17].

À Montréal, Ressam et Ait Mohamed étaient deux bons copains qui multipliaient les délits, en général des vols dans des hôtels fréquentés par des touristes et des fraudes. Ressam a expliqué aux agents du FBI qui l'interrogeaient que Mohamed avait accepté de lui fournir un pistolet 9 mm avec silencieux ainsi qu'une carte de crédit frauduleuse.

Mais la révélation la plus spectaculaire fut de déclarer que Samir Ait Mohamed aurait suggéré à Ressam, pendant l'été 1999, alors que ce dernier n'avait pas encore déterminé quelle serait sa cible, de faire sauter un camion-citerne d'essence sur l'avenue du Parc à Montréal, près de l'avenue Laurier, dans le secteur fréquenté par les juifs hassidiques. Une autre des cibles envisagées était la rue Sainte-Catherine, dans le centre-ville. En décrétant une ordonnance de non-publication, les autorités canadiennes ont tout fait pour que ces informations ne soient pas rendues publiques. Cependant, celles-ci étaient contenues dans une déclaration sous serment de l'agent du FBI Frederick W. Humphries dévoilée en novembre 2001 à Vancouver lors d'une audience.

Mais ce n'est pas le seul mystère dans le dossier Mohamed. L'homme a été arrêté le 26 juillet 2001 à Vancouver alors qu'il

---

17. Le 29 octobre 2001, Mohamed a été accusé par le grand jury de la District Court of New York de complot en vue de commettre un acte terroriste, complot pour l'accomplissement d'un soutien logistique, de fraude et de falsification de documents en vue de soutenir le terrorisme international.

tentait, dit-on, d'entrer aux États-Unis puis placé en détention par les services d'immigration canadiens dans le plus grand secret. Son arrestation ne sera annoncée que le 29 octobre suivant.

Le 11 janvier 2006 au matin, escorté de policiers, Samir Ait Mohamed est conduit à bord d'un avion affrété spécialement et qui s'apprête à décoller de Vancouver vers Paris, avec escale à Gander pour ravitailler en kérosène. Arrivés dans la capitale française, Mohamed et son escorte prennent un avion d'Air Algérie à destination d'Alger. Plus au sud, de l'autre côté de la frontière, c'est une immense déception qui envahit le Bureau du procureur américain de Seattle. Même si Ressam avait arrêté de coopérer dans le dossier de Mohamed notamment, les Américains espéraient toujours mettre la main sur cet individu que le Canada qualifiait de «danger» sans pour autant l'avoir accusé de quoi que ce soit au criminel.

Quant à Samir Ait Mohamed, il est parti en emportant ses secrets. Était-il un informateur de la GRC ou du SCRS comme certaines informations publiées dans le passé le laissaient entendre?

Nawar (Nizar) (ou Naouar Nisar)
Décédé lors d'un attentat-suicide

Nizar Nawar, alias Seif Eddine Ettounsi, est un kamikaze âgé de 25 ans qui s'est fait exploser au volant d'un camion-citerne rempli de gaz le 11 avril 2002 contre les murs de la synagogue de la Ghriba à Djerba, en Tunisie. Revendiqué alors par une mystérieuse «Armée islamique pour la libération des lieux saints» en «réponse aux crimes israéliens contre le peuple palestinien en Cisjordanie et à Gaza», l'attentat fit vingt et une victimes, dont cinq Tunisiens et seize touristes français et allemands. Al-Qaida le revendiquera à son tour, un peu plus tard.

Nizar Nawar, qui travaillait à Djerba pour une agence de voyages canadienne, serait aussi «entré au Canada en 1999 et [aurait] habité à Montréal pendant un à deux ans sans doute grâce à un visa étudiant frauduleusement obtenu par un groupe radical tunisien bien installé au Canada», écrit le chercheur français Stéphane Quéré[18].

Des médias tunisiens ont aussi rapporté que, lorsqu'il se trouvait à Montréal, Nawar avait suivi des études pour œuvrer dans le secteur du tourisme. Sa famille, sous le choc, ne voulait pas croire à l'impensable : «Il est sociable, c'est un bon vivant aimant boire de l'alcool et fréquenter les filles. Il est certes musulman, mais il n'est pas pratiquant[19]...» Il serait revenu à Montréal quelques semaines avant l'attentat.

Ould Slahi (Mouhamedou)
Détenu à Guantanamo

Le Mauritanien Mouhamedou Ould Slahi, impliqué dans les attentats du 11 septembre 2001 pour avoir supposément recruté deux des pirates de l'air en Allemagne (Marwan al-Shehhi et Ziad Jarrah), a séjourné quelque temps à Montréal à la même époque que Nizar Nawar et aussi que Ahmed Ressam et Mokhtar Haouari, avec qui il était en contact étroit à la fin des années 1990.

Beau-frère d'un des lieutenants d'Oussama ben Laden, Ould Slahi œuvrait entre autres comme imam à la mosquée Assuna, rue Hutchison. Suivi à la trace par le SCRS, le Mauritanien semble s'être volatilisé au nez et à la barbe des espions canadiens

---

18. *Les Fabriques du jihad*, ouvrage collectif sous la direction de Jean-Luc Marret, Paris, Presses Universitaires de France, 2005, p. 35.
19. «Tout sur l'attentat de La Ghriba», article publié le 25 avril 2002 sur le site Internet de l'hebdomadaire *Réalités*.

en entrant dans une mosquée[20]. Arrêté en Mauritanie en novembre 2001, il est transféré en Jordanie puis en Afghanistan et enfin à Guantanamo à la fin de l'année 2002.

Dans un long document publié à l'automne 2006 par Amnistie internationale, Slahi raconte avec moult détails ce qui lui est arrivé depuis son départ précipité du Canada jusqu'aux geôles de Guantanamo et ses interrogatoires musclés. En voici un extrait :

> Le 19 juillet 2002, après huit mois passés en détention au secret en Jordanie, il a été remis aux autorités américaines, qui l'ont mis à bord d'un avion. D'après certaines informations, cet appareil aurait été celui que la CIA avait loué pour ses transferts internationaux illégaux d'autres détenus dans le cadre de la «guerre contre le terrorisme». Mouhamedou Slahi se souvient de cet épisode : «Ils m'ont déshabillé et je me suis dit : "Ça, c'est une technique américaine, pas arabe, parce que les Arabes n'ont pas l'habitude d'enlever tous les habits". Donc quand j'ai été nu comme le jour de ma naissance, ils m'ont donné d'autres habits [...] Je ne voulais pas qu'ils me prennent en photo. J'étais enchaîné, j'avais un habit affreux et j'avais perdu tellement de poids en Jordanie que j'étais comme un fantôme. Je ne voulais pas que ma famille me voie ainsi; c'était ma plus grande inquiétude. En plus, j'ai dû me retenir d'uriner pendant huit heures d'affilée. Les Américains [m'avaient mis] une couche, mais psychologiquement, je ne pouvais pas [uriner] dans cette couche[21].»

---

20. Source : www.nytimes.com/library/national/012700terror-bomb.html
21. Communiqué publié sur le site d'Amnistie internationale, le 20 septembre 2006, «Restitution» – torture – procès? Le cas de Mohamedou Ould Slahi, détenu à Guantánamo». Référence : AMR 51/149/2006.

Pour les spécialistes américains de la lutte antiterroriste, Slahi, qui jure de son innocence, est un homme entouré de mystères. Le Mauritanien aurait reconnu lors d'interrogatoires être allé en Afghanistan, s'être entraîné dans un camp et aurait affirmé qu'un de ses buts était de mourir en martyr, mais que tout ceci était du passé, que cela remontait au début des années 1990 lorsqu'il s'est joint aux moudjahidin pour se battre «contre les communistes». Slahi assure encore qu'il n'a joué aucun rôle dans le complot du Millénaire d'Ahmed Ressam et qu'il a rompu tout lien avec Al-Qaida, les talibans et leurs alliés depuis 1992[22].

Ouzghar (Abdellah)
Procédure d'extradition vers la France en cours

Citoyen canadien d'origine marocaine, Abdellah Ouzghar a été reconnu coupable par contumace en avril 2001 à Paris de trois accusations dont «participation à une association de malfaiteurs en vue de la préparation d'un acte de terrorisme». Il a été condamné à cinq années de prison ferme et un mandat d'arrêt a été délivré contre lui. Les documents judiciaires français mentionnent qu'Ouzghar, qui est décrit comme étant «membre du groupe Fateh Kamel», et associé au gang de Roubaix, a apporté «son aide relative aux falsifications de passeports marocains venus du Canada, d'autre part sa participation directe à ce trafic par la fourniture de son propre passeport [déclaré perdu] à Zoheir Choulah[23]».

---

22. Josh Meyer, «Qaeda mystery man found in custody», *Los Angeles Times*, 25 avril 2006.
23. Choulah, alias Abdel Bar, est décrit dans le jugement rendu le 6 avril 2001 à Paris comme un activiste islamiste, «l'un des responsables des moudjahidin de Bosnie [...] très directement impliqué à la fois dans les entraînements militaires en Bosnie et les filières turques et canadiennes».

Les enquêteurs français ont aussi affirmé que le faussaire montréalais avait « nécessairement » rencontré Christophe Caze (longuement évoqué dans le chapitre consacré à Fateh Kamel) puisqu'il se trouvait en 1994 à l'hôpital de Zenica, en Bosnie. De plus, une vidéo sur le « Djihad en Bosnie et en Tchétchénie » a été découverte lors d'une perquisition opérée en octobre 1999 à son domicile au Canada. L'analyse de ses communications téléphoniques avec différents activistes en Bosnie fait dire à la justice française que ses déclarations sont « très révélatrices de son radicalisme et de son apologie du *djihad* ».

Pour ceux qui se sont penchés sur le cas Ouzghar, ce sont ses talents d'informaticien et sa maîtrise des logiciels de traitement de l'image qui auraient attiré vers lui la mouvance islamiste radicale montréalaise, transformant rapidement ce quadragénaire au sourire gêné en « faussaire attitré pour la cause d'Allah[24] ».

Bien que condamné en France en 2001, en plus d'être visé par un mandat d'arrêt international signé le 4 août 2000, Abdellah Ouzghar mène une vie ordinaire au Canada où il a émigré en 1990. Il déménage de Montréal à Toronto, puis Hamilton où il travaille comme informaticien. Sa nouvelle adresse est connue de tous. Son nom est toutefois inscrit sur les tablettes du SCRS depuis 1995. Il sera interrogé à plusieurs reprises depuis cette date par les agents fédéraux. Son appartement a aussi été fouillé par les policiers en octobre 1999 à la demande du juge français Jean-Louis Bruguière. Mais rien ne se passe.

Le 12 octobre 2001, soit six mois après sa condamnation à Paris, la GRC frappe à la porte du domicile du résident d'Hamilton. Ouzghar, le « terroriste » réclamé par Paris, est arrêté à la demande de la France pour y être extradé. En

---

24. Enquête de Taïeb Chadi, « Les aveux d'un islamiste marocain d'Al-Qaïda, arrêté au Canada et demandé par la France », *Maroc Hebdo International*, n° 512, du 24 au 30 mai 2002.

perquisitionnant son appartement, les policiers canadiens découvrent des passeports volés ou falsifiés ainsi que de multiples documents sur la nébuleuse islamiste. Ouzghar est incarcéré dans une prison tenue secrète. Cinq jours plus tard, il fait une courte apparition en Cour supérieure à Toronto. Son avocat affirme que son client ne savait pas qu'il avait été condamné en France six mois plus tôt.

Abdellah Ouzghar est libéré sous caution au mois de décembre suivant par le juge Ian Nordheimer au motif, entre autres, qu'il n'avait pas commis d'actes de violence au Canada et que la preuve établie par les enquêteurs français lui paraissait peu étoffée.

De l'autre côté de l'Atlantique, dans son bureau du palais de justice de Paris, le juge Jean-Louis Bruguière, celui-là même qui avait patiemment décortiqué toute la cellule islamiste de Montréal et ses ramifications internationales, bondit littéralement : «Ouzghar, déclare Bruguière, est poursuivi pour association de malfaiteurs, pour conspiration. M. Ressam n'avait pas commis d'acte de violence non plus. On l'a arrêté avant. Pour commettre un attentat, il faut des structures logistiques et de soutien[25]. » Le juge Bruguière est clairement en furie contre l'incurie canadienne qui fait preuve d'une naïveté préoccupante, la même qui sévissait aux États-Unis avant un certain 11-Septembre.

Six années passent. Le 12 janvier 2007, après une longue procédure judiciaire, un juge de la Cour supérieure de l'Ontario autorise l'extradition d'Abdellah Ouzghar vers la France pour trois chefs d'accusation reliés à la falsification de documents administratifs. En revanche, elle a estimé que la preuve concernant sa participation à une organisation

---

25. Gilles Toupin, « Le Canada n'a pas compris les leçons du 11-Septembre », entrevue avec Jean-Louis Bruguière, *La Presse*, 21 décembre 2001.

criminelle était insuffisante. Au moment d'écrire ces lignes, Ouzghar était toujours au Canada.

Pour le journaliste Taïeb Chadi, Ouzghar le faussaire qui n'a «jamais directement participé aux actions violentes perpétrées par le réseau auquel il appartenait [...] a certes attrapé le virus de la militance islamiste, il n'en apparaît pas pour autant un lampiste idéal, à l'image de tant d'autres naïfs fanatisés qui peuplent les tentacules islamistes de par le monde[26]».

Ressam (Ahmed)
Détenu aux États-Unis

Le nom d'Ahmed Ressam est désormais lié à jamais à ce que l'on a décrit comme la filière montréalaise du terrorisme «djihadiste». Il est à présent clair que l'arrestation de Ressam le 14 décembre 1999 a été un signal d'alarme et a sonné le glas de la «naïveté canadienne». Jusqu'à cette date, les autorités ont souvent fait preuve de négligence ou de peu d'empressement dans plusieurs dossiers reliés au terrorisme international. Certains individus suspectés à l'étranger d'activités terroristes étaient considérés ici comme de petits voleurs plus inoffensifs que réellement dangereux. Par exemple, le juge français Jean-Louis Bruguière faisait des pieds et des mains depuis avril 1999 pour obtenir de la justice canadienne la possibilité de venir interroger Ressam dans le cadre de son enquête sur le gang de Roubaix et ses ramifications internationales. Au bout de sept mois, Bruguière, persuadé que Ressam préparait un mauvais coup, peut enfin débarquer à Montréal. Le juge antiterroriste repartira toutefois bredouille, n'ayant obtenu qu'une maigre collaboration des services policiers et du renseignement, plus

---

26. Enquête de Taïeb Chadi, «Les aveux d'un islamiste marocain d'Al Qaïda, arrêté au Canada et demandé par la France», *Maroc Hebdo International*, n° 512, du 24 au 30 mai 2002.

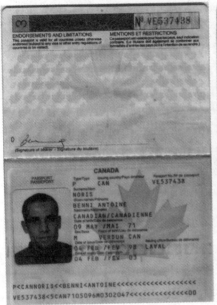

C'est avec ce vrai passeport, obtenu légalement sous la fausse identité de
Antoine Benni Noris, que Ressam a tenté d'entrer aux États-Unis.
(Courtoisie FBI.)

occupés alors, semble-t-il, à se chicaner et à protéger leurs réseaux d'informateurs qu'à aider la justice française.

Pendant ce temps, Ressam, qui était pourtant sur la liste des individus sous surveillance du SCRS, en était à ses derniers préparatifs. S'il avait réussi son projet funeste d'attentat contre l'aéroport de Los Angeles, imaginons dans quelle situation embarrassante se serait trouvé le Canada !

Mais six ans plus tard, le cas Ressam suscite encore bien des questions. En premier lieu au sein de la communauté musulmane. «Comment un gars comme lui, illettré et drogué au crack, pouvait-il préparer un complot, concevoir et assembler des bombes ? Ça n'a pas de sens», affirme Adil Charkaoui.

En attendant de connaître un jour toute la vérité, voici le parcours d'Ahmed Ressam depuis son arrivée au Canada tel que résumé par le SCRS :

Ahmed Ressam, né en Algérie, arrive au Canada le 20 février 1994 muni d'un faux passeport français et revendique immédiatement le statut de réfugié. Il affirme alors que les autorités algériennes le tiennent pour un terroriste islamiste et qu'il a été arrêté en 1992 après avoir été faussement accusé d'avoir vendu un pistolet. Ressam a quitté l'Algérie dès sa sortie de prison et est arrivé au Canada par le Maroc, l'Espagne et la France.

Après avoir revendiqué le statut de réfugié, Ressam s'installe en divers endroits dans l'est de Montréal et est arrêté à quatre reprises pour vol. On ordonne à Ressam de quitter le Canada lorsque son statut de réfugié est refusé en juin 1995. Le 23 juillet 1995, Citoyenneté et immigration Canada (CIC) avise Ressam qu'il doit quitter le pays. En 1996, Ressam emménage dans un appartement situé au 6301, place de la Malicorne à Anjou, dans l'est de Montréal, avec Saïd Atmani, Adel Boumezbeur et Mustapha Labsi. En 1997, le Canada adopte un moratoire sur les expulsions vers l'Algérie, donc Ressam obtient la permission de demeurer au pays. Ressam omet de se rapporter à CIC à plus d'une reprise. CIC délivre un mandat de renvoi au mois de mai suivant.

Entre son arrivée au Canada et mars 1998, Ressam ne commet que de petits larcins. Il s'implique dans des activités frauduleuses comme le vol et la vente de documents d'identité et la falsification de documents. D'après son témoignage, Ressam manifeste l'envie d'aller s'entraîner dans un camp de moudjahidin durant l'été de 1997 et projette un voyage au Pakistan.

Ressam quitte le Canada le 17 mars 1998. Il est titulaire d'un véritable passeport canadien obtenu en bonne et due forme établi au nom de Benni Antoine Noris, mais obtenu frauduleusement, par l'entremise de ses contacts dans les milieux criminels. Arrivé au Pakistan, Ressam contacte Abou Zubeida, le coordonnateur des camps d'entraînement des moudjahidin au Pakistan et en Afghanistan, et un proche collaborateur d'Oussama ben Laden. De là, il se rend en Afghanistan au camp Khaldun [...].

Ressam revient en Amérique du Nord par un vol en provenance du Pakistan, via Séoul, en Corée du Sud, à destination de Los Angeles, aux États-Unis, d'où il gagne ensuite le Canada par Vancouver en février 1999. Ressam a témoigné qu'il est entré au Canada, avec, en sa possession des produits chimiques (Hexamine, alcool éthylénique), un cahier de notes avec des instructions pour assembler des explosifs, ainsi que 12 000 $ pour, entre autres, acheter des armes.

À son retour au Canada, Ressam fait, semble-t-il, fréquemment la navette entre Vancouver et Montréal. Utilisant de nouveau son nom d'emprunt, Ressam commence à effectuer des achats dans des magasins d'électronique de Montréal. Lors d'un séjour à Vancouver, Ressam déclare qu'il s'était procuré des produits chimiques, de l'Urée, un produit de fertilisation utilisé en agriculture, qui devient explosif lorsque mélangé avec de l'acide nitrique, du sulfate d'aluminium, de l'acide nitrique et de l'acide sulfurique.

Le 17 novembre 1999, Ressam prend l'avion à Montréal à destination de Vancouver. Ressam et Abdelmajid Dahoumane louent une chambre à l'Hôtel 2400 du 17 novembre au 14 décembre 1999, approximativement. On les soupçonne d'avoir volé du matériel de fabrication de bombes dans une usine d'engrais, Evergro, à Delta en Colombie-Britannique. Ils auraient ensuite préparé les produits chimiques dans leur chambre d'hôtel, dont du dinitrate d'éthylèneglycol (EGDN), un produit hautement volatil apparenté à la nitroglycérine. Puis ils louent un Chrysler 300M et dissimulent les éléments de la bombe dans le logement du pneu de secours. Le 14 décembre 1999, Dahoumane aurait accompagné Ressam à l'embarcadère de Coho, près de Victoria, en Colombie-Britannique, où ils se séparent, Ressam prenant le traversier pour Port Angeles, dans l'État de Washington. Dahoumane serait rentré à Vancouver en autobus puis aurait pris l'avion pour Montréal où il apprend l'arrestation de Ressam. Il disparaît alors et reste introuvable jusqu'à son arrestation en Algérie en octobre 2000[27].

Perlant de sueur, vraisemblablement à cause d'une malaria contractée lors de son séjour en Afghanistan, évasif dans ses réponses, au volant d'une auto plutôt luxueuse, Ressam suscite l'intérêt de Diana Dean, une douanière américaine à l'allure débonnaire en poste à la sortie du traversier *M/V Coho*. Manque de chance pour Ressam, non seulement il est sorti en dernier, mais en prime, peu de véhicules empruntent ce bateau à cette époque de l'année. Les douaniers, peu débordés, ont le temps d'interroger scrupuleusement un à un ceux qui s'apprêtent à passer la frontière. La fonctionnaire s'interroge aussi sur la raison pour laquelle Ressam, qui dit voyager pour affaires, a choisi un itinéraire si tortueux pour se rendre de Montréal à Seattle, via Vancouver. Diana Dean décide de le soumettre à un contrôle plus poussé. En découvrant dans le coffre de l'auto de Ressam des sacs à ordures et deux bocaux à olives remplis de 55 kilos de substances indéterminées, la douanière et ses collègues croient d'abord avoir affaire à un trafiquant de drogue transportant de quoi confectionner du crystalmeth ou quelque chose du même genre. Celui-ci tente de s'enfuir à pied, mais est rattrapé quelques minutes plus tard, terré sous un pick-up. L'analyse chimique de ces produits et la présence dans l'auto d'un détonateur électrique composé de circuits, d'une montre Casio et d'une pile 9 V trouvés peu après ne laisse planer aucun doute sur les activités de Ressam.

27. SCRS, résumé des informations concernant Mourad Ikhlef, *op. cit.*

Mais ce n'est qu'en octobre 2000 que les enquêteurs du FBI auraient eu la certitude, en étudiant une carte routière annotée de l'Ouest américain découverte lors d'une perquisition menée dans l'appartement montréalais de Ressam, que son objectif était l'aéroport de la métropole californienne.

Le 6 avril 2001, à la suite d'un procès d'environ un mois, Ressam est jugé et reconnu coupable sous neuf chefs d'accusation, dont le terrorisme. Risquant jusqu'à 130 ans d'emprisonnement, Ressam décide de coopérer avec les autorités américaines. Comme démontré à plusieurs reprises dans cet ouvrage, Ressam se montre alors très bavard, donne des renseignements qui seront d'une aide étonnante aux dires du juge de Seattle chargé de son dossier. Ressam témoigne au procès de Mokhtar Haouari en juillet 2001 à New York, puis à celui de Mounir al-Motassadeq condamné depuis en Allemagne pour complicité dans les attentats de septembre 2001. Au total, Ressam aurait balancé des renseignements sur plus d'une centaine de personnes que les autorités associent au terrorisme (dont la plupart de ses ex-amis « montréalais »). Il s'est montré tout aussi loquace face au juge Jean-Louis Bruguière venu de France en compagnie de deux policiers du contre-espionnage (DST) pour l'interroger en juin 2002.

Mais en 2003, changement de stratégie, Ressam tient sa langue. Il ne veut plus coopérer. Un silence qu'il explique par les années d'isolement et les interrogatoires poussés qui auraient affecté son mental et sa mémoire. Le 27 juillet 2005, Ressam est condamné à 22 ans de prison. Un verdict cassé le 16 janvier 2007 par la Cour d'appel fédérale de San Francisco à la suite d'une procédure d'appel enclenchée par Ressam, qui portait sur l'un des neufs chefs de culpabilité (sa déclaration aux douanes).

Précisons que la Couronne avait aussi fait appel du verdict en 2005, estimant la peine de 22 ans d'emprisonnement imposée à Ressam trop clémente. En novembre 2006, Ressam s'est rétracté en ce qui concerne un autre Montréalais, Hassan Zemmiri, qu'il avait précédemment impliqué dans la préparation de son projet d'attentat.

Le dossier Ressam est loin d'être terminé. À suivre...

Zemmiri (Hassan ou Ascène)
Détenu à Guantanamo

Né en Algérie en 1967, Hassan Zemmiri arrive en 1994 au Canada en provenance d'Espagne avec un faux passeport en poche. Il s'installe à Montréal et épouse, deux ans plus tard, Karina D., une Canadienne convertie qui résiderait toujours ici en compagnie de leur fils né en 2002 (il ne l'a jamais vu).

Les autorités canadiennes lui ont tour à tour refusé la résidence permanente puis le statut de réfugié. Mais il n'a pas été expulsé pour autant. Zemmiri aurait bénéficié d'un moratoire sur les renvois en Algérie, décrété en mars 1997 à cause des événements violents se déroulant dans ce pays.

En 1998 et 1999, Zemmiri connaît des démêlés avec la justice. Il est condamné à deux reprises à des amendes de quelques centaines de dollars ainsi qu'à des périodes de probation après avoir été reconnu coupable entre autres de vol, méfait et utilisation de documents contrefaits. Un troisième dossier a été ouvert en 2004 après que la GRC eut déposé dix accusations de fraude à son encontre pour des faits qui auraient été commis en avril 2001[28]. En juin ou juillet 2001, le couple Zemmiri quitte Montréal pour l'Afghanistan. Ce départ survient alors qu'Ahmed Ressam décide de collaborer avec les autorités américaines. Ressam déclare sous serment qu'Hassan Zemmiri «était au courant» de son projet d'attentat du Millénaire contre l'aéroport de Los Angeles. Zemmiri, affirme Ressam, lui aurait

---

28. Ce dossier est toujours actif; Zemmiri est l'objet d'un mandat d'arrestation.

remis 3 500 dollars, ainsi qu'une caméra vidéo afin qu'il puisse ressembler à un touriste. Ressam lui avait aussi demandé de lui trouver un pistolet avec silencieux ainsi que des grenades.

En novembre 2001, alors que le régime taliban s'écroule face à l'offensive des troupes de la coalition (opération Enduring Freedom) et de l'Alliance du Nord, Karina, enceinte, revient au Canada. Hassan, lui, est capturé le mois suivant par les troupes de l'Alliance du Nord, près des montagnes de Tora Bora et remis aux Américains en échange de la somme de 5 000 dollars US, soutiendront par la suite ses avocats[29]. Zemmiri est transféré à Guantanamo. Sa femme ne l'apprendra qu'en juillet 2002 lorsqu'elle recevra une carte écrite par son mari.

Le 20 janvier 2004, le site Internet d'Al-Mourabitoune (www.ribaat.com), clairement djihadiste, publie l'appel à l'aide suivant :

> Al-Mourabitoune appelle tous les musulmans qui le peuvent à soutenir financièrement la femme de Ahcene Zemiri, l'un de nos frères détenu à Guantanamo. Il a été convoqué par la cour de justice du Québec. L'avocat réclame de manière légitime 5 000 dollars d'honoraires mais notre sœur Karina, femme de notre frère prisonnier, est incapable de payer une telle somme. C'est pourquoi nous en appelons à votre générosité. Allégez la souffrance de Ahcene Zemiri et sa famille !

Le 20 novembre 2006, depuis sa cellule du Colorado, Ressam écrit à un juge de Seattle pour lui mentionner que ce qu'il avait déclaré en 2001 à propos de Zemmiri était totalement faux. Zemmiri est innocent et n'était absolument pas au courant de son projet, assure Ressam. Quant à la caméra et l'argent, il s'agissait d'un emprunt pour des raisons personnelles, écrit-il.

---

29. Ahcene Zemiri, *et al.* vs George W. Bush, President of the United States et al., Civil Action No. 04-CV-2046, United States District Court for the District of Columbia, 13 janvier 2005.

CHAPITRE 8

Djihad.com

« Sans l'internet, il n'y aurait pas d'Al-Qaida. »
Gilles Kepel

Dans les années 1990, le *djihad* est sorti des cavernes et des camps d'entraînement afghans et bosniaques. Jusque-là, les réseaux djihadistes fonctionnaient « à l'ancienne » : pour diffuser leur propagande dans le monde entier, assurer leur recrutement, médiatiser leurs « exploits » et collecter des fonds, ils utilisaient à la fois le bouche-à-oreille, les tracts, les bulletins clandestins expédiés par fax et par la poste et à la fois les vidéos copiées et recopiées jusqu'à l'usure, puis distribuées à la sortie des mosquées.

Comme nous l'avons décrit à plusieurs reprises dans cet ouvrage, de nombreux Montréalais – le plus connu étant Ahmed Ressam – ont rejoint des camps afghans du *djihad* après avoir été approchés par des vétérans. Ces hommes jouaient également le rôle de « facilitateurs ». En effet, la radicalisation de ces individus s'opérait dans une dynamique de groupe, lors de discussions entre copains, ou entre habitués d'une même mosquée. Lors de ces réunions, les vétérans ne manquaient jamais une occasion de relater leurs aventures trépidantes et promettaient des images de ces « exploits ». Cependant, avant de pouvoir s'extasier dans leur salon devant les images de la capture d'un char soviétique par les valeureux moudjahidin afghans ou la déroute d'un bataillon serbe en ex-Yougoslavie, les militants devaient encore faire preuve de patience et attendre parfois des semaines... pendant lesquelles les discussions continuaient, les esprits s'enflammaient. Les scènes de massacres perpétrés à l'encontre de «frères» bosniaques projetées sur le petit écran créaient un électrochoc efficace dans le processus de radicalisation puis de «djihadisation».

Enfin, l'organisation d'un complot terroriste nécessitait bien souvent la présence physique des différents protagonistes dans un même lieu, donc des déplacements éventuellement transfrontaliers qui accroissaient le risque d'être intercepté ou repéré par les forces policières et du renseignement. Sans compter l'usage de technologies de communication vulnérables aux écoutes électroniques, comme le bon vieux téléphone. En résumé, c'était la guérilla de grand-père!

Aujourd'hui, la terreur est mise en scène et se répand dans le monde entier d'un clic de souris, tel un virus informatique. Internet agit non seulement comme un turbopropulseur du *djihad* violent mais il est aussi un géniteur de réseaux qui fait office tant de maillon liant ses adeptes où qu'ils se trouvent dans le monde, que de collecteur de fonds ou de camp d'entraînement virtuel[1].

Alors que la menace semble de plus en plus réelle, ses acteurs ont tendance, eux, à se cacher dans un environnement virtuel. Profitant de l'anonymat conféré par la Toile et du peu de réglementation dans ce domaine, ils sautent d'un pays à l'autre et versent dans l'extrémisme en solitaire,

---

1. Rapport du service de renseignements hollandais, «Violent jihad in the Netherlands – Current trends in the Islamist terrorist threat», 2006. Archives de l'auteur.

confortablement installés devant leur écran d'ordinateur. Au Québec, plusieurs individus qualifiés de «dangereux» passent ainsi leurs journées sur le Web. Un rapport classifié «secret» rédigé en octobre 2006 par le SCRS, évoqué dans un chapitre précédent, confirme d'ailleurs ce statut privilégié du cyberespace dans le processus de radicalisation.

Ces terroristes du xxie siècle se moquent bien des frontières et des organisations censées leur mener une lutte impitoyable. Férus d'informatique, ils tirent profit des plus récentes avancées technologiques comme la stéganographie[2] ou le cryptage et connaissent tous les trucs comme la «boîte aux lettres morte[3]». Ils squattent des serveurs pour mettre en ligne leur site Internet, se connectent dans les rues en utilisant des liaisons wi-fi disponibles, changent fréquemment de cybercafé, complotent dans des *chat rooms*, modifient leurs adresses IP, dissimulent leurs messages codés dans des *spams*, etc.

Tous les moyens sont bons pour déjouer la vigilance des autorités. Au printemps 2006, un membre d'un forum djihadiste avait mis en ligne un document qu'il avait intitulé «Nemo», en référence au célèbre petit poisson héros d'un film d'animation. Cet internaute avait en fait soigneusement dissimulé entre des scènes tirées du film et d'autres images *a priori* anodines, plusieurs fichiers et liens destinés aux apprentis

---

2. Procédé qui permet de dissimuler un message dans un fichier texte, photo, vidéo ou sonore *a priori* anodin.

3. La boîte aux lettres morte est le pendant informatique de la poubelle de rue utilisée autrefois pour y déposer un message qui est récupéré ensuite par un autre individu. Le principe est de stocker le courriel dans le dossier Brouillons d'un compte type Hotmail ou Yahoo plutôt que de l'envoyer au risque de laisser des traces ou d'être intercepté. Le destinataire qui possède les codes de connexion de ce compte peut alors le consulter à son tour n'importe où, en particulier dans n'importe quel café Internet.

djihadistes. Fabrication d'explosifs, poisons, entraînement physique, contrefaçon, tout y était[4].

Une autre tactique connue est de cacher ce genre de document compromettant sur un site commercial ou officiel piraté. Le jeune webmestre et hacker de 22 ans connu sous le pseudonyme de irhabi007[5] qui mettait ses talents au service d'Al-Qaida, avait poussé le culot jusqu'à diffuser en juillet 2004 des vidéos d'attentats via l'un des serveurs FTP du Département des transports de l'Arkansas! Irhabi007, de son vrai nom Younis Tsouli, s'était fait un nom dans la mouvance terroriste en diffusant à l'échelle de la planète entière la vidéo de la décapitation de Nicolas Berg, geste supposément accompli par le défunt Al-Zarkaoui. Tsouli s'est fait pincer le 22 octobre 2005 à Londres par les agents de Scotland Yard. Installé devant son ordinateur, il était en train de finaliser une présentation PowerPoint sur la fabrication d'une voiture piégée. Ce petit génie d'Internet avait aussi enregistré l'adresse suivante : www.irhaby007.ca.

Face à ce déferlement technologique, Omar Nasiri, l'espion qui aurait infiltré Al-Qaida pour le compte des services secrets français, fait preuve d'un réel pessimisme. Lui qui affirme avoir fréquenté les vrais camps afghans des années 1990, constate avec effroi que ces universités du *djihad* se sont déplacées sur Internet, «devenu le premier front du *djihad* dans le monde». Et d'ajouter : «Ce qui fait que le camp d'entraînement est dans la chambre à coucher des djihadistes. C'est une partie du cauchemar qui s'annonce[6].»

---

4. «The "Nemo document" of comprehensive mujahid training for jihad», site Internet du Site Institute, 26 mai 2006.

5. En arabe, *irhabi* signifie «terroriste».

6. «L'Occident n'a toujours rien compris au djihad», entrevue de Omar Nasiri par Olivier Weber, *Le Point*, 16 novembre 2006.

«Sans l'internet, il n'y aurait pas d'Al-Qaida.» L'affirmation est du politologue français Gilles Kepel. Selon ce spécialiste de l'islam, auteur de nombreux ouvrages de référence, le Web a été «pris en otage en terre d'islam par les groupes les plus extrémistes» essentiellement parce qu'il leur a permis de contrecarrer la censure des États. Internet a alors accéléré «de façon exponentielle, estime-t-il, la circulation des idées djihadistes […] et des mots d'ordre». Ainsi, ajoute Kepel, est né un «nouvel espace planétaire, une "Oumma" numérique qui va de Leeds à Peshawar, de Charm el-Cheikh à Madrid, de Riyad à Amsterdam[7]».

Internet contribue effectivement à propager le label Al-Qaida à travers le monde entier, amplifiant ainsi jusqu'à l'exagération un statut factice de multinationale de la terreur qu'elle n'a jamais vraiment été. Grâce au Web, l'organisation fondée par Oussama ben Laden est partout et nulle part à la fois.

Le SCRS considère en outre que le réseau mondial «joue un rôle de plus en plus important dans la propagation de la doctrine religieuse. Les musulmans radicalisés ont accès à un grand nombre de fatwas ou d'opinions sur le *djihad* en ligne et, ainsi, peuvent mieux se préparer au *djihad*[8]».

Il est d'ailleurs paradoxal de constater que les groupes d'idéologie salafi, y compris les oulémas saoudiens qui s'en réclament, ceux-là mêmes qui pourfendent la modernité occidentale et prêchent un retour aux sources fondamentales de l'islam, sont les plus grands utilisateurs de ce médium

---

7. Gilles Kepel, «Le quitte ou double d'Al-Qaida», *Le Figaro*, 26 juillet 2005.
8. Étude 2005-6/11, «Processus de radicalisation des musulmans canadiens».

symbole du xxie siècle. Tous ont au moins un site Web[9]! Une incongruité à première vue comparable à celle des anti-impérialistes ou altermondialistes qui ne rechignent pas à ingurgiter du McDonald's ou des «fous d'Allah» qui défilent en scandant «Mort à l'Amérique», chaussés de Nike ou de Converse. À moins que cette alliance de l'archaïsme religieux et du modernisme technologique ne soit qu'un mariage de raison. La fin justifie les moyens, dit-on.

Le rouleau compresseur numérique est autant la cause que la conséquence de la marginalisation des imams locaux et de l'érosion continue de leur leadership aux yeux de leurs jeunes fidèles. Comme le faisait remarquer à juste titre l'imam Saïd Jaziri, Internet est devenu «le grand imam de tout le monde».

Analyste principal au Centre norvégien de recherche sur la défense, spécialiste de l'islamisme radical transnational, Thomas Hegghammer estime que cet attrait phénoménal pour Internet chez les jeunes musulmans prend sa source dans l'autocensure que s'imposent la majorité des imams dans les mosquées occidentales. Ils évitent de parler de politique, «même de façon pondérée», par crainte de «susciter l'attention des services de sécurité et des journalistes», confiait M. Hegghammer lors d'une intervention devant des parlementaires canadiens[10]. Frustrés de ne pouvoir «discuter des sujets qui les intéressent», ajoute cet expert qui passe des heures à «observer les forums de discussion à la recherche d'islamistes radicaux», les jeunes désertent les lieux de culte pour se retrouver entre amis, entre

---

9. Certains sont même hébergés sur des serveurs canadiens, à Montréal en particulier.
10. Témoignage devant le Comité sénatorial spécial sur la Loi antiterroriste, à Ottawa, 14 mars 2005. http://www.parl.gc.ca/38/1/parlbus/commbus/senate/com-e/anti-e/pdf/04issue.pdf

coreligionnaires partageant les mêmes aspirations, ou vont fureter sur Internet. Un cercle vicieux.

Impunité presque garantie

En naviguant sur le site Internet d'un groupe de discussion de musulmans montréalais, je suis tombé par hasard sur ce poème anonyme :

Parce que je suis palestinien
Parce que je suis épris du destin
Et mon destin est que mon sang se transforme en chansons
Et qu'il trace le chemin de la liberté
Mon destin est de me transformer en bombe humaine
Parce que je suis palestinien.
O amants de la cruauté, nous
Vous prévenons au nom de nos espérances
Je vais soit rencontrer Allah dans le parfum et le musc
Soit vivre sur ma terre en toute liberté et en tout honneur.
Pour votre grand malheur, nous n'oublierons ni Haïfa ni Acre
Pour votre grand malheur, toute la Palestine est nôtre
Parce que je suis palestinien.
Nous n'avons à vous offrir que la mort
Plantez autant d'arbres de Gharqad que vous voulez
Construisez autant d'abris et de cachettes que vous désirez
Et, si vous le souhaitez, créez artificiellement votre fausse paix.
Votre histoire est noire et poussiéreuse
Vous descendez d'un arbre aux branches pourries
[...]
Parce que je suis palestinien

Parce que je porte mon drapeau
Et languis le souvenir d'Hittin
Je ferai des membres de mon corps des bombes
Que je planterai
Dans votre haine, dans vos racines
Dans votre fruit maudit
Et malgré vous, ils donneront la plus belle des fleurs
Ils donneront la plus belle des Palestine
Parce que je suis palestinien.

Si l'auteur de cette allégorie avait tenu de tels propos en public, peu de gens les auraient entendus, mais surtout il aurait couru le risque de se faire repérer et peut-être même de se faire dénoncer puis interroger par les autorités. Par sagesse, en plus de s'assurer un plus large bassin de lectorat, ce poète a choisi d'exprimer ses ressentiments sur le Web. Car même si, ici au Canada, des policiers, des agents du SCRS et des fonctionnaires du très secret Centre de la sécurité des télécommunications (CST) scrutent attentivement ce qui se trame sur la Toile, leur combat contre le terrorisme se complique sérieusement. En 2006, plusieurs études s'accordent pour estimer entre 4 000 et 5 000 le nombre de sites liés de près ou de loin à un groupe étiqueté «terroriste» par les autorités, en particulier d'obédience islamique, contre moins d'une centaine dix ans plus tôt. Le Centre Simon Wiesenthal a, quant à lui, recensé 6 000 sites haineux et terroristes lors d'une récente étude[11]. Il faut ajouter à ces statistiques spectaculaires les blogues et autres groupes de discussion aussi spontanés qu'éphémères. Autant chercher une aiguille dans une meule de foin.

Certains de ces sites sont sans conteste des outils de propagande affiliés à des groupes terroristes notoires.

---

11. CD-Rom «Digital Terrorism and Hate 2006», distribué par le Simon Wiesenthal Center, Museum of tolerance. www.wiesenthal.com

D'autres servent de bibliothèque et de relais à ces mêmes organisations. L'un des plus fournis est le site francophone Minbar. Officiellement consacré au sort des prisonniers dans le monde, Minbar offre également une section intitulée « Al-Qaeda ». Il est possible d'y télécharger les dernières vidéos sous-titrées d'Al-Zawahiri, ou encore d'Al-Zarkaoui, de lire des communiqués traduits de l'organisation et de ses groupes affiliés. Dans la section « Actualité internationale », on retrouve des nouvelles variées, comme par exemple le dédommagement de 10,5 millions de dollars obtenu le 27 janvier 2007 par le Canadien Maher Arar à la suite de sa déportation et de son emprisonnement en Syrie. L'auteur de ce message, identifié sous le pseudonyme de *mujahid fi sabilillah*, a pour logo personnel une Kalachnikov AK-47. Sa signature est toujours associée à un montage photographique représentant des balles de fusil et un Coran, sur lesquels est inscrit le slogan « Jihad The only solution » (le J est remplacé par un sabre). Aucun commentaire n'accompagne cette information.

En revanche, la comparution devant un tribunal militaire américain d'un caporal des Marines jugé pour le meurtre gratuit d'un grand-père irakien déchaîne la colère d'un membre du forum en des termes pour le moins explicites :

Créatures sataniques, créatures immondes les soldats les plus lâches au monde. Ils ne sont forts que devant les faibles, les vieillards, les gens désarmés car devant un moujahid ils urinent dans leur bel uniforme et pourtant armés jusqu'aux dents tellement la frayeur s'empare d'eux.

Descendance de singes et de porcs les terres musulmanes deviendront votre cimetière. La guerre vous l'avez perdu et le sang que vous avez fait couler crie vengeance.

Qu'Allah fasse de vous le combustible de l'enfer, Amin Ya Rabi !!!

Une autre section, « Djihad fissabilillah », rassemble des « informations de la résistance islamique en Afghanistan, en Irak, en Palestine, en Tchétchénie et autres ». La présence militaire canadienne en Afghanistan y est dénoncée dans plusieurs messages au ton acerbe. En septembre 2006, un article de presse consacré à une vaste opération militaire au cours de laquelle deux cents combattants talibans ont trouvé la mort ainsi qu'un soldat canadien « tué par erreur par un avion de l'Otan » déclenche à la fois la joie et la réprobation de l'internaute :

> Macha Allah !!! Allah wak baaaaar, c'est trop bon ça... mmmm
> Il faut entendre par des « Talibans » des civils biens sur [sic] car nous avons alhamdoulillah bien compris qu'ils se rabattent sur de pauvres gens désarmés !!!.

Et ce n'est pas tout. « Il faut vraiment être de pauvres idiots pour échapper au stratagème d'Allah », s'exclame le même auteur en référence aux mesures prises par les Forces canadiennes pour « réduire les risques de tirs amis ».

Enfin, le Premier ministre Stephen Harper est critiqué après son allocution télévisée du 11 septembre 2006 au cours de laquelle il a incité ses « compatriotes à soutenir la guerre en Afghanistan » :

> Assalamou alaykoum. Voilà ce qui s'appelle inciter à la guerre, au terrorisme et cela sans qu'il soit nullement inquiété. Il suffit de ne pas être musulman pour cela et vous pouvez tuer et voler sans aucune crainte d'être poursuivi.

Un policier antiterroriste canadien, presque découragé, dresse un parallèle avec le cas de Kimveer Gill pour démontrer l'ampleur du défi de la cybersurveillance. Souvenons-nous en effet que l'auteur de la fusillade mortelle du collège Dawson, à Montréal, en septembre 2006, avait affiché sur sa page personnelle du site vampirefreaks.com des photos de lui puissamment armé. Sur certaines de ces photos, celui qui se décrivait comme l'«ange de la mort» avait entre ses mains une carabine semi-automatique Beretta CX-4 Storm. Sur d'autres, il exhibait, le regard sombre, un couteau de commando. Ces images évocatrices étaient accompagnées de textes qui ne laissaient planer aucun doute sur ses intentions meurtrières. «Transforme ce maudit monde en cimetière. Écrase tous ceux qui te barrent le chemin. Laisse un fleuve de sang dans ton chemin. Laisse un fleuve de sang dans ton sillage», écrivait-il notamment. Difficile d'être plus clair! «Gill aurait dû être détecté avant qu'il ne passe à l'acte, pourtant il n'en fut rien», constate ce policier.

Rien non plus pour rassurer le patron du SCRS, Jim Judd, qui frémit en feuilletant les pages de cette encyclopédie virtuelle :

> Les recettes d'explosifs et les instructions pour fabriquer des bombes à partir de produits commerciaux qu'on retrouve sur l'Internet sont maintenant presque aussi monnaie courante que les critiques de restaurants. On peut trouver tout aussi facilement des techniques opérationnelles – généralement bonnes – de contre-surveillance. Un chapitre entier du manuel d'Al-Qaida décrit en détail ce qu'il faut faire en cas d'arrestation et de détention. [...] L'adoption de l'Internet sans fil et de nouvelles technologies comme le système vocal sur Internet ne feront qu'aggraver tous ces phénomènes[12].

---

12. Allocution de Jim Judd, directeur du SCRS, à l'Association canadienne pour les études de renseignement et de sécurité (ACERS), 27 octobre 2006. Site Internet du SCRS.

Cette crainte d'être distancé par l'évolution technologique, de devenir sourd et aveugle, n'est pas nouvelle. En 2005, le Service canadien du renseignement tirait la sonnette d'alarme à ce sujet dans une note secrète réclamant des investissements majeurs et urgents afin qu'il puisse se doter d'une technologie de même niveau que celle utilisée par les groupes qui constituent une menace à la sécurité du pays[13]. Faisant écho aux mêmes récriminations que celles formulées par l'Association canadienne des chefs de police depuis 1995, le SCRS plaide aussi depuis plusieurs années pour un assouplissement de la loi («accès total» ou *lawful access*) afin de leur permettre l'accès aux données conservées par les compagnies Internet (fournisseurs d'accès, etc.). Une autre demande récurrente consiste à obliger les concepteurs de logiciels à fournir au service de renseignement les clés de déchiffrement de certains logiciels de cryptage. Ce qu'on appelle dans le jargon une *back door*. En attendant, les espions sont obligés de consacrer temps et argent à tenter de décrypter les messages codés interceptés lors de leurs enquêtes.

Le projet de loi C-74 (loi sur la modernisation des techniques d'enquête), mort au feuilleton en novembre 2005 à la suite de la dissolution du Parlement, prévoyait toute une batterie de mesures destinées à neutraliser ce que les organismes chargés de l'application de la loi nomment des «"zones sûres" à l'intérieur desquelles les groupes criminels (en particulier terroristes) peuvent agir sans être détectés[14]».

---

13. Article de James Gordon, «CSIS stymied by tech-savvy terrorists», *Ottawa Citizen*, 8 août 2005.
14. Document «Télécommunications et accès légal : I. La situation législative au Canada», rédigé par Dominique Valiquet, Service d'information et de recherche parlementaire. http://www.parl.gc.ca/information/library/PRBpubs/prb0565-f.html

Le législateur prévoyait de forcer les fournisseurs de services Internet (FSI) à mettre en place un système d'interception des communications. Ces entreprises devaient aussi être capables de fournir aux services de police et au SCRS les adresses courriels, adresses IP, dates et heures des messages, types de fichiers transmis, pages Web visitées des clients sous enquête. En cas de menace à la sécurité nationale, les délais imposés étaient très courts : de 30 minutes à 8 heures !

Un projet qui a fait hurler, on s'en doute, les défenseurs du respect de la vie privée. Dans un mémoire présenté à cette époque, la commissaire à la vie privée, Jennifer Stoddart, ne cachait pas son scepticisme face à ces mesures qu'elle considérait comme envahissantes et non nécessaires. Elle faisait alors remarquer que ces mêmes organismes qui se plaignaient de l'utilisation de nouvelles technologies en profitaient pourtant déjà : «Des enregistreurs de clavier ont servi à capter des courriels à mesure qu'ils sont composés et à obtenir un accès aux mots de passe. Des renifleurs de paquet peuvent balayer des courriels transmis par un réseau de FSI à la recherche d'expressions ou de mots précis. De nombreux téléphones cellulaires génèrent des données très précises sur le positionnement, et il est possible d'analyser d'énormes quantités de données de communication pour y déceler des tendances suspectes[15]», écrivait-elle alors.

L'exemple de Toronto

Si l'on prend l'exemple de la présumée cellule terroriste de Toronto démantelée en juin 2006, les quelques informations

---

15. «Réponse à la consultation du gouvernement sur l'accès légal. Présentation du Commissariat à la protection de la vie privée du Canada au ministre de la Justice et procureur général du Canada», 5 mai 2005. Document consulté sur le site Internet du Commissariat. www.privcom.gc.ca

qui ont filtré depuis laissent toutefois entendre que cette enquête a débuté en 2004 lors d'une opération de surveillance de sites Internet extrémistes par les agents du SCRS. L'un de ces sites avait pour nom clearguidance.com. Deux des membres de cette cellule avaient été repérés en raison des messages de plus en plus explicites qu'ils postaient sur ce site réputé extrémiste. On a aussi évoqué des liens que certains des membres de cette cellule auraient eu, toujours via Internet, avec irhabi007, alias Younis Tsouli évoqué plus haut.

Certains complots comme celui de Toronto s'organisent effectivement dans les *chat rooms* Internet et non pas dans un camp afghan autour d'un Oussama ben Laden transformé, à tort, en grand organisateur de la terreur mondiale, estime l'ex-agent de la CIA, Marc Sageman. «Ceux qui pensent que ces attentats sont organisés d'en haut, par un Ben Laden et un Al-Qaida central, se trompent, soutient-il. Cette théorie trop facile est une création des médias et des politiciens. Vivant ou non, Ben Laden n'est plus qu'une [source d']inspiration qui se maintient en vie grâce à Internet[16].» Le cas de Toronto, s'il ne se transforme pas en pétard mouillé au terme des longues procédures judiciaires, serait conforme en tout point au résultat de ses recherches. Ces nouveaux terroristes qui font trembler le monde ne sont pas tous des «paumés», mais généralement de jeunes internautes instruits, issus de bonnes familles. Pour la plupart, ils n'ont jamais mis les pieds en Afghanistan.

«C'est une bande de copains, poursuit Marc Sageman. Leur structure est proche des gangs de rue. Ils apprennent en visitant des sites djihadistes. Ils discutent sur les forums et les *chat rooms*. Certains se radicalisent. Ils s'énervent collectivement, jusqu'au moment où l'un d'eux dit : «Là, il faut faire quelque chose.» Si un recruteur est à l'affût, ces révoltés deviennent des proies idéales.

---

16. Entrevue avec l'auteur.

L'anecdote suivante est tout à fait révélatrice. Lors de la préparation de cet ouvrage, j'ai fréquenté régulièrement la section montréalaise d'un forum musulman francophone. Un jour, mon attention fut attirée par un message dans lequel un des internautes qualifiait le Canada de «pays mécréant» et «ennemi» qui mépriserait les musulmans. Lors d'une autre discussion, le même auteur dépeignait Montréal comme une ville de débauche incroyable digne de l'enfer... Il exprimait également son mal de vivre. Immédiatement, un autre internaute localisé en Europe l'invita à rejoindre le *djihad*. S'agissait-il d'une simple provocation, d'une phrase jetée en l'air ou d'une tentative de recrutement? Impossible de le savoir. L'auteur de ces propos pourrait-il être, par exemple, un agent du renseignement cherchant à identifier des éléments radicaux? «Cela se pourrait, répond en riant Marc Sageman. Il y a beaucoup de monde sur ces forums... y compris des espions[17]!»

Un autre dossier de terrorisme impliquant un Canadien vient appuyer le rôle joué par les nouvelles technologies de communication pour élaborer des complots à distance. Momin Khawaja, jeune informaticien programmeur d'Ottawa travaillant pour le compte du ministère des Affaires étrangères, a été arrêté le 29 mars 2004 en vertu de la nouvelle loi antiterroriste C36 (adoptée en décembre 2001). Khawaja – qui devrait subir son procès au printemps 2007[18] – aurait comploté

---

17. *Idem.*
18. Au début de l'année 2007, l'avocat de Momin Khawaja espérait faire annuler le procès en déposant une requête devant la Cour suprême pour faire casser les sept chefs d'accusation. Déjà en octobre 2005, un juge ontarien avait donné raison à Khawaja en invalidant une partie de la nouvelle loi antiterroriste qui associait le terrorisme à des motifs politiques, religieux ou idéologiques, la jugeant contraire à la Charte des droits et libertés.

avec sept Britanniques pour commettre des attentats en 2004 à Londres. Ils auraient projeté de faire exploser des bombes au nitrate d'ammonium dans des centres commerciaux et des boîtes de nuit.

Lors du procès des sept Britanniques l'été dernier à Londres, nous avons pu apprendre que Khawaja correspondait par courriels avec ses présumés complices. Ils discutaient de problèmes techniques en employant des termes sommairement codés. Par exemple, alors qu'il s'attelait à dessiner les plans d'une trentaine de détonateurs, Khawaja aurait envoyé le message suivant à l'un de ses complices londoniens : « Nous achevons le design du bébé. Nous nous apprêtons à effectuer les tests d'ici les prochaines semaines. Si tout va bien, nous irons vous montrer le bébé. » Un peu plus tard, étant parvenu à ses fins, il écrivait ceci : « Que le Très Haut soit loué ! Le système fonctionne, je vais vous le montrer[19]. »

Dans d'autres courriels exhibés lors de ce procès, les membres du groupe cherchaient un moyen pour déclencher des détonateurs à distance dans un rayon de deux kilomètres. Toujours dans ses écrits, Khawaja semblait vouer une admiration sans faille à Oussama ben Laden : « C'est la personne que j'aime le plus au monde, je souhaiterais embrasser ses mains. »

Aussi étonnant que cela puisse paraître, Khawaja et ses complices discutaient parfois aussi par téléphone, sans se douter qu'ils étaient écoutés par les services de renseignements anglais, canadiens et américains.

Enfin, une étudiante en chimie d'Ottawa, lors de son témoignage, a raconté comment elle avait été recrutée en 2002 par un des membres du groupe alors qu'elle clavardait

---

19. « Une étudiante de Carleton témoigne dans une affaire de terrorisme », *Le Droit*, 6 septembre 2006.

sur un site de rencontre. Khawaja, avec qui elle était entrée en contact par la suite, l'aurait convaincue d'expédier près de 10 000 dollars ainsi qu'une carte de paiement à ses complices londoniens parce que les femmes, disait-il, ne se font pas arrêter quand elles envoient de l'argent.

YouTube et Dailymotion : Broadcast your jihad !

Il n'y a pas que les milliers de sites d'obédience radicale ou extrémiste qui sont utilisés à des fins de propagande et de mobilisation. Pour celui qui veut se nourrir de culture djihadiste, YouTube ou Dailymotion, des sites très populaires, regorgent de vidéos explicites sur le *djihad* en Afghanistan, en Bosnie ou en Tchétchénie, ou encore sur la «résistance» palestinienne pour ne citer que les conflits les plus connus.

Dans une maison en terre battue, deux hommes le visage masqué remplissent avec précaution deux contenants isothermes en plastique bleu d'une poudre blanchâtre. Puis, ils glissent au centre une pâte explosive de fabrication Nobel, y enfoncent des fils électriques, rassemblent les deux glacières, les entourent d'adhésif. Sur la séquence suivante, un doigt montre un emplacement sur une carte. Ce film de quelques minutes s'intitule *IED to Canadian Soldiers/Afghanistan*[20]. En clair, on assiste aux derniers préparatifs d'un attentat contre les troupes canadiennes en Afghanistan. Sur l'ultime séquence, filmée depuis les hauteurs d'une montagne, un convoi probablement canadien composé de deux ou trois véhicules roule sur un chemin à proximité d'un groupe de maisons. Subitement, une boule de feu embrase l'un des véhicules, projetant des débris non identifiables hauts dans les airs. À quelques dizaines de

---

20. IED est l'acronyme anglais de «engin explosif improvisé».

mètres de là, des villageois surpris par l'explosion prennent leurs jambes à leur cou.

Aussi incroyable que cela puisse paraître, le même individu a placé en moins d'un mois sur YouTube une cinquantaine de vidéos d'embuscades, d'attaques et d'attentats commis en Afghanistan, en Tchétchénie, en Palestine et en Irak ainsi que des vidéos montrant Oussama ben Laden.

Toujours sur le même thème, une autre vidéo filmée en Irak montre un hélicoptère américain Black Hawk abattu en plein vol puis des gros plans sur les objets et souvenirs personnels récupérés sur les cadavres des soldats. «Longue vie à la résistance» écrit un internaute en guise de commentaire.

Quiconque est plutôt à la recherche de films évoquant la guerre en ex-Yougoslavie des années 1990 aura l'embarras du choix. Mis en ligne par un internaute canadien, *One of These Mornings*, par exemple, est un film poignant, à la limite de la nausée, qui dénonce les massacres commis par les Serbes et les Croates à l'encontre des musulmans bosniaques pendant la guerre en ex-Yougoslavie (1992-1995). Sur une trame sonore de Moby se succèdent des images d'enfants déchiquetés ou brûlés, de civils baignant dans leur sang après avoir été tirés comme des lapins par des *snipers* dans Sarajevo, de fosses communes, de prisonniers rescapés de camps de concentration errant tels des zombies faméliques. Ce réquisitoire se conclut ainsi : «Pendant que le monde entier dormait, des jeunes filles étaient violées, les pères et leurs fils étaient torturés [...], des mères étaient exécutées alors qu'elles tentaient de protéger leurs bébés entre leurs bras [...] Pourquoi? Parce qu'ils étaient musulmans. [...] Nous n'oublierons jamais. La violence est le dernier refuge des incompétents.»

Les Mudzahedines, film d'une heure environ, rend hommage aux centaines de volontaires venus du monde entier, y compris du Canada, pour prêter main forte aux Bosniaques au sein de la 7ᵉ Brigade du 3ᵉ corps de l'armée bosniaque, puis de la brigade Al-Mudzahid. Il s'agit d'une succession de documents amateurs de piètre qualité filmés lors de combats acharnés, où les «allah akbar» résonnent dans la forêt entre deux rafales de AK-47. Visionné à presque 9 000 reprises, *The Massacre of 10 000 Bosnian Muslims in Srebrenica* s'intéresse à cet événement, peut-être le plus tragique du conflit en ex-Yougoslavie, survenu en juillet 1995.

Wake Up O Muslims! Oppression in Muslims Lands, mis en ligne par un jeune Canadien de dix-neuf ans, montre des scènes de violence filmées au Cachemire, en Palestine, en Afghanistan, en Bosnie et en Tchétchénie.

Faciles à trouver également, des vidéos relatives au conflit israélo-palestinien. *Are You Afraid to Die* et *Victory for Palestine* sont deux odes au Hamas palestinien, à son fondateur le cheikh Ahmed Yassine et à son successeur le Dʳ Abdel Aziz al-Rantissi[21]. Une de ses déclarations est particulièrement mise en évidence dans un de ces clips : «Nous allons tous mourir un jour. Rien ne change. Entre une crise cardiaque et un hélicoptère Apache, je préfère un Apache.» Comme pour lui faire écho, un internaute écrit ceci : «Je préfère mourir en martyr que dans mon lit.»

Le Canada, terre d'asile du cyberdjihad

Que ce soit Al-Qaida, la Brigade des martyrs d'Al-Aqsa, le Hamas, le Hezbollah, le GSPC[22] ou le Hizb ut-Tahir et bien d'autres encore, tous les groupuscules «terroristes» disposent d'un ou plusieurs sites Web pour leur propagande. Certains

---

21. Tous deux ont été tués par l'armée israélienne respectivement en mars et avril 2004 par des missiles tirés depuis des hélicoptères.
22. Qui a pris aujourd'hui le nom d'Organisation Al-Qaida du Maghreb islamique.

sont très sophistiqués, rédigés en arabe mais aussi en anglais, voire en allemand ou en français, d'autres plutôt rudimentaires, sont unilingues arabes.

À un moment ou à un autre de leur existence, plusieurs de ces sites Internet qui prônent la guerre sainte totale, qui justifient le terrorisme et glorifient les kamikazes dans le monde entier ont transité par le Canada et en particulier par Montréal. Plusieurs de ces sites « canadiens » ont été répertoriés sur des listes noires diffusées par les organismes Free Muslims, Internet Haganah et le Memri (Institut de recherche médiatique du Moyen-Orient). D'autres ont été cités au hasard de poursuites, procès et enquêtes visant des individus suspectés de terrorisme aux États-Unis.

Quelques entreprises d'Internet canadiennes bien connues permettent ainsi aux extrémistes de diffuser leur message soit en hébergeant leur site sur leur serveur, soit en enregistrant leur nom. Le tout contre rémunération. Quant aux États-Unis, pourtant cible numéro un de ces groupes extrémistes à qui ils ont déclaré la « guerre », ils font encore plus pâle figure…

En suivant la trace du site d'As-Sahab, le relais de communication et de propagande d'Al-Qaida sur le Web, au cours d'une enquête menée à l'automne 2005 sur cette problématique, j'étais remonté jusqu'à un modeste bungalow de… Winnipeg. Difficile à croire mais le fautif était un étudiant de dix-neuf ans qui, pour arrondir ses fins de mois, gérait depuis son sous-sol, à l'insu de ses parents, quelques sites Internet. As-Sahab était son premier client provenant de l'extérieur de l'Amérique du Nord. Le jeune homme était tellement fier de son coup qu'il prétend n'avoir pas vraiment regardé le contenu du site qu'il mettait en ligne. D'autant plus, avait-il justifié à l'époque, qu'il ne comprenait pas l'arabe.

Cependant, il lui suffisait d'ouvrir le site : les illustrations de la page d'accueil ne laissaient planer aucun doute sur le type de contenu. On y voyait en effet les portraits de trois personnages connus jusqu'au coin le plus reculé de la planète : Oussama ben Laden, son mentor Ayman al-Zawahiri et l'Irakien Abou Moussab al-Zarkaoui, décédé depuis !

Le site d'As-Sahab, aussi connu sous le nom de Foundation for Islamic Media, est une banque virtuelle de vidéos de propagande filmées sur fond de montagne (naturelle ou artificielle ?), sans oublier l'incontournable AK-47 posée à la gauche de l'écran. On peut en outre y télécharger des vidéos sous différents formats de revendications d'attentats. L'une d'entre elles fait clairement référence aux événements tragiques de Madrid (11 mars 2004) et de Londres (7 juillet 2005). Démasqué, le jeune apprenti webmestre n'a eu d'autre choix que de rompre tout lien avec ce client encombrant, en plus de lui rembourser les quelque 4,95 $ qu'il avait perçus pour ce premier mois de service.

Qu'importe, As-Sahab comme tous ces sites extrémistes a tôt fait de renaître de ses cendres depuis un autre serveur ailleurs dans le monde.

As-Sahab n'est pas le seul exemple, loin de là. Glorification de Ben Laden, communiqués des «lions Moujahideen» irakiens contre les ennemis «croisés descendants de singes et de cochons», revendications d'enlèvements, justification des attentats du 11-Septembre et hommage vidéo aux dix-neuf kamikazes «martyrs», voilà le menu offert par deux curieux sites jumeaux, Jihadunspun et JUS[23]. Deux sites 100 % canadiens puisque créés, gérés et mis en ligne depuis Vancouver et Toronto.

Jihadunspun ou JUS, qui disent offrir un «avis clair sur le terrorisme», n'ont rien du site amateur. Graphisme remarquable avec moult artifices visuels et contenu riche, il n'en faut pas plus pour que, dans les forums islamistes,

23. Ces sites ne sont pas en ligne en permanence.

certains y voient une création diabolique de la CIA. Bien que suspects, ces sites n'ont jamais été fermés, font-ils remarquer. En revanche, pour les chasseurs de sites islamistes, JUS et Jihadunspun sont clairement djihadistes.

Fait important à signaler, les propos, en anglais, sont directs, loin des patinages fréquents des sites islamistes. « La guerre contre le terrorisme est une guerre contre l'islam », peut-on par exemple y lire.

Ces sites regorgent de communiqués quotidiens d'organisations irakiennes, afghanes, tchétchènes, etc., considérées comme terroristes par l'Occident. Leur prose mérite le détour… À titre d'exemple, voici un extrait d'un communiqué attribué à Ansar Al-Sunnah, un groupe insurgé irakien sunnite : « Vous, ancêtres des cochons et des singes, si Allah le veut, vous allez goûter au feu des Moudjahidin aussi longtemps que [vous] resterez dans notre pays » !

Un chapitre est consacré à la vie et l'œuvre d'Oussama ben Laden. Il est aussi possible d'acheter un coffret de trois DVD « collector » consacré à celui qui a « déclaré la guerre sainte contre l'Amérique ». Toujours dans la section boutique multimédia, le *Best of mujahideen 2006* à 149 $ CAD, ainsi qu'un DVD hommage au défunt représentant irakien d'Al-Qaida de sinistre mémoire Abou Moussab al-Zarkaoui ou bien encore une entrevue du mollah taliban Dadulahh, présenté comme le chef de la résistance d'un virtuel Émirat islamique d'Afghanistan[24]. On peut aussi devenir membre du club JUS. Un privilège qui permet de télécharger vidéos et photos des « Moudjahidin en action » de l'Irak à la Tchétchénie.

Khadija Abdul Qahar, la responsable du site (qui se présente comme une Canadienne convertie à l'islam après

---

24. L'Émirat islamique d'Afghanistan est le nom qu'ont donné les talibans en 1997 à l'État afghan. Aujourd'hui, celui-ci se nomme République islamique d'Afghanistan.

le 11-Septembre) s'est défendue avec vigueur lorsque je l'ai interrogée : «JUS n'est pas un site terroriste. Les terroristes sont à la Maison-Blanche. Nous rapportons l'autre côté de cette guerre afin que le public sache vraiment ce qui se passe en Afghanistan, en Iraq, etc. Les nouvelles des moudjahidin sont traduites et non censurées et c'est au lecteur de décider. » Khadija Abdul Qahar, connue aussi sous le nom de Bruce Kennedy, se défend de soutenir le terrorisme et affirme que son site est tout à fait légal. Pour elle, il n'y aura jamais de paix sans dialogue. Mais en même temps ce dialogue n'existera pas tant que l'«Américain moyen» ne verra pas le vrai visage de la guerre au terrorisme, poursuit-elle. Quant aux allégations selon lesquelles son site ne serait qu'une supercherie de la CIA, elle rappelle que c'est JUS qui a révélé le premier l'emploi d'armes chimiques à Fallouja (Iraq), et qui a dénoncé les cas de torture à la funeste prison d'Abou Ghraïb et la découverte de fosses communes.

Le Groupe salafiste pour la prédication et le combat (GSPC) algérien, organisation radicale fondée en 1998 et liée à Al-Qaida a déjà fait transiter son site jihadalgerie.com par Mississauga, en Ontario. Les différents sites du Hizb ut-Tahir, un autre groupe radical islamique banni dans plusieurs pays, ont aussi été mis en ligne depuis Montréal, Vancouver et Toronto. Plusieurs sites Internet d'organisations palestiniennes sont encore enregistrés à Toronto. Plus récemment, lors de la guerre au Liban, c'est une compagnie montréalaise qui a hébergé le site Internet d'Al-Manar, la chaîne de télévision du Hezbollah.

En février 2005, le Centre Simon Wiesenthal, organisation juive internationale avait dénoncé dans les médias six sites islamistes opérant depuis Kelowna (Colombie-Britannique). Figurait entre autres dans leur liste noire shareeah.org, le site du prédicateur londonien Abou Hamza Al-Masri arrêté en 2004. Immédiatement, tous ont changé de fournisseur. Shareeah a choisi de se relocaliser en Malaisie. Les autres au Pakistan et aux États-Unis. Un autre groupe de pression juif, le B'nai Brith, a prévenu en août 2001 la GRC de la présence de deux sites canadiens qu'il soupçonnait d'activités terroristes. Le premier, qudscall.com, affilié au groupe Djihad islamique, a alors quitté Toronto pour l'Iran. Le second, le site montréalais islamway.com, a temporairement fermé avant d'être de nouveau mis en ligne. C'est un message posté sur le forum invitant des volontaires à participer au *djihad* en Afghanistan qui avait attiré l'attention. Les administrateurs du site avaient vivement protesté contre cette «attaque», arguant du fait qu'il s'agissait d'un message privé et qu'ils ne pouvaient pas contrôler les milliers de messages postés quotidiennement par leurs internautes. En juin 2006, islamway a refait les manchettes dans la foulée du démantèlement du complot de Toronto. Un des dix-sept présumés terroristes aurait affiché sur ce site un poème qui disait ceci : «Oui, je sais mes os sont très tendres ; et par Allah vous ne me verrez jamais me rendre[25].»

Plus troublant encore, le consultant international sur le terrorisme Evan F. Kolman, affirme que le webmaster du Global Islamic Media Front, qui est relié lui aussi à Al-Qaida et qui aurait contribué à diffuser les vidéos de décapitations d'Occidentaux en Irak, a été localisé à plusieurs reprises dans la région de Toronto. Référence probable au fameux irhabi007.

Pourquoi les administrateurs de ces sites se tournent-ils vers le Canada et les États-Unis pour prospérer? Tout simplement parce qu'on y trouve les fournisseurs de services les plus efficaces, les plus rapides et les moins chers au monde, résume Evan F. Kohlman.

---

25. Adrian Humphreys, «Terror Suspect Thought to Be Rap Poet», *National Post*, 6 juin 2006.

Situation paradoxale puisque ces organisations profitent de nos lois qui protègent la liberté d'expression, alors qu'en même temps elles sont bannies du territoire en tant qu'entités terroristes et que tous ceux qui apportent à ces mêmes entités un soutien matériel peuvent théoriquement être poursuivis.

CHAPITRE 9

Le Canada est-il le prochain ?[1]

« Comme vous nous assassinez,
vous le serez aussi. »
Global Islamic Media, juillet 2005.

L'incertitude rend nerveux les espions du SCRS et obsède les policiers chargés de la lutte contre le terrorisme. «Chaque soir, lorsque je me couche, je suis soulagé que la journée se soit déroulée sans drame. Mais lorsque je me réveille le lendemain matin, je me demande ce qui va se passer, et j'espère qu'aucun détail fatal ne nous a échappé», me confie l'un d'eux. Cette phrase illustre parfaitement le caractère spécifique de la lutte contre le terrorisme. Contrairement à leurs collègues qui traquent le crime organisé ou les gangs de rue, ils évoluent dans un univers où la moindre erreur d'appréciation, la plus petite négligence, peut tourner à la catastrophe. Le danger est permanent et partout à la fois. On croit qu'il va frapper

---

1. Cette question, à laquelle on espère ne jamais obtenir de réponse, est aussi le titre d'un document rédigé en 2006 par le Centre intégré d'évaluation des menaces, un organisme gouvernemental installé dans les locaux du SCRS et chapeauté par un officier de la GRC.

devant un consulat étranger alors que le Liban est noyé sous les bombes, il choisit de surgir des mois plus tard sans aucune raison apparente dans un centre commercial ou n'importe quelle autre *soft target* (cible civile).

« La situation est très chaude ; la menace n'a jamais été aussi grande au Canada. Ne soyons pas naïfs, ce n'est qu'une question de temps avant qu'un attentat ait lieu ici. » Attablé à la terrasse d'un café du centre-ville, un autre interlocuteur, bien au fait des dossiers de terrorisme au Québec, ne lâche pas ces paroles pessimistes pour le simple plaisir de jouer les prophètes de malheur. Il ne fait qu'exprimer sans mettre de gants ce que plusieurs hauts responsables du SCRS, ainsi que des analystes du Service canadien du renseignement répètent depuis plusieurs années, en pesant leurs mots toutefois afin de ne pas affoler la population : « Il est évident que le Canada demeure la cible possible d'un attentat terroriste[2]. »

Et cette probabilité augmente de jour en jour, selon les experts. Un attentat visant directement la population canadienne ou bien, par ricochet, qui prendrait pour cible dans les rues d'une des grandes métropoles du pays un intérêt étranger, israélien ou américain, causerait un vrai choc au sein d'une population persuadée d'être aimée de tous les peuples du monde. Le Canada n'est-il pas le « plus meilleur pays au monde » pour reprendre une phrase célèbre de l'inimitable Jean Chrétien ? Le Canada n'est-il pas le pays que l'on a longtemps appelé à la rescousse pour des missions de paix sous l'égide de l'ONU ?

Alors, d'où provient le danger ? Les regards des agents du renseignement, tout comme ceux des fonctionnaires du Bureau du Conseil privé, sont tournés vers l'extrémisme

---

2. Extrait d'un rapport du CIEM, « Le Canada est-il le prochain ? », 2006.

Le Canada est-il le prochain ?

Intelligence Assessment　　　　　　　　UNCLASSIFIED - For Official Use Only
Évaluation de renseignements　　NON - CLASSIFIÉ - Réservé à des fins officielles seulement
06/23　　　　　　　　　　　　　　　　　　　　　　　ITAC / CIEM
discrètement une partie des rails du métro de Toronto. Quand il a été abordé par les responsables des transports en commun, il a indiqué qu'il filmait des sites touristiques à Toronto, comme la tour du CN, pour sa famille en Égypte.

Évaluation du CIEM

13) À la lumière de ce qui précède, il est évident que le Canada demeure la cible possible d'un attentat terroriste.

14) Al-Qaïda a indiqué que le Canada figurait sur sa liste des cibles prioritaires. Il demeure jusqu'à présent le seul pays nommément désigné à n'avoir pas été directement attaqué.

Le Canada est-il le prochain ? Policiers antiterroristes et agents de renseignement le craignent de plus en plus. (Collection de l'auteur.)

sunnite islamique qui représente désormais « la menace la plus sérieuse à la sécurité du Canada », peut-on lire dans plusieurs notes internes confidentielles rédigées en 2006[3].

Trois jours après la mise en garde de mon interlocuteur, dix-sept personnes, dont cinq mineurs, étaient arrêtées à Toronto au cours d'une vaste opération menée par l'Équipe intégrée de la sécurité nationale (EISN) de la GRC. Cette cellule terroriste présumée qui avait « adopté une idéologie

---

3. Le Bureau du Conseil privé est le ministère du Premier ministre et de son cabinet.

violente inspirée d'Al-Qaida», comme l'a alors expliqué aux médias Luc Portelance, le directeur des opérations du SCRS, aurait pris pour cible plusieurs édifices de Toronto et d'Ottawa. Ils auraient prévu de faire sauter le siège du SCRS ainsi que la tour du CN, le symbole de la ville-reine au même titre que l'étaient le World Trade Center à New York, au moyen de bombes artisanales à base de nitrate d'ammonium. «Ces arrestations démontrent que la menace est bien réelle, déclare Luc Portelance. Sans être alarmiste, il y a d'autres personnes qui nous intéressent au Canada.»

Vrai complot déjoué *in extremis* ou délire d'amateurs inoffensifs manipulés par le SCRS et les forces policières comme certains auraient tendance à le croire? «On parle de Toronto avec un air surpris, mais nous, les Canadiens, avons la mémoire sélective, fait remarquer un ancien agent du SCRS. Souvenons-nous des Ressam, Kamel, Atmani des années 1990!» À la même époque, Ressam et l'un de ses acolytes, Samir Ait Mohamed, avaient envisagé de faire exploser un camion-citerne rempli d'essence dans le secteur du quartier du Mile End fréquenté par les juifs hassidim. On peut aussi remonter plus de vingt ans en arrière avec la tragédie du vol 182 d'Air India reliant Toronto à Londres, qui a explosé en vol au-dessus de l'Atlantique, entraînant 329 personnes dans la mort.

D'aucuns ne se gênent pas pour rappeler à l'occasion que le Canada a toujours fait preuve de naïveté face au danger terroriste. Les nombreux loupés et dérapages survenus alors que la France sollicitait en vain l'aide du Canada pour neutraliser la cellule islamiste de Montréal en sont l'illustration la plus parfaite.

Pour un haut responsable français de la lutte contre le terrorisme, il est évident que le Canada ne pourra échapper à la terreur. Selon lui, aujourd'hui, la menace est tellement globalisée qu'on ne sait pas par quel miracle le Canada se retrouverait hors du champ de la menace. Il faut partir du principe que tous les pays occidentaux, tous les pays qui ne sont pas arabes ou musulmans, ou ceux dont les régimes sont considérés comme mécréants ou apostats par Al-Qaida sont visés. Pour cet expert, l'attitude longtemps naïve du Canada est non seulement grave mais suicidaire, car c'est le meilleur moyen de mettre en péril la sécurité collective.

> Il est extrêmement important dans les démocraties que l'on puisse appeler les gens à la vigilance et à la responsabilité, analyse-t-il. Que l'opinion publique canadienne et la classe politique considèrent désormais qu'ils sont potentiellement ciblés me paraît une bonne chose puisque cela induit de la vigilance. Lorsqu'il ne se passe rien dans un pays, on a tendance à considérer que les choses n'existent pas. L'opinion publique et les gouvernants appréhendent très mal la virtualité ! L'Europe, elle, a payé un tribut très lourd au terrorisme depuis 1975[4]. La meilleure façon d'être exposé au risque, c'est de se laisser entraîner dans des divisions nationales et partisanes.

Comme le disent si bien les agents du renseignement canadien, « le fait qu'aucun attentat n'ait encore été perpétré chez nous ne signifie pas pour autant qu'il n'y en aura jamais[5] ».

À plusieurs reprises depuis le mois de novembre 2002, l'organisation terroriste Al-Qaida[6] a désigné le Canada comme

---

4. À cette époque, il s'agissait essentiellement de terrorisme attribué à des groupes d'extrême gauche.
5. Extrait de l'étude « Processus de radicalisation des musulmans canadiens », SCRS, 2005-6/11.
6. Ces menaces ont été proférées notamment par Oussama ben Laden dans des enregistrements audio et vidéo diffusés sur des sites Internet djihadistes le 11 novembre 2002, le 31 mars 2004 et en juillet 2005.

l'une de ses cibles prioritaires, au même titre que la Grande-Bretagne, la France et l'Espagne.

Le 29 mars 2004, le septième numéro du magazine Internet « Camps militaire al-battar » lié à Al-Qaida, a placé le Canada en cinquième position sur la liste des pays « terroristes chrétiens » après les États-Unis, la Grande-Bretagne, l'Espagne et l'Australie. Cette menace explicite fait suite, quelques jours plus tard, à la série d'attentats dans des gares et des trains de banlieue dont Madrid, la capitale de l'Espagne, fut la cible. En outre, si l'on tient pour acquis, en se basant sur les déclarations de responsables d'Al-Qaida, que c'était l'Australie qui était directement visée par les attentats de Bali en octobre 2002, en raison de son soutien à George W. Bush, l'équation est fort simple : depuis lors, la Grande-Bretagne a été durement touchée, elle aussi, et seul le Canada n'a pas encore été frappé.

Dans une déclaration audio et vidéo signée du Global Islamic Media Front, organisme chargé de la propagande d'Al-Qaida et diffusée sur Internet en juillet 2005 à la suite des attentats de Londres, des menaces sont une nouvelle fois adressées aux six « alliés les plus importants des États-Unis ». Le Canada est encore cité. Les auteurs de ce message s'adressent plus particulièrement aux « peuples des pays alliés du gouvernement américain agressif » en des termes qui ne laissent planer aucun doute sur la nature de leurs intentions. Rappelant les drames vécus par ses « enfants d'Irak et de Palestine », le message d'Al-Qaida déplore que « la mort et la destruction demeurent notre lot à nous, alors que la sécurité et la stabilité restent de votre seul ressort ». Et d'ajouter :

> C'est un partage révolu. Il est grand temps que l'égalité soit rétablie. Comme vous nous assassinez, vous le serez aussi, et comme vous nous bombardez, vous le serez également. Et maintenant vous saurez qui vous frappe. [...] De quel droit vos gouvernements s'allient-ils à la clique criminelle

de la Maison Blanche contre le peuple musulman ? La clique
de la Maison Blanche est la plus meurtrière de l'époque
moderne. Rumsfeld et [Bush[7] ?] ont fait plus de deux millions
de morts, sans compter les blessés. Ils ont tué plus de gens à
Bagdad que Hulagu le Tartare ne l'a fait à son époque[8].

En 2006, le Canada est à nouveau placé dans la mire des
terroristes djihadistes, cette fois-ci en raison de son engagement
en Afghanistan. Au cours du mois de juillet, Hossam Abdul
Raouf, membre d'Al-Qaida et par ailleurs le rédacteur en chef
de « Vanguards of Kharasan », un document de propagande
des moudjahidin afghans propagé sur Internet, s'en prend au
Premier ministre Stephen Harper et au Canada qu'il accuse
de mener une croisade chrétienne en Afghanistan et contre les
musulmans dans leur ensemble. Faisant ensuite allusion aux
combats violents et à la multiplication des attentats-suicides
qui font des ravages dans les rangs des Forces canadiennes dans
la région de Kandahar, Hossam Abdul Raouf regrette que les
Canadiens « ne comprennent pas la leçon facilement. […] Ils
seront forcés de retirer leurs troupes ou devront faire face à des
opérations [attentats] similaires à celles de New York, Madrid,
Londres et leurs sœurs, avec l'aide d'Allah[9] ».

Enfin, le 12 février 2007, à travers un communiqué diffusé
sur un site Internet djihadiste, l'Organisation d'Al-Qaida
dans la péninsule des Arabes (en Arabie Saoudite) a appelé à
frapper les installations pétrolières des pays, tels le Canada,
qui fourniraient les États-Unis en or noir. À ces menaces sans

7. Inaudible.
8. Extraits du document « Al-Qaida désigne le Canada et l'Europe dans sa
   déclaration de juillet 2005 », rédigé par le Ciem. Date indéterminée.
9. « The Crusaders Admit : Our Troops are Being Defeated in
   Afghanistan ; An Analytical Study of the Crusader Forces Occupying
   Afghanistan », 27 octobre 2006. Document disponible sur le site
   Internet de Site Institute.

ambiguïté, il faut ajouter un certain nombre de faits troublants. Plusieurs Canadiens, en particulier des Montréalais, ont été condamnés dans plusieurs pays étrangers pour des activités terroristes ou font face à des accusations de nature similaire. Les enquêtes conduites dans le cadre de ces dossiers ont révélé que certains de ces individus disposaient de réseaux de soutien au Canada. Un informaticien d'Ottawa, Momin Khawaja, a été accusé en vertu de la nouvelle loi antiterroriste C-36 et est emprisonné à Ottawa en attendant son procès. Cinq résidents ou réfugiés canadiens, Hassan Almrei, Mahmoud Jaballah, Mohammad Mahjoub, Mohamed Harkat et Adil Charkaoui[10], sont visés par un certificat de sécurité. Le SCRS a des «motifs raisonnables de croire» que ces hommes sont des membres des organisations terroristes Al-Jihad, dans le cas de Jaballah, et d'Al-Qaida, en ce qui concerne les quatre autres noms cités.

Au cours des dernières années, plusieurs individus ont été surpris en train de filmer de façon discrète des édifices gouvernementaux ou des infrastructures de transports publics, notamment à Toronto et Montréal, apprend-on sans plus de détails dans divers documents officiels. Le directeur du SCRS, Jim Judd, a déjà affirmé publiquement «que des activités de reconnaissance pour la planification d'attentats sont menées au Canada et visent des cibles diverses dans certaines de nos plus grandes villes. Des attentats contre l'une de ces cibles pourraient causer un nombre effarant de morts[11]». Dans une de ses «Évaluations de renseignements» adressée au conseiller à la sécurité nationale au Bureau du Conseil privé, le Ciem relate

---

10. Les deux premiers sont détenus dans un centre de détention de très haute sécurité à Kingston (Ontario), surnommé le Guantanamo du Nord par ses détracteurs. Harkat, Charkaoui et Mahjoub sont en liberté conditionnelle.
11. Exposé de Jim Judd devant le Comité sénatorial sur la loi antiterroriste, Ottawa, 7 mars 2005. Site Internet du SCRS.

que Transports Canada a publié en mars 2006 une étude dans laquelle sont recensées certaines installations «désignées comme des cibles possibles d'attentat terroriste au Canada». Sans les citer précisément, le Ciem note que les lieux en question font partie d'une liste de 22 endroits comprenant la tour du CN et le métro de Toronto, des édifices du Parlement, des centrales nucléaires, ponts, synagogues, et gares maritimes.

Toujours sur le même sujet, on se rappellera le cas de deux frères d'origine marocaine interpellés par la police espagnole en mai 2005 dans le cadre de l'enquête sur les attentats de Madrid et qui avaient téléchargé dans leur ordinateur un dossier complet sur le métro de Montréal ainsi que sur ceux de Londres et Madrid, plus des photos des bus à impériale de la capitale britannique. Si la GRC avait été rapidement mise au courant de cette découverte surprenante, le Service de police de Montréal ne l'a appris, lui, que cinq mois plus tard, en lisant les journaux! Une anecdote qui illustre encore une fois très bien la méfiance qui peut régner à l'occasion entre les différents services de police lorsque vient le temps de partager l'information. À l'époque, les autorités ont tout fait pour dédramatiser l'affaire, expliquant entre autres que les informations obtenues par les deux individus interpellés étaient accessibles à tous sur le site de la société de transport de Montréal. Cependant, l'un de mes interlocuteurs n'en démord pas : «Ce n'est pas un hasard», croit-il pour sa part. Pour étayer ses propos, il raconte que des étudiants étrangers séjournant au Canada avec des visas temporaires ont été interpellés alors qu'ils filmaient des installations du métro. À chaque fois, ceux-ci ont prétendu qu'il s'agissait d'un travail scolaire, mais après vérification il n'en était rien. «Nous savons que les terroristes se sont intéressés au métro de Montréal et au train GO à Toronto que j'estime être des cibles plus immédiates», avouait à la même époque Dale Neufeld, directeur adjoint des opérations au SCRS[12].

Des complots non médiatisés

Officiellement, pour l'opinion publique, Toronto a été le complot terroriste le plus inquiétant mis au jour au cours des dernières années. En fait, ce n'est pas le seul. D'autres projets parfois d'ampleur similaire, des cellules plus ou moins structurées, des individus fortement soupçonnés de terrorisme, sont neutralisés chaque année au Canada dans la plus grande discrétion.

Dans le « Rapport ministériel sur le rendement 2004-2005 », remis le 6 février 2006 au nouveau ministre fédéral de la Sécurité publique Stockwell Day par le Commissaire de la GRC G. Zaccardelli, il est écrit ceci :

> Nous avons travaillé de plus en plus de manière intégrée afin de réduire la menace du terrorisme au Canada. Les succès obtenus grâce à nos enquêtes ont entraîné la perturbation d'un certain nombre d'activités terroristes planifiées, ce qui a permis de réduire le niveau de menace national.

Combien de « perturbations » ont été réalisées ? La réponse, soigneusement dissimulée dans un tableau, est de douze[13]. Soit en moyenne une par mois, en majorité reliées à des réseaux islamistes.

Qu'entend-on par perturbation (ou *disruption* en anglais) ? Lorsque, pour différentes raisons, certains complots ou

---

12. Témoignage devant le « Sous-comité de la Sécurité publique et nationale du Comité permanent de la justice, des droits de la personne, de la sécurité publique et de la protection civile », 22 février 2005. Site Internet du Parlement.
13. Rapport « Royal Canadian Mounted Police Departmental Performance Report for the period ending March 31, 2005 ». Archives de l'auteur.

menaces ne peuvent être portés en justice en vertu d'accusations à caractère terroriste, ils deviennent des perturbations
dès lors qu'ils ont été neutralisés. En clair, les policiers
de la GRC forcent les conspirateurs ou activistes à cesser
leurs activités en employant des méthodes surprenantes
pour qui n'est pas familier avec cet univers. Par exemple,
si les personnes soupçonnées sont au Canada, les policiers
peuvent aller jusqu'à les informer qu'ils sont au courant de
leurs manigances. Elles peuvent aussi être questionnées et
interrogées de manière soutenue. Pour d'autres, on va choisir
de procéder à des filatures apparentes. Le but de la manœuvre
est que les personnes sentent que les services de police ne les
lâcheront plus !

Le SCRS semble aussi employer le même stratagème de
guerre psychologique. Si l'on revient au dossier de Toronto,
il est admis que le SCRS avait frappé aux portes des parents
de certains mineurs concernés quelques mois avant le coup
de filet pour les avertir que leurs enfants filaient un mauvais
coton. Sans résultat cette fois. En 2004, toujours à Toronto,
une cellule composée de quatre Algériens soupçonnés d'être
membres du groupe terroriste GSPC a été neutralisée de la
même façon. Trois d'entre eux ont été expulsés vers les États-
Unis, le quatrième, chef présumé et spécialiste en explosifs
formé en Afghanistan, a quitté de lui-même le pays après un
interrogatoire de confrontation.

Abousofian Abdelrazik et Raouf Hannachi, deux
Montréalais fortement suspectés par les autorités et plusieurs
gouvernements étrangers d'être des terroristes, ont quitté
en catastrophe le Canada en 2001 après s'être plaints de
«harcèlement» constant de la part du SCRS. Celui-ci peut
effectivement choisir de mettre la pression sur un individu
en commençant par interroger ses relations périphériques,

puis en resserrant les mailles du filet sur ses proches, et ainsi de suite jusqu'à la cible principale, qui va finir par craquer.

La GRC et le SCRS peuvent aussi avoir tout simplement recours aux lois sur l'immigration en retirant ou refusant le statut de réfugié à une personne suspecte, pour l'expulser du pays. À condition qu'il ne se terre pas dans la clandestinité entre-temps! D'autres seront tout simplement renvoyés dans leur pays d'origine à leur descente d'avion. Un activiste irlandais de l'IRA a vécu cette mésaventure il y a quelques mois à l'aéroport Trudeau. Ou bien encore ils se verront refuser leur visa d'entrée par les services consulaires canadiens dans leur pays d'origine.

Gangsterroristes

Une dernière option consiste à attaquer ces réseaux par le biais d'une partie de leurs activités qui relève de la petite criminalité. La force et la faiblesse du système, note Michel Juneau-Katsuya, ex-agent du SCRS et aujourd'hui président du Groupe Northgate, c'est que Al-Qaida repose sur des réseaux coupés les uns des autres. Conséquence, en Occident, par exemple, la plupart des cellules djihadistes de la branche maghrébine ne peuvent compter que sur la petite délinquance pour s'autofinancer. Car Ben Laden ne fait pas de virements! C'est pour cette raison que les services policiers ne doivent plus négliger de travailler sur des réseaux de voitures volées, de falsification de documents d'identité, de clonage de cartes de crédit et de débit, de contrebande de cigarettes (très prisée du Hezbollah), mais aussi sur les organismes de charité bidon. Un petit voleur d'ordinateurs portables qui écume les rues du centre-ville de Montréal peut éventuellement permettre de remonter une filière jusqu'à un receleur, lui-même intimement lié à un groupe terroriste. Tout le problème pour les équipes d'enquêteurs est de réussir à le prouver.

En France, le gang de Roubaix, lié à plusieurs Montréalais, a commis un certain nombre d'attaques violentes de fourgons blindés au début de l'année 1996 pour financer la cause. En Espagne, les auteurs des attentats de Madrid avaient financé l'achat du matériel nécessaire à la fabrication de leurs bombes, de la dynamite notamment, par le biais du trafic de stupéfiants ainsi que de la revente de biens volés.

En juillet 2001, Ahmed Ressam a raconté lors du procès de Mokhtar Haouari que ce dernier avait accepté que sa boutique serve de caution pour qu'il puisse obtenir une fausse carte de crédit au nom de Benni Noris. (Haouari avait alors racheté le magasin de Fateh Kamel sur le boulevard Saint-Laurent.) Au cours du même témoignage, Ressam a aussi révélé que Mokhtar Haouari et Samir Ait Mohamed clonaient des cartes de crédit en usurpant des identités et numéros de compte volés dans des restaurants et divers autres commerces. Haouari avait transformé à ces fins son appartement de la rue Sherbrooke en atelier de faussaire. En octobre 1999, Haouari et Ait Mohamed avaient aussi suggéré à Ressam d'ouvrir un commerce, le marché Benni, boulevard Lacordaire, pour piller les cartes bancaires de ses clients. Haouari souhaitait se servir des montants amassés pour financer son voyage vers un camp d'Al-Qaida en Afghanistan. Ressam et plusieurs autres comparses commettaient aussi toutes sortes de larcins. Ils visitaient les chambres d'hôtel, volaient des vêtements dans les magasins, etc.

Un luxueux véhicule utilitaire sport dérobé à Montréal pourra également servir à financer le terrorisme. Les Cadillac Escalade, Nissan Murano et autres Lexus volées en Amérique du Nord sont embarquées à peu de frais sur un bateau puis revendues à prix d'or en Europe ou au Moyen-Orient. Plus grave encore, selon le Bureau d'Assurance du Canada « de récents renseignements indiquent que des véhicules volés exportés d'Amérique du Nord [...] dans certains cas ont été impliqués dans des attentats à la bombe perpétrés par des terroristes ». Au Canada, ce seraient 20 000 automobiles qui prendraient ainsi chaque année le chemin de l'exportation sur les 170 000 dérobées[14]. En novembre 2001, le secrétaire général d'Interpol, Ronald K. Noble, avait déjà tiré la sonnette d'alarme lors d'un symposium, chiffres à l'appui. Les profits gigantesques générés par le vol de plus de trois millions de voitures par an, affirme M. Noble « peuvent servir à aider les organisations criminelles ou terroristes dans leur action de déstabilisation des nations en développement, et à consolider leur position[15] ».

Parmi les autres sources de financement du *djihad*, le détournement volontaire ou l'extorsion de la *zakât* (troisième pilier de l'islam), l'aumône versée par les musulmans dans les mosquées pour aider les pauvres, les nécessiteux, payer les dépenses de leur lieu de culte, etc.

Toujours dans le rapport de la GRC évoqué précédemment, on apprend par exemple qu'environ 50 000 passeports canadiens perdus ou volés seraient utilisés illégalement par des criminels, dont des terroristes. Quant aux Équipes intégrées d'évaluation de la loi sur l'immigration (EIELI), elles ont effectué des enquêtes sur les « fournisseurs et falsificateurs de documents susceptibles d'être des terroristes ou qui sont reliés à des réseaux terroristes ».

Enfin, dans son rapport annuel 2005-2006, le Centre d'analyse des opérations et déclarations financières du Canada

14. Communiqué « Le BAC accueille le sommet de 2006 sur l'exportation de véhicules volés : la lutte au vol d'autos, au crime organisé et au terrorisme », consulté sur le site Internet du BAC.
15. Communiqué de presse d'Interpol, daté du 19 novembre 2001. Site Internet de l'organisation.

(Canafe) estimait à 256 millions de dollars les sommes liées au financement du terrorisme brassées au Canada lors de cet exercice. Le Canafe a transmis 168 cas suspects aux policiers et au SCRS[16].

La guerre des polices

Au Québec, plusieurs entités sont chargées de la lutte contre le terrorisme. Si l'on prend l'exemple de Montréal, on retrouve sur le même terrain le SPVM, le Service de lutte contre le terrorisme de la Sûreté du Québec, le SCRS et enfin la GRC qui chapeaute aussi l'Équipe intégrée de la sécurité nationale (EISN), structure créée en avril 2002 et disposant d'un budget quinquennal de 64 millions de dollars. L'EISN est composée des représentants des corps de polices municipaux et provinciaux cités précédemment, auxquels s'ajoutent des fonctionnaires de Citoyenneté et Immigration Canada ainsi que de l'Agence des services frontaliers du Canada.

Tout ce beau monde se retrouve en général une fois par semaine autour d'une table au Quartier général de la GRC lors d'une réunion opérationnelle pour échanger ses renseignements, partager ses informations, faire le point sur les enquêtes en cours, et les éventuelles opérations conjointes à venir. Ce que l'on veut avant tout, c'est éviter les dédoublements, le gaspillage de temps et d'effectifs.

Inutile de dire que la cohabitation entre ces partenaires venus d'horizons divers, avec des moyens d'enquêtes et des buts totalement différents ne s'est pas faite sans heurts. Longtemps, par exemple, les policiers de la SQ et la GRC se sont regardés en chiens de faïence. « Il n'y avait pas de bonne

---

16. Communiqué mis en ligne le 4 octobre 2006, Site Internet www. fintrac.gc.ca

collaboration entre les polices », déplore une source bien au fait du dossier. En prime, le SCRS se sentait plus à l'aise, paraît-il, d'échanger ses informations avec la section antiterroriste de la SQ – même si elle aurait quelque peu perdu de son lustre, soutiennent certains – qu'avec la GRC, son frère ennemi dont il se méfie comme de la peste. Il ne faut pas perdre de vue que les contentieux sont nombreux en matière de terrorisme[17] entre ces deux entités qui ne faisaient pourtant qu'une jusqu'à leur scission en 1984. Malgré le précédent de l'affaire Ressam, la GRC ne semblait pas non plus intéressée à débusquer des réseaux par le biais de la petite criminalité. Elle lançait plutôt ces dossiers peu prestigieux dans la cour de la SQ espérant de son côté débusquer le coup du siècle, me confie une de mes sources. Bref, chacun voulait – et c'est encore certainement le cas aujourd'hui – démanteler son réseau pour le *scoop*. Ces tiraillements et le manque de volonté au sein de certaines hiérarchies policières exaspéraient aussi les Américains, en particulier le FBI et la CIA.

Aujourd'hui, il semble y avoir beaucoup moins de sable dans les engrenages. Les animosités se résorbent. Chacun essaie de se servir des forces de l'autre. Ce que certains nomment la vigilance partagée. Le mot d'ordre est : « Nous travaillons ensemble et pour tout le monde. » Le SPVM, par exemple, a la connaissance du terrain. Il est très présent, à l'écoute des

---

17. Dans cet ouvrage, nous avons notamment évoqué le cas du Québécois converti Youssef Mouammar, la taupe du SCRS qui a semé la panique à Montréal dans les années 1990 jusqu'à ce que la GRC et le SPVM découvrent le pot aux roses. Toujours à la même époque, un certain Ait Mohamed, qui voulait faire sauter un camion piégé à Montréal, aurait été alors un informateur de la GRC. Mais c'est surtout l'attentat contre le vol d'Air India en 1985 qui a fait éclater au grand jour des dissensions entre les deux organismes.

communautés. Il a développé un réseau de contacts et peut donc faire remonter des informations précieuses.

Le rôle du SCRS est strictement centré sur le renseignement. Il ne détient pas le pouvoir d'arrêter des individus, ni même celui de les contraindre à coopérer. En outre, les informations qu'il recueille ne sont pas utilisables dans des poursuites criminelles. Ce qui veut dire que, lorsque le SCRS a des motifs raisonnables de croire, en se basant sur les renseignements et les indices qu'il a obtenus, qu'un individu ou un groupe d'individus se livre à des activités terroristes, il doit confier l'affaire à la GRC, qui reprend celle-ci au point de départ pour pouvoir entamer des poursuites judiciaires. Filatures, écoutes électroniques, interrogatoires, tout est à refaire ! Plusieurs mois peuvent s'écouler entre ce transfert de dossier et d'éventuelles arrestations. Il arrive aussi que la GRC considère que les preuves ne sont pas suffisantes. En matière de financement par exemple, il est difficile de prouver que l'argent collecté par un réseau criminel sert en partie ou en totalité à un groupe terroriste. La GRC retourne le dossier dans les mains du SCRS ou abandonne les poursuites. Si les individus ne sont pas citoyens, ils peuvent éventuellement aussi être arrêtés en vertu d'un certificat de sécurité puisque le niveau de preuve pour cette procédure de la loi d'immigration est plus «faible» que pour tout autre dossier transmis à la Cour. Autre option, les suspects peuvent être tout simplement «perturbés», comme nous l'avons expliqué précédemment.

Pendant ce temps-là, les terroristes de tous acabits se frottent les mains devant un tel gaspillage de ressources policières. Et lorsqu'ils sont arrêtés, enrage un policier en pensant notamment aux cinq hommes[18] visés par un certificat

18. Mohammad Mahjoub, Mahmoud Jaballah, Hassan Almrei, Mohamed Harkat et Adil Charkaoui.

de sécurité, ils prennent un malin plaisir à ensevelir les tribunaux sous une pluie de recours, font tout ce qu'ils peuvent pour dépeindre une image négative du Canada, des forces policières et du SCRS, hurlent à l'erreur judiciaire, au racisme et à l'islamophobie. « Nous, on appelle ça le *judicial jihad* ! »

Pour ne rien arranger, le SCRS qui se prépare à une vague de départs à la retraite de ses *baby-boomers* serait affecté par un manque criant de personnel, conséquence de choix politiques passés incongrus, comme l'ont déploré récemment les sénateurs canadiens :

> Les compressions budgétaires exercées par le gouvernement au début des années 1990 ont engendré une perte de 760 postes, laissant ainsi le SCRS avec un effectif de seulement 2 000 employés en 1998-1999. Parallèlement, les menaces à l'endroit du Canada et les exigences du gouvernement se sont mises à augmenter. On demandait au SCRS de faire plus avec moins. […] C'est bien dommage parce que le besoin d'intervention du SCRS à l'extérieur du Canada, en réponse à des menaces potentielles pour le Canada, a augmenté considérablement. Lorsque le SCRS doit mener une mission outre-mer, il lui faut envoyer sur place des enquêteurs chevronnés qui travaillent habituellement ici au Canada. Ceux-ci se voient alors obligés de laisser en plan les enquêtes qu'ils font au Canada, ce qui ne fait qu'accentuer la pénurie de ressources pour mener à bien les opérations[19].

Sur le terrain, ce manque de personnel a des conséquences. Le SCRS doit composer avec des effectifs limités pour les filatures. Entre un gars qui recueille des fonds pour la cause à l'étranger et un extrémiste soupçonné de préparer un attentat au Canada, les espions vont choisir le second. Et encore, suivre

---

19. Rapport intérimaire du Comité sénatorial permanent de la défense et de la sécurité, octobre 2006. Site Internet du Sénat.

un groupe d'individus dangereux 24 heures sur 24 relève aussi, semble-t-il, de la mission impossible. Bien qu'il y ait un grand nombre d'extrémistes qui se terrent à Montréal, le SCRS est condamné à agir par priorités.

Pourtant, il est tout aussi difficile d'envisager que la GRC et le SCRS puissent se partager les filatures. En raison du caractère secret de son travail, le SCRS rechigne à faire témoigner ses agents en Cour pour préserver leur identité. Un des rares exemples récents de partage de ressources humaines concerne le dossier de Momim Khawaja, l'informaticien d'Ottawa poursuivi en vertu de la nouvelle loi antiterroriste.

Un ex-policier croit avoir trouvé le mal plus profond qui affecte la machine : «Le policier de la GRC est un gars d'opération qui veut arrêter et accuser. L'agent du SCRS veut travailler le renseignement. Ce sont deux mondes inconciliables. »

Louis Caprioli, l'ancien sous-directeur de la section antiterroriste de la DST (Direction de la surveillance du territoire) française, a travaillé avec ses confrères canadiens du temps de la cellule de Montréal. Selon lui, le Canada est affecté par deux handicaps dans sa lutte contre le terrorisme : une législation pas adaptée, ainsi que des structures qui ont de la difficulté à communiquer ensemble.

«Le SCRS a toujours très bien travaillé, dit-il. Le problème se situe lors du passage du renseignement au judiciaire. À la DST, nous avons réussi à intégrer dans le même service la collecte de renseignement à travers des sources humaines, techniques et des échanges avec sources étrangères, avec la section analyse et le service de neutralisation judiciaire qui était placé sous mes ordres. Désormais, il y a des échanges entre ceux qui récoltent l'information et ceux qui doivent l'exploiter. Ce ne sont plus deux mondes différents. Il y a fluidité dans la circulation de l'information. C'est le principe de judiciarisation du renseignement pour lutter contre le terrorisme. Nous ne nous sommes plus contentés d'avoir des dossiers formidables sur les réseaux; notre souci était de neutraliser ces mêmes réseaux. La DST est devenue un service de police qui, non seulement fait du renseignement, mais en plus exploite ce renseignement.»

De son côté, le SCRS est jaloux des pouvoirs extraordinaires conférés aux policiers et agents du renseignement français par la législation antiterroriste mise en place en 1986 à la suite d'une série d'attentats meurtriers. À titre d'exemple, les suspects de terrorisme sont placés en garde à vue pendant quatre jours à la suite de leur arrestation. Leurs avocats ne peuvent les visiter qu'au bout de la soixante-douzième heure et seulement pendant un court laps de temps. Au palais de justice de Paris, une section de juges antiterroristes est en outre entièrement dédiée à cette lutte.

Mais Paris abrite aussi une structure de lutte contre le terrorisme islamique longtemps gardée secrète. Surnommée Base Alliance, dont on sait peu de choses si ce n'est qu'elle regroupe des agents des services secrets et du renseignement français, allemands, britanniques, australiens, américains et... canadiens[20].

Des cellules et des hommes sous surveillance

Les mauvaises langues répètent que le Canada est un havre douillet et tranquille pour terroristes. Sans aller jusqu'à cet extrême, le grand patron du SCRS a déjà révélé que «plusieurs terroristes formés dans des camps d'entraînement, dont bon nombre sont des vétérans aguerris ayant participé à des campagnes en Afghanistan, en Bosnie, en Tchétchénie et

---

20. Dana Priest, «Secret Antiterrorism Unit Pairs CIA, Europeans», *The Washington Post*, 4 juillet 2005.

ailleurs, habitent ici, tandis que d'autres cherchent toujours à entrer au pays ». Souvent, a-t-il ajouté, « ces individus restent en contact les uns avec les autres au Canada ou ont des liens à l'étranger, et certains signes indiquent qu'ils continuent de participer à des activités clandestines, utilisent des techniques de contre-surveillance, tiennent des réunions secrètes et se transmettent des messages encodés[21] ».

Toronto et Montréal, en raison de leur caractère multiculturel, abritent un grand nombre d'extrémistes reliés à différentes causes nationalistes ou religieuses, que ce soit des djihadistes, des extrémistes tamouls, des partisans chiites du Hezbollah et bien d'autres encore.

Les groupes terroristes apprécient Montréal en raison de sa situation névralgique à proximité de la frontière américaine, pour son port et son aéroport, les trois étant relativement vulnérables aux infiltrations. « Le Québec est une base logistique », confirme un ex-policier canadien antiterroriste qui pointe aussi du doigt les universités qui sont en train de se transformer en véritable vivier de recrutement et de prosélytisme pour le radicalisme islamique.

La situation est tellement préoccupante que, dans la foulée des attentats de septembre 2001, David Cohen, le commissaire chargé du renseignement au NYPD (New York Police Department) a déployé un des membres de son équipe à Montréal (un second est basé à Toronto). Cet enquêteur américain est installé aujourd'hui encore dans les bureaux de la Section de lutte contre le terrorisme de la Sûreté du Québec, rue Parthenais.

---

21. Allocution de Jim Judd, directeur du Service canadien du renseignement de sécurité, Ottawa, lundi 7 mars 2005, devant le Comité spécial sénatorial sur la loi antiterroriste. Site www.parl.gc.ca.

Au début, sa présence a fait grincer des dents, non seulement au Canada, mais aussi aux États-Unis, notamment celles du FBI qui était contre cette initiative. Mais qui à l'époque aurait eu l'audace de contester l'initiative des policiers new-yorkais à peine remis du drame épouvantable qui venait de frapper leur ville? Personne, bien sûr. Pour un expert de la lutte contre le terrorisme, cette stratégie élaborée par Cohen qui consiste à placer ses pions là où la menace se fait le plus sentir est très bonne. «Les policiers antiterroristes du NYPD savent des choses que la Sûreté du Québec ignore...», précise-t-il.

Au début de l'année 2007, en opérant différents recoupements, il est possible d'affirmer qu'une trentaine de Montréalais reliés à l'islamisme radical sont considérés comme une menace potentielle à la sécurité du pays. Ils sont donc l'objet d'une surveillance attentive. À ce chiffre, il faut ajouter quelques dizaines d'individus satellites présentant un intérêt moindre. Certains sont ciblés par le SCRS, d'autres par la GRC ou bien sont dans le collimateur des deux organismes. Mais il y a les inconnus, les agents dormants, les francs-tireurs non inféodés à un groupe, en résumé ceux qui réussissent à passer sous le radar des forces policières jusqu'au moment où ils vont émerger pour frapper à la grande surprise de tout le monde. Ceux-ci sont autrement plus inquiétants.

Ces Montréalais suivis à la trace jusqu'au jour où, éventuellement, ils pourraient être arrêtés, sont des ex-condamnés dans des causes liées au terrorisme à l'étranger revenu au pays après avoir purgé leur peine, des facilitateurs, des vétérans des camps afghans, des chefs religieux, des «financiers», des organisateurs, des petits soldats, etc.

Que leur activité professionnelle serve de paravent ou qu'ils mettent leurs talents de faussaire ou d'escroc au service de la cause, ils apportent chacun leur petite pierre à la construction de l'entreprise terroriste. Chacun a un rang et un rôle à jouer au sein de sa cellule. Ce ne sont pas tous des poseurs de bombes, direz-vous, mais ce n'est pas pour autant qu'il faut négliger leur importance.

Dans une entrevue accordée à un quotidien québécois en décembre 2001 peu après la remise en liberté sous caution d'Abdellah Ouzghar par un juge ontarien au prétexte qu'il n'avait pas commis d'acte de violence, le juge d'instruction antiterroriste français Jean-Louis Bruguière a vertement dénoncé cette distinction que certains seraient tentés de faire entre un logisticien et un tueur. Pour ce magistrat, sans réseau logistique, il ne peut pas y avoir « d'opération à caractère terroriste ». Afin de bien se faire comprendre, il ajoute : « Ce n'est pas parce que quelqu'un ne met pas les doigts dans le cambouis qu'il a les mains propres. [...] Ces réseaux sont encore plus importants, font partie du complot, d'un ensemble de dispositifs militaires mis en place pour commettre des actions terroristes. » Et de décocher une dernière pique : « Il ne faut pas être angélique ; il faut être conscient de cela[22]. »

À l'échelle du Canada, ce sont plusieurs centaines de personnes qui sont placées sur ces listes de surveillance terroriste du SCRS, toutes appartenances confondues. En 1998, le SCRS avait fait sensation, et suscité bien des sarcasmes, lorsqu'il avait révélé dans son rapport public qu'il enquêtait sur 350 membres de 50 organisations terroristes. Depuis, l'appareil de renseignement se montre plutôt discret sur ce point, évitant à tout prix de donner un chiffre précis.

Voici la transcription d'un échange intervenu le 7 mars 2005 à Ottawa entre le sénateur Fraser du comité sénatorial

---

22. Gilles Toupin, « Le Canada n'a pas compris les leçons du 11-Septembre », entrevue avec Jean-Louis Bruguière, *La Presse*, 21 décembre 2001.

spécial sur la loi antiterroriste (C36), et Jim Judd, le directeur du Service canadien du renseignement de sécurité :

– *Le sénateur Fraser* : Je sais que le SCRS a des listes de surveillance terroriste. Un profane pourrait croire que c'est une fonction fondamentale du SCRS. Pouvez-vous nous donner une idée des critères utilisés pour inscrire quelqu'un sur cette liste ?

– *Jim Judd* : Nous avons un répertoire interne des gens que nous soupçonnons d'avoir été ou d'être des membres d'une organisation terroriste. [...] Parmi les critères déterminant les personnes qui doivent figurer sur la liste, il y a, entre autres, les antécédents de la personne, le fait de savoir qu'elle a suivi une formation dans un camp de terroristes, qu'elle participe à des activités terroristes ailleurs dans le monde ou qu'elle a une affiliation reconnue avec des gens et des groupes terroristes connus. Il peut y avoir d'autres critères.

– *Le sénateur Fraser* : Comment procédez-vous pour déterminer si une personne a déjà participé, ou pourrait participer, à des types d'activités que nous ne voulons pas dans notre pays ?

– *Jim Judd* : On examine le comportement de la personne, ses relations et ses déplacements. Je n'ai énuméré que certains des facteurs que nous prenons en compte. Nous traitons chaque cas individuellement. C'est du cas par cas, et nous associons à chaque personne une certaine gradation dans la menace qu'elle représente. Il se peut qu'on s'intéresse à certaines personnes seulement pour déterminer si on devrait les surveiller à plus long terme. Si ce n'est pas le cas, on ne leur accorde plus d'attention. [...] Si, au cours de l'enquête, une personne se comporte d'une façon qui nous laisse croire qu'il faudrait s'y intéresser davantage, nous continuons d'enquêter, et son nom est inscrit sur une liste de surveillance interne. Il arrive parfois qu'on nous signale des gens, mais si pendant l'enquête on constate que les soupçons étaient sans fondement, nous arrêtons tout.

– *Le sénateur Fraser* : Enlevez-vous alors le nom de la liste ou est-ce qu'une fois le nom inscrit, il y demeure à jamais ? Épurez-vous la liste ?

– *Jim Judd* : Oui.

– *Le sénateur Fraser* : Pouvez-vous nous donner une idée du nombre de noms qui pourraient figurer sur une telle liste, aujourd'hui par exemple ? Je ne vous demande pas de divulguer des renseignements secrets.

– *Jim Judd* : Je vais vous donner un chiffre approximatif très vague ; disons que c'est dans les centaines.

– *Le sénateur Fraser* : Pas les milliers ?

– *Jim Judd* : Non, pas au Canada[23].

C'est effectivement l'équation «passé + potentiel» qui place l'individu sur le radar, confirme un policier. C'est à cet instant que le travail commence. Pour Marc Sageman, la triangulation, c'est-à-dire le recoupement d'informations pertinentes, s'avère utile pour identifier un individu suspecté d'être membre d'un réseau djihadiste. Parmi les facteurs pouvant susciter l'intérêt, il cite les destinations «sensibles» (Syrie, Pakistan, Yémen, etc.), l'adoption de la doctrine salafi accompagnée d'un changement vestimentaire, de *look*, le prosélytisme, les disputes avec des imams, le *paintball* et les arts martiaux, la navigation sur des sites Internet, *chats* et forums djihadistes, etc.

Neutraliser une cellule terroriste est beaucoup plus complexe qu'un groupe de motards criminels ou de mafieux. Les structures extrémistes sont en effet d'abord et avant tout soudées par des liens amicaux ou familiaux. Par exemple, la cellule de Montréal des années 1990 s'était constituée autour

---

23. Délibérations du Comité sénatorial spécial sur la loi antiterroriste, Ottawa, 7 mars 2005. Retranscription disponible sur le site Internet du Parlement www.parl.gc.ca.

d'un noyau de moudjahidin qui avaient participé ensemble à la guerre en Bosnie. Par conséquent, ces groupes sont difficiles à infiltrer. Les accès sont fermés. La clé, c'est éventuellement celui qui a été trahi et humilié et qui veut se venger. Une perle rare dans la mouvance djihadiste. «Ces personnes se recrutent mutuellement, confirme Marc Sageman. Il n'y a pas de budget recrutement chez Al-Qaida. Ce sont des bandes de gars qui décident collectivement de passer à l'attaque. Si l'on prend l'exemple de Madrid, les auteurs des attentats habitaient tous le même quartier. Ce réseau s'est constitué très vite. Les liens se sont accentués dans les trois mois qui ont précédé les attaques.»

À Montréal, les autorités ne semblent pas avoir repéré pour le moment des cellules islamistes constituées et établies, mais plutôt quelques structures informelles tout aussi dangereuses. Comme le dit Marc Sageman, en raison de la coupure des liens entre les anciens leaders et les nouveaux terroristes qui commettent des attentats au nom d'Al-Qaida, «il y a beaucoup de petits Indiens qui tournent en rond mais bien peu de chefs».

Comme pour n'importe quel groupe criminel, être capable de prouver devant les tribunaux l'existence d'une cellule terroriste hiérarchisée et aboutie, décortiquer précisément tous les liens, exige un travail colossal de la part des enquêteurs. Même en ayant recours à une filature intensive et à des heures d'écoute électronique, la confirmation peut s'avérer plus compliquée que prévu. En prime, la plupart des individus suspectés semblent connaître tous les trucs pour mêler les cartes des policiers. Ils parlent en langage codé, sont passés maîtres dans l'art de la contre-filature, passent leur auto au peigne fin pour détecter les micros et les puces GPS, prennent d'infinies précautions lors de rendez-vous. Par exemple, certains vont même jusqu'à exiger lors de rencontres que leur interlocuteur ôte la pile de son cellulaire pour le rendre inopérant.

Toujours pour brouiller les cartes, il arrive qu'ils organisent leurs rencontres dans des véhicules, en particulier des taxis. Il n'est alors pas difficile d'imaginer le boulot monstre qui attend les enquêteurs du SCRS ou de la GRC pour analyser dans le détail les activités du suspect. Photographier les centaines de clients qui embarquent dans ce véhicule chaque mois, c'est facile, mais lequel dans le groupe est le complice ? Si, pour ne rien arranger, le suspect change de véhicule régulièrement, il est alors impossible de le *bugger* (équiper de micros cachés). «*Idem* lorsqu'une cible pénètre dans une boucherie *halal* les mains vides mais ressort avec un journal, explique un ex-policier antiterroriste. Pour nous, c'est évident que le code est dans le journal. Comment faire pour le prouver en Cour ?»

Pour fomenter un complot, il faut communiquer, rencontrer et échanger. Alors, à un moment ou à un autre, tous ces individus qui se savent filés, qu'ils soient terroristes ou mafieux, baissent la garde, ils deviennent plus vulnérables. D'autant plus que certains se croient invincibles.

Et maintenant ?

Pour mettre un frein au terrorisme, une politique énergique de répression policière et judiciaire doit absolument aller de pair avec un processus d'intégration et de mobilisation au sein de la communauté musulmane pour résister à la radicalisation, écrivent les agents de renseignement hollandais dans un rapport récent. Ils ont raison. La lutte antiterroriste est un exercice délicat et précis dans lequel les politiciens ne doivent pas s'immiscer pour satisfaire leur électorat. La revanche est non seulement mauvaise conseillère, mais en prime elle a souvent pour résultat de se créer plus d'ennemis.

Les islamistes, comme tous les activistes du monde, font leur miel de la colère et de la frustration de leur communauté. Mais à la différence des Irlandais, des Basques, des Kurdes et même des Palestiniens, aucune négociation n'est envisageable avec les groupes djihadistes. Tout simplement parce que leur programme politique est basé sur un rêve inaccessible.

«Le terrorisme, comme tous les crimes, va demeurer, conclut Marc Sageman. Mais le rêve islamique utopique commence vraiment à ressembler de plus en plus à un mauvais rêve.»

Montréal, 12 février 2007

ANNEXE

Groupes et entités considérés comme terroristes par le Canada

Al Jihad (AJ)

Autre nom • Jihad islamique égyptien (JIE)

Description • L'AJ, qui a été fondé dans le courant des années 70, affirme offrir une solution aux problèmes sociaux, économiques et politiques de l'Égypte en contestant le gouvernement égyptien actuel. Le groupe a recours au terrorisme pour tenter de renverser le régime établi et le remplacer par un État islamique. L'AJ est étroitement associé au terrorisme depuis sa création, ayant notamment assassiné le président égyptien de l'époque, Anouar el-Sadate, en 1981. À l'extérieur du territoire égyptien, l'AJ a entre autres participé aux attentats à la bombe commis contre deux ambassades américaines en 1998 en Afrique, certains de ses membres ayant été formellement accusés par les États-Unis. Le groupe a des liens avec Oussama ben Laden et al-Qaïda et est un des signataires de la fatwa (décret religieux) de 1998 contre les États-Unis et Israël.

Date d'inscription sur la liste • Novembre 2002

Al-Ittihad Al-Islam (AIAI)

Description • L'AIAI est une organisation islamiste établie à l'échelle internationale qui commet des actes de terrorisme en Somalie et en Éthiopie. Guidée par le désir de créer une théocratie islamiste fondée sur la loi islamique, l'AIAI cherche à regrouper tous les musulmans de la région dans une «grande Somalie». Pour y arriver, l'AIAI est résolue à employer aveuglément des tactiques de terreur, notamment en prenant pour cibles des étrangers et les dirigeants politiques d'États étrangers. L'AIAI a des liens avec des États qui soutiennent le terrorisme et entretiendrait des relations opérationnelles avec al-Qaïda.

Date d'inscription sur la liste • Novembre 2002

Al-Jama'a al-islamiya (AJAI)

Autre nom • Groupe islamique (GI)

Description • L'Al-Jama'a al-islamiya cherche à renverser par la violence le régime égyptien actuel et à le remplacer par un État régi par la loi islamique. Il s'agit de l'un des groupes terroristes égyptiens les plus extrémistes et les plus nombreux. L'AJAI se spécialise dans les attaques armées contre les représentants du gouvernement et les responsables de la sécurité, les touristes occidentaux et toute autre personne qui serait opposée à l'instauration d'un État islamique en Égypte. Le groupe a été décrit comme ayant des liens avec le réseau d'Oussama ben Laden et a signé sa fatwa (décret religieux) du 23 février 1998 contre les États-Unis et Israël, selon laquelle tous les musulmans ont le devoir de tuer les citoyens américains et leurs alliés, civils ou militaires, chaque fois qu'ils en ont l'occasion.

Date d'inscription sur la liste • Novembre 2002

Al-Qaïda

Description • Al-Qaïda est un organisme-cadre au cœur d'un réseau de groupes extrémistes sunnites associés à Oussama ben Laden. Elle a des ramifications au Moyen-Orient, en Afrique, en Asie centrale et en Amérique du Nord. Al-Qaïda est résolue à renverser les gouvernements laïques des pays islamiques et à éradiquer par la force les influences occidentales dans ces pays. Ben Laden et les membres de son réseau sont persuadés que le seul moyen d'atteindre ces objectifs est de recourir à la violence et de commettre des actes de terrorisme pouvant aller jusqu'au martyre. Le réseau de Ben Laden a été directement ou indirectement associé aux activités suivantes : les attentats à la bombe de 1998 contre deux ambassades américaines, l'attentat à la bombe de 2000 contre le USS Cole et les attentats de 2001 contre le World Trade Center et le Pentagone.

Date d'inscription sur la liste • Novembre 2002

Armée islamique d'Aden (AIA)

Autres noms • Armée islamique d'Aden-Abyan (AIAA), Armée islamique d'Aden-Abian, Armée islamique d'Aden-Abyane, Armée islamique d'Aden-Abiane, Armée de Mohammed et Jaish Adan Al Islami

Description • L'Armée islamique d'Aden est une organisation islamique radicale basée au Yémen qui préconise le renversement du gouvernement yéménite et l'instauration d'une théocratie islamiste fondée sur la charia (loi islamique). Luttant contre les influences occidentales non seulement au Yémen mais aussi dans le monde islamique, l'AIA s'oppose à l'utilisation des ports et des bases yéménites par les États-Unis et d'autres pays occidentaux, en plus d'appeler à l'expulsion des forces occidentales dans le Golfe et à la levée des sanctions internationales contre l'Iraq. Guidée par ces objectifs, elle a recours à des tactiques terroristes pour parvenir à ses fins, y compris le ciblage d'étrangers et des représentants politiques d'États étrangers. L'AIA est basée au Yémen, mais elle exerce une importance considérable dans la région en raison de ses relations avec des groupes terroristes, comme al-Qaïda, et des États qui soutiennent le terrorisme international.

Date d'inscription sur la liste • Le 27 novembre 2002

Asbat Al-Ansar (La Ligue des partisans)

Autres noms • Osbat Al Ansar, Usbat Al Ansar, Esbat Al-Ansar, Isbat Al Ansar et Usbat-ul-Ansar

Description • Asbat Al-Ansar est un groupe extrémiste sunnite basé au Liban, composé principalement de Palestiniens. Asbat Al-Ansar s'appuie sur le principe de la lutte contre les États-Unis et Israël et cherche à établir un régime islamique radical au Liban. Pour atteindre ses objectifs, Asbat Al-Ansar a participé à plusieurs attentats terroristes au Liban et en a facilité plusieurs autres. Le groupe a notamment pris pour cibles des membres du personnel des ambassades de pays occidentaux et autres, a assassiné des fonctionnaires libanais, a commis des attentats à la bombe contre des lieux publics et religieux et a tué des membres haut placés de groupes rivaux, en plus de perpétrer des attentats à la bombe contre des magasins d'alcools.

Date d'inscription sur la liste • Le 27 novembre 2002

Aum Shinrikyo

Autres noms • Aum Shinri Kyo, Aum, Aum Supreme Truth (Vérité suprême de Aum), A. I. C. Comprehensive Research Institute, A. I. C. Sogo Kenkyusho et Aleph

Description • Aum Shinrikyo / Aleph est une organisation religieuse terroriste qui a été fondée par Shoko Asahara au Japon, en 1987. Les croyances de la secte s'inspirent non seulement des enseignements d'Asahara, mais aussi de certains principes du bouddhisme tibétain, du culte à la divinité hindoue Shiva qui représente l'apocalypse et la destruction, des principes des maîtres Zen, des récits de science-fiction d'Isaac Asimov et du concept judéo-chrétien de l'armagédon. La structure organisationnelle de Aum Shinrikyo / Aleph ressemble à celle d'un État nation. En 2001, elle comptait de 1500 à 2000 membres, dont la plupart au Japon. Malgré son statut d'organisation religieuse, mais [sic] elle était administrée comme une entreprise. À une époque, le gouvernement japonais a estimé sa valeur nette à environ un milliard de dollars. Aum Shinrikyo / Aleph est l'organisation religieuse terroriste responsable de la mort de douze personnes et de l'hospitalisation de 5000 autres à la suite de l'attentat au gaz sarin qu'elle a perpétré dans le métro de Tokyo le 20 mars 1995. Elle est aussi responsable d'autres incidents chimiques mystérieux survenus au Japon, en 1994. Aum Shinrikyo / Aleph a également été accusée d'extorsion, d'avoir séquestré des adeptes, d'avoir enlevé des membres qui avaient décidé de quitter la secte et même d'avoir assassiné des adeptes qui refusaient de lui remettre tous leurs biens ou de réintégrer le groupe. En mars 2002, le ministre de la Justice aurait déclaré que malgré l'arrestation et la condamnation d'un grand nombre de ses membres, « le groupe représente toujours un danger fondamental, ce pour quoi nous devons continuer à surveiller ses actions ».

Date d'inscription sur la liste • Le 11 décembre 2002

Autodefensas Unidas de Colombia (AUC)

Autres noms • Autodéfenses unies de Colombie et United Self-Defense Forces of Colombia

Description • Autodefensas Unidas de Colombia (AUC) est une organisation terroriste de droite qui coiffe divers groupes paramilitaires de même tendance. Déterminée à contrer l'influence et les activités des guérillas de gauche en Colombie, AUC est entrée en conflit avec l'ELN et les FARC, groupes terroristes rivaux. Issu des escadrons de la mort de droite constitués par les cartels de la drogue dans le courant des années 1980, le noyau dur de AUC a été fondé en 1997 par Carlos Castaño. Étroitement liée au narcotrafic, AUC est tributaire des recettes générées par la contrebande de stupéfiants. Pour atteindre ses objectifs, AUC applique diverses tactiques dont l'intimidation, la torture, l'assassinat et l'enlèvement de particuliers, en plus de massacrer les communautés que les paramilitaires considèrent comme opposées à son organisation et à ses objectifs.

Date d'inscription sur la liste • Le 2 avril 2003

Avant-garde de la conquête (AGC)

Description • AGC est une aile armée radicale de Al Jihad, sur laquelle elle est cependant étroitement alignée, qui a été activement impliquée dans des actes de terrorisme dont les tentatives d'assassinat perpétrées contre le ministre de l'Intérieur, le premier ministre et le président de l'Égypte. AGC a publié des « listes de personnes à abattre » qui comprenaient des civils.

Date d'inscription sur la liste • Novembre 2002

Babbar Khalsa (BK) et Babbar Khalsa International (BKI)

Description • Babbar Khalsa (BK) et Babbar Khalsa International (BKI) sont des entités d'une organisation terroriste sikhe ayant pour but d'établir un État sikh indépendant et fondamentaliste appelé le Khalistan (Terre des purs) dans ce qui est aujourd'hui l'État indien du Pendjab. Les BK et les BKI figurent toujours parmi les plus violents et les plus puissants des groupes sikhs militants. Sur le plan idéologique, les membres des BK suivent la voie tracée par Babbar Akalis ; aussi, jurent-ils de venger les Sikhs tués en défendant leur foi. Rigoristes dans leur conception du sikhisme, ils ne font aucun compromis sur les questions religieuses et, empreints de spiritualité ils poursuivent leur objectif qui est de créer un État sikh indépendant et fondamentaliste.

Date d'inscription sur la liste • Le 18 juin 2003

Ejército de Liberación Nacional (ELN)

Autres noms • Armée nationale de libération et Armée de libération nationale

Description • Ejército de Liberación Nacional (ELN), fondé en 1964, est le deuxième plus important groupe rebelle gauchiste en Colombie après les FARC. Il s'oppose fortement à toute participation étrangère dans l'industrie pétrolière de la Colombie, la qualifiant de violation de la souveraineté du pays, et affirme que les entreprises étrangères exploitent injustement les ressources naturelles de la Colombie. Le principal objectif de l'ELN est de « faire la conquête du pouvoir pour le peuple » et d'instaurer un gouvernement révolutionnaire. L'ELN considère la guérilla comme le seul moyen de régler tous les problèmes de la Colombie. On estime qu'elle compte entre 3000 et 5000 membres actifs. Le mouvement entretient des liens étroits avec les FARC. Par exemple, les deux organisations sont membres du Conseil de coordination de la guérilla Simon Bolivar. L'ELN se livre à des enlèvements, à des détournements d'avion, à des attentats à la bombe, à l'extorsion et à la guérilla. Elle s'en prend à des cibles économiques stratégiques, notamment l'oléoduc de la société pétrolière nationale de la Colombie (Ecopetrol) qui est endommagé régulièrement, ce qui entraîne des perturbations et des pertes de revenus pour la société. Bien que le mouvement ait limité ses activités à la Colombie, il s'en est pris à des intérêts canadiens en enlevant un employé canadien d'Occidental Petroleum et en tentant d'assassiner le dirigeant canadien d'une société pétrolière texane installée à Bogota.

Date d'inscription sur la liste • Le 2 avril 2003

Euskadi Ta Askatasuna (ETA)

Autres noms • Pays basque et Liberté, Euzkadi Ta Azkatasuna, Euzkadi Ta Askatasanu, Basque Nation and Liberty, Basque Fatherland and Liberty et Basque Homeland and Freedom

Description • L'organisation Euskadi Ta Askatasuna (ETA) est le plus puissant des groupes terroristes basques et elle est considérée comme l'organisation terroriste la plus dangereuse d'Europe. L'ETA aurait tué plus de 800 personnes et commit [sic]environ 1600 attentats terroristes depuis sa création. Elle est basée dans les provinces basques de l'Espagne et de la France mais a perpétré des attentats à la bombe contre des intérêts espagnols et français ailleurs dans le monde. Elle affirme avoir pour but la création d'un État basque indépendant qui comprendrait les six provinces basques de l'Espagne et de la France ainsi que la province espagnole de Navarre. Elle a aussi montré en sourdine son engagement en faveur du marxisme, de sorte que l'État qu'elle créerait serait vraisemblablement fondé sur des principes marxistes. L'ETA a commis des attentats à la bombe et des assassinats et elle a eu recours à des enlèvements pour atteindre ses objectifs politiques ou idéologiques. Elle poursuit ce genre d'activités dans le but d'intimider le public (ou une partie du public) ou d'obliger le gouvernement espagnol à satisfaire à ses exigences.

Date d'inscription sur la liste • Le 2 avril 2003

Front de libération de la Palestine (FLP)

Autres noms • FLP – Faction Abou Abbas

Description • Le Front de libération de la Palestine (FLP) / FLP – Faction Abou Abbas est un petit groupe dissident armé, lié à l'Organisation de libération de la Palestine (OLP). Il prône une idéologie qui est à la fois de gauche et nationaliste, et son objectif est la destruction de l'État d'Israël et la création d'un État palestinien indépendant, dont Jérusalem serait la capitale. Fondé en 1961 par Ahmad Jibril, le groupe opère principalement en Europe, en Israël, au Liban et dans d'autres régions du Moyen-Orient. Pendant sa période la plus active, il a commis plusieurs attentats très médiatisés, dont l'opération pour laquelle il est le mieux connu, le détournement en octobre 1985 du paquebot italien Achille Lauro.

Date d'inscription sur la liste • Le 13 novembre 2003

Front populaire de libération de la Palestine – Commandement général (FPLP-CG)

Autre nom • Al-Jibha Sha'biya lil-Tahrir Filistin-al-Qadiya al-Ama

Description • Le Front populaire de libération de la Palestine – Commandement général (FPLP-CG) (Al-Jibha Sha'biya lil-Tahrir Filistin-al-Qadiya al-Ama) est une organisation nationaliste et marxiste palestinienne qui s'est donné pour mission la destruction d'Israël et la création d'un État palestinien. Le FPLP-CG a perpétré des attentats qui comptent parmi ses plus innovants en Israël à l'aide de montgolfières et de deltaplanes motorisés. En 1970, des militants du FPLP-CG ont fait sauter un avion de Swissair qui se rendait à Tel-Aviv. Au cours des années 1980, ils s'en sont pris à des Marines américains membres de la force internationale de maintien de la paix à Beyrouth. En janvier 2003, le FPLP-CG a revendiqué la responsabilité des blessures infligées par l'un de ses tireurs à deux résidents d'une colonie juive de Cisjordanie, dont un garçon de huit ans. Le FPLP-CG a déclaré que son bras armé avait agi «en représailles au massacre quotidien du peuple palestinien» dans les territoires occupés. Il a réitéré son intention de «poursuivre la résistance et l'Intifada jusqu'à atteindre tous les objectifs (palestiniens)».

Date d'inscription sur la liste • Le 13 novembre 2003

Front populaire de libération de la Palestine (FPLP)

Autres noms • Al-Jibha al-Sha'biya lil-Tahrir Filistin.

Description • Le Front populaire de libération de la Palestine (FPLP) (Al-Jibha al-Sha'biya lil-Tahrir Filistin) est un groupe palestinien laïc prétendument guidé par une interprétation marxiste. Les activités terroristes du FPLP ont débuté le 23 juillet 1968 par le détournement vers l'Algérie d'un avion de la compagnie El Al en route de Rome à Tel-Aviv. L'aile armée du FPLP, qui a été presque complètement inactive dans les quatre années qui ont précédé le début du dernier soulèvement palestinien (Intifada de al-Aqsa) le 29 septembre 2000, a de nouveau fait parler d'elle en 2001 lorsqu'elle a perpétré des attentats à la voiture piégée et des attentats suicides en Israël (y compris dans la ville de Jérusalem), assassiné un ministre israélien et le ministre du Tourisme Rehavam Zeevi, et commis d'autres attentats contre les Israéliens. Le 27 août 2001, le FPLP a perpétré le premier assassinat rapporté d'un civil en Israël depuis le début de la dernière Intifada. Le FPLP a revendiqué plusieurs autres attentats, dont l'attentat suicide à la bombe du 16 février 2002 qui a tué trois civils dans une pizzeria de Karnei Shomron en Israël.

Date d'inscription sur la liste • Le 13 novembre 2003

Fuerzas Armadas Revolucionarias de Colombia (FARC)

Autres noms • Forces armées révolutionnaires de Colombie, Forces armées révolutionnaires de Colombie–Armée du peuple (Fuerzas Armadas Revolucionarias de Colombia–Ejército del Pueblo, FARC–EP), Commission nationale des finances (Comisión Nacional de Finanzas) et Coordinadora Nacional Guerrillera Simon Bolivar (CNGSB)

Description • Créé en 1964, Fuerzas Armadas Revolucionarias de Colombia (FARC) (les Forces armées révolutionnaires de Colombie) est le plus ancien groupe rebelle marxiste de Colombie. Il est également le plus important, le plus capable et le mieux équipé des groupes insurgés de Colombie. Représentant une véritable menace pour le gouvernement, l'intégrité de la Colombie et la stabilité régionale, les FARC constituent un danger considérable pour l'armée, les chefs politiques, les villageois et les expatriés parce qu'ils opèrent sans tenir compte de la règle de droit. Les FARC sont animées par la volonté de renverser le gouvernement actuel en Colombie pour le remplacer par un régime anti-américain de gauche qui contraindrait tous les intérêts américains à quitter la Colombie et l'Amérique latine. Pour atteindre ses objectifs, les FARC continuent de participer à plusieurs activités terroristes comme des attentats à la bombe, des détournements, des enlèvements et des assassinats contre des cibles occidentales et colombiennes.

Date d'inscription sur la liste • Le 2 avril 2003

Groupe Abou Sayyaf (GAS)

Autres noms • Al Harakat Al Islamiyya (AHAI), Al Harakat-ul Al Islamiyya, Al-Harakatul-Islamia, Al Harakat Al Aslamiya, Bande armée Abou Sayaf (BAAS), Groupe Abou Sayaff, Groupe Abou Sayyef et les Mujahideen Commando Freedom Fighters (MCFF)

Description • Le Groupe Abou Sayyaf (GAS) est le plus petit et le plus radical des groupes séparatistes islamistes qui luttent pour la création d'un État islamique de type iranien à Mindanao, une île du sud des Philippines. Pour atteindre ses objectifs, le GAS mène des activités consistant en attentats à la bombe, assassinats et enlèvements, en plus d'extorquer de l'argent à des compagnies et des riches gens d'affaires. Ses cibles sont essentiellement les forces de sécurité, les prêtres et religieux étrangers, ainsi que les populations chrétiennes. Le GAS est connu partout dans le monde parce qu'il enlève des étrangers. Le GAS a déclaré qu'il continuera de kidnapper des ressortissants américains si le gouvernement refuse de lui assigner un territoire distinct et si les États-Unis continuent d'appuyer Israël. L'idéologie du GAS n'est pas fondée seulement sur la revendication de l'autonomie régionale ou de l'indépendance de Mindanao ; elle est plutôt alignée sur celle d'al Qaïda, qui prône la nécessité de lutter avec acharnement pour assurer la domination de l'islam radical partout dans le monde.

Date d'inscription sur la liste • Le 12 février 2003

Groupe islamique armé (GIA)

Autre nom • Armed Islamic Group

Description • Le GIA est un groupe sunnite radical opposé au gouvernement, aux intellectuels, à l'État laïque et à l'Occident et il est basé en Algérie. Il s'en prend aux intellectuels, aux journalistes et aux étrangers et il est actif à l'extérieur du territoire algérien. Le groupe a des liens avec des organisations terroristes un peu partout au Moyen-Orient, en Asie centrale et en Asie de l'Est, dont al-Qaïda et Oussama ben Laden.

Date d'inscription sur la liste • Novembre 2002

Groupe salafiste pour la prédication et le combat (GSPC)

Autres noms • Salafist Group for Call and Combat

Description • GSPC est un groupe sunnite radical qui cherche à établir un gouvernement islamiste en Algérie. Il s'agit d'une faction dissidente du GIA. Le GSPC a adopté une politique selon laquelle la violence doit être dirigée contre des cibles militaires ou liées à la sécurité, les étrangers, les intellectuels et le personnel administratif. Le GSPC aurait été actif à l'extérieur de l'Algérie. Le groupe a été affilié à Oussama ben Laden et aux groupes financés par ce dernier.

Date d'inscription sur la liste • Le 23 juillet 2002

Gulbuddin Hekmatyar

Autres noms • Gulabudin Hekmatyar; Gulbuddin Khekmatiyar; Gulbuddin Hekmatiar; Gulbuddin Hekmartyar; Gulbudin Hekmetyar; Golboddin Hikmetyar et Gulbuddin Hekmetyar

Description • Gulbuddin Hekmatyar, le dirigeant du groupe Hezb-e Islami Gulbuddin (HIG) défendent une idéologie islamiste anti-occidentale ayant pour objectif politique ou religieux de renverser le gouvernement du président afghan Hamid Karzai, d'éliminer toute influence de l'Ouest en Afghanistan et de créer un État fondamentaliste islamiste. Le 23 juillet 2002, Al Qaida voyait son nom inscrit sur la liste des entités terroristes en vertu de l'article 83.05 du Code criminel. À la fin de 2002, dans le but d'atteindre leurs objectifs politiques et religieux, Hekmatyar a contracté avec Al Qaida et les talibans une alliance opposée à l'Occident, aux États-Unis et au gouvernement afghan et résolue à poursuivre le jihad contre les «éléments adversaires de l'islam et des musulmans». Depuis 2002, Hekmatyar aurait établi une base, recruté de nouveaux membres et, de concert avec Al Qaida et les talibans en Afghanistan, mis sur pied des camps d'entraînement mobiles dans le but de mener des opérations terroristes dans ce pays.

Date d'inscription sur la liste • Le 24 mai 2005

Hamas

Autres noms • Harakat Al-Muqawama Al-Islamiya, Mouvement de résistance islamique

Description • Créé en 1987, Hamas, dont l'acronyme en arabe signifie «zèle», est une organisation terroriste musulmane sunnite radicale issue de la section palestinienne des Frères musulmans (FM). Il utilise des moyens politiques et violents, y compris le terrorisme, pour atteindre son objectif, soit la création d'un État palestinien islamique en Israël. Le Hamas a déclaré qu'«il est en guerre avec le peuple juif, ainsi qu'avec l'État d'Israël. Le but de chaque opération est de tuer des juifs; parce qu'en tuant des juifs, tous les colons sionistes et leurs alliés sortiront de la région». Hamas est bien financé et organisé et ses fonds proviennent de nombreuses sources. En mars 1996, les services de renseignements israéliens estimaient qu'environ 95 % des 70 millions de dollars recueillis chaque année étaient versés à des organismes de bienfaisance, comme des hôpitaux, des dispensaires et des écoles, et qu'une petite partie seulement de ce montant était détournée pour l'acquisition d'armes et des opérations militaires. Bien que des fonds apparemment recueillis pour des organismes de bienfaisance soient versés directement à l'aile militaire, une partie des fonds de bienfaisance destinés aux activistes, à leurs familles et à des établissements est détournée au profit de l'appareil terroriste et est utilisée à des fins terroristes. Les organismes de bienfaisance paient des amendes et aident les familles des activistes arrêtés ou les activistes eux-mêmes. En d'autres termes, pour servir au terrorisme, il n'est pas nécessaire que les fonds soient utilisés exclusivement pour l'acquisition d'armes, la fabrication d'explosifs ou le soutien logistique. Depuis 1990, Hamas a commis plusieurs centaines d'attentats terroristes contre des cibles aussi bien civiles que militaires. Depuis le début de la deuxième Intifada, en septembre 2000, Hamas est l'un des principaux groupes impliqués dans les attentats suicides contre les Israéliens.

Date d'inscription sur la liste • Le 27 novembre 2002

Harakat ul-Mujahidin (HuM)

Autres noms • Al-Faran, Al-Hadid, Al-Hadith, Harkat-ul-Mujahideen, Harakat ul-Mujahideen, Harakat al-Mujahideen, Harkat-ul-Ansar, Harakat ul-Ansar, Harakat al-Ansar, Harkat-ul-Jehad-e-Islami, Harkat Mujahideen, Harakat-ul-Mujahideen al-Almi, Mouvement des combattants de la guerre sainte, Mouvement des moudjahidin, Mouvement des compagnons du Prophète, Mouvement des combattants islamiques et Al Qanoon

Description • Harakat ul-Mujahidin (HuM) est une organisation islamiste cachemirienne basée au Pakistan qui préconise la libération du Cachemire de la tutelle de l'Inde et son annexion au Pakistan, en plus d'appeler au jihad contre l'Amérique et l'Inde. Dans ce contexte, HuM est voué, se consacre et appelle à la création d'une théocratie islamiste au Pakistan fondée sur la charia (loi islamique) et à un jihad pour «libérer les musulmans opprimés partout dans le monde», il dénonce la démocratie parlementaire pluraliste, la tolérance religieuse et l'égalité des droits pour les femmes qu'il qualifie d'influences corruptrices sur l'islam et considère les Nations Unies comme une institution qui soutient le génocide des Cachemiriens. Guidé par ces buts et cette idéologie, HuM emploie diverses méthodes pour atteindre ses objectifs dont, cette liste n'étant pas exhaustive, le ciblage, l'enlèvement et l'exécution d'étrangers, les détournements aériens et le ciblage des dirigeants, des représentants et des symboles du gouvernement de l'Inde, ainsi que des étrangers et des représentants politiques d'autres États étrangers. HuM a signé la fatwa lancée en 1998 par al-Qaïda et Oussama ben Laden et est donc allié à la coalition de al-Qaïda, ou en fait partie.

Date d'inscription sur la liste • Le 27 novembre 2002

Hezb-e-Islami Gulbuddin (HIG)

Description • La faction de Gulbuddin Hekmatyar du Hezb-e-Islami, le Hezb-e-Islami Gulbuddin (HIG), adhère à une idéologie islamiste antioccidentale dont les objectifs sont le renversement de l'administration du président afghan Hamid Karzaï, la suppression de toute influence occidentale en Afghanistan et la création d'un État intégriste islamiste. Pour parvenir à ses fins, le HIG a formé une alliance avec al-Qaïda et les talibans. Le 23 juillet 2002, al-Qaïda a été inscrit sur la liste des entités terroristes en vertu de l'article 83.05 du

Code criminel, et le 24 mai 2005, c'était au tour de Gulbuddin Hekmatyar, dirigeant du HIG. Le HIG s'est livré à des activités terroristes à l'intérieur de l'Afghanistan pour atteindre ses objectifs, qu'il s'agisse d'assassinats, de torture, d'enlèvements, ou d'attaques contre des cibles politiques, des civils, des journalistes, des étrangers et des travailleurs de l'aide internationale.

Date d'inscription sur la liste • Le 23 octobre 2006

Hezbollah

Autres noms • Hizbullah, Hizbollah, Hizballah, Hezballah, Hizbu'llah, Parti de Dieu, Jihad islamique (Guerre sainte islamique), Organisation du Jihad islamique, Résistance islamique, Jihad islamique de libération de la Palestine, Ansar al-Allah (Les Partisans de Dieu), Ansarollah (Les Partisans de Dieu), Ansar Allah (Les Partisans de Dieu), Al-Muqawamah al-Islamiyyah (Résistance islamique), Organisation des opprimés, Organisation des opprimés sur terre, Organisation de la justice révolutionnaire, Organisation du bien contre le mal et Disciples du prophète Mahomet

Description • Hezbollah, ou « Parti de Dieu », est une organisation terroriste islamiste basée au Liban. Le Hezbollah souhaite restaurer l'hégémonie de l'islam sur la vie politique, sociale et économique dans le monde musulman. Ses objectifs, qu'il a énoncés dans son manifeste politique du 16 février 1985, incluent l'éradication de toute influence occidentale au Liban et au Moyen-Orient, ainsi que l'annihilation de l'État hébreu et la libération de Jérusalem et de tous les territoires palestiniens placés sous le joug de l'occupation israélienne, sans possibilité de négocier quelque traité de paix que ce soit. Dans ce contexte, le but ultime de Hezbollah est d'instaurer une théocratie chiite radicale au Liban. Hezbollah est responsable d'attentats à la voiture piégée, de détournements d'avions et de l'enlèvement de cibles occidentales et israéliennes ou juives en Israël, en Europe de l'Ouest et en Amérique du Sud. Il opère principalement au Liban, mais est aussi actif en Europe, en Amérique du Nord, en Amérique du Sud et en Afrique.

Date d'inscription sur la liste • Le 11 décembre 2002

Jaish-e-Mohammed (JeM)

Autres noms • Jaish-i-Mohammed (Mohammad, Muhammad, Muhammed), Jaish-e-Mohammad (Muhammed), Jaish-e-Mohammad Mujahideen E-Tanzeem, Jeish-e-Mahammed, Armée de Mohammed, Tehrik Ul-Furqaan, Mouvement national pour la restauration de la souveraineté du Pakistan et Armée du Prophète

Description • Jaish-e-Mohammed (JeM) est une organisation islamiste radicale basée au Pakistan qui préconise la libération du Jammu-et-Cachemire de la tutelle de l'Inde et son annexion au Pakistan, en plus d'appeler à la « destruction » de l'Amérique, de l'Inde et de tous les infidèles partout dans le monde. Cherchant à instaurer au Pakistan une théocratie islamiste fondée sur la charia (loi islamique), JeM a tenté d'unir les divers groupes militants qui luttent au Cachemire afin qu'ils soient mieux en mesure d'établir l'État islamique du Cachemire par la lutte armée et ainsi d'étendre leur jihad partout en Inde, en Asie du Sud et dans le reste du monde, c'est-à-dire là où ils croient que les musulmans sont opprimés. Guidé par ces buts et cette idéologie, JeM est résolu à appliquer des tactiques de terreur aveugle pour atteindre ses objectifs, y compris le ciblage d'étrangers et des représentants politiques d'États étrangers.

Date d'inscription sur la liste • Le 27 novembre 2002

Jemaah Islamiyyah (JI)

Autres noms • Jemaa Islamiyah, Jema'a Islamiyya, Jema'a Islamiyyah, Jema'ah Islamiyah, Jema'ah Islamiyyah, Jemaa Islamiya, Jemaa Islamiyya, Jemaah Islamiyya, Jemaa Islamiyyah, Jemaah Islamiah, Jemaah Islamiyah, Jemaah Islamiyyah, Jemaah Islamiya, Jamaah Islamiyah, Jamaa Islamiya, Jemaah Islam, Jemahh Islamiyah, Jama'ah Islamiyah, Al-Jama'ah Al Islamiyyah, Groupe islamique et Communauté islamique

Description • Jemaah Islamiyyah (JI) est une organisation terroriste islamique qui s'est dotée de ressources économiques et militaires en faisant appel à des cellules (fiahs) basées un peu partout en Asie du Sud-Est. Guidé par son objectif de créer un État islamique fondé sur la charia (loi islamique), JI souhaite instaurer une théocratie islamiste (conception qu'a JI du Dawlah Islamiyyah ou État islamique) qui unifierait les musulmans de la Thaïlande, de la Malaisie, du Brunei et du Sud des Philippines. JI et ses leaders ont été liés à al-Qaïda, tant avant qu'après les attentats du 11 septembre 2001, en raison de la philosophie qu'ils partagent avec les groupes de ce réseau. Jemaah Islamiyyah est aujourd'hui le plus important groupe islamiste radical transnational en Asie du Sud-Est. Depuis sa création, JI a commis plusieurs vols de banque, détournements d'avions et attentats à la bombe contre des cibles civiles.

Date d'inscription sur la liste • Le 2 avril 2003

Jihad islamique palestinien (JIP)

Autres noms • Jihad islamique de Palestine (JIP), Jihad islamique – Faction palestinienne et Guerre sainte islamique

Description • Le Jihad islamique palestinien (JIP) est une organisation terroriste surtout active en Israël, en Cisjordanie, dans la bande de Gaza et dans d'autres régions du Moyen-Orient, notamment au Liban et en Syrie. Il a pour objectif d'éliminer Israël et d'instaurer un État islamique en Palestine. Le Jihad islamique n'admet que l'anéantissement de l'État d'Israël comme solution au conflit qui oppose les Arabes et les musulmans aux Israéliens et aux Juifs dans la région. Il s'oppose également aux régimes laïcs arabes modérés qu'il juge corrompus et contaminés par le laïcisme occidental.

Depuis 1986, le JIP a commis de nombreux attentats terroristes contre des cibles israéliennes en Israël, au Liban-Sud et dans les Territoires occupés. Il a causé la mort de plusieurs douzaines d'Israéliens et de Palestiniens et perpétré un certain nombre d'attentats à la bombe spectaculaires. Le JIP a entre autres été responsable d'attaques au couteau, au poignard, à la hache et à la grenade, d'attentats à la voiture piégée et, surtout depuis 1994, d'attentats suicides. Ainsi, le 5 mai 2002, un kamikaze au volant d'un véhicule bourré d'explosifs s'est rangé près d'un autobus à proximité de Megiddo Junction, dans le Nord d'Israël, et a fait sauter la voiture, tuant au moins 17 Israéliens et en blessant des douzaines d'autres. Plusieurs passagers étaient des soldats israéliens qui se rendaient à des postes dans le Nord d'Israël. L'aile militaire du Jihad islamique a revendiqué la responsabilité de cet attentat.

Date d'inscription sur la liste • Le 27 novembre 2002

Kahane Chai (KACH)

Autres noms • Répression des traîtres, État de Yehuda, Épée de David, Dikuy Bogdim, DOV, Police de Judée, Kahane vit, Fonds de Kfar Tapuah, État de Judée, Légion judéenne, Voix judéenne, Mouvement Qomemiyut, Ordre de la Torah et Yeshiva de la pensée juive

Description • Kahane Chai (Kach) est un groupe terroriste juif politico-religieux et anti-arabe de droite qui a pour objectif général de rétablir l'État d'Israël tel que décrit dans la Bible, c'est-à-dire de repousser les frontières d'Israël de sorte qu'elles englobent les territoires occupés et des parties de la Jordanie. Pour ce faire, le groupe s'emploie à intimider et à menacer des familles palestiniennes et à intensifier les pressions politiques soutenues exercées sur le gouvernement israélien. Dans le passé, des groupes extrémistes juifs, comme Kahane Chai (Kach), ont été prêts à commettre des actes de terrorisme pour perturber le processus de paix arabo-israélien. Kahane Chai (Kach), il est connu, a des liens à la fois avec d'autres membres du «mouvement kahaniste» et d'autres groupes extrémistes juifs dissidents.

Kahane Chai (Kach) organise des manifestations pour protester contre le gouvernement israélien et il harcèle, menace et attaque des Arabes et des Palestiniens en Cisjordanie. Parmi ses tactiques, il s'en prend verbalement à ses opposants, perturbe des discours publics et engage des combats physiques contre les responsables de l'application de la loi. Il a également menacé de s'attaquer à des représentants du gouvernement israélien. À la manière de La Ligue de défense juive (LDJ), le Parti Kach (PK) et le Kahane Chai (KC) ont ciblé, entre autres, des personnalités en vue en Israël, des organisations juives et des Juifs qui appuient les politiques du gouvernement israélien ou les personnes qui s'opposent à leur philosophie et à leurs tactiques violentes. Des kahanistes ont tué des Palestiniens à Jérusalem et en Cisjordanie avec des fusils, des poignards et des grenades. Dans les cas où le PK et le KC n'ont pas eux-mêmes revendiqué la responsabilité d'attentats commis contre des Arabes, ils ont refusé de condamner de tels actes de violence et les ont souvent glorifiés.

Date d'inscription sur la liste • Le 24 mai 2005

La Brigade des martyrs d'Al-Aqsa (BMAA)

Autres noms • Groupe des martyrs de l'Intifada d'Al-Aqsa, Brigades d'al-Aqsa, Groupe des martyrs d'al-Aqsa, le bataillon des martyrs d'al-Aqsa et Milices armées des bataillons des martyrs d'Al-Aqsa

Description • La Brigade des martyrs d'Al-Aqsa (BMAA) est une faction armée formée d'un nombre indéterminé de petites cellules de «nationalistes islamiques» affiliés au Fatah. Elle a vu le jour dans la foulée des affrontements qui ont eu lieu en septembre 2000 entre Palestiniens et Israéliens et est composée de regroupements locaux d'activistes armés. Elle a pour objectif de chasser les soldats et les colons israéliens de Cisjordanie, de la bande de Gaza et de Jérusalem, de mettre fin à l'occupation israélienne et d'établir un État palestinien souverain et indépendant. Du 30 septembre 2000 au 31 août 2002, la BMAA a revendiqué la responsabilité de quelque 16 attentats, dont 12 contre des cibles civiles. Dans ces 12 attentats, 38 personnes ont été tuées, dont 36 civils, et le nombre des blessés a été estimé à un minimum de 435 personnes. La BMAA a aussi revendiqué la responsabilité d'au moins 12 des 38 attentats suicide commis contre des civils israéliens entre les mois de janvier et d'août 2002. Au début de janvier 2003, un service étranger a conclu que la BMAA devenait plus organisée, résistante et coordonnée. Plus tard en janvier 2003, la BMAA a indiqué qu'elle avait décidé de poursuivre l'Intifada et qu'elle continuerait de mener des opérations suicide.

Date d'inscription sur la liste • Le 2 avril 2003

La Fédération internationale de la jeunesse Sikh

Autres noms • International Sikh Youth Federation (ISYF)

Description • La Fédération internationale de la jeunesse sikhe, mieux connue sous le nom de International Sikh Youth Federation (ISYF), a été créée au Royaume-Uni en 1984, comme la branche internationale de All India Sikh Student Federation (AISSF). Elle a ouvert des centres dans plusieurs pays, notamment au Canada. ISYF est une organisation terroriste sikhe qui prône la libération de la nation sikhe et la création d'un État indépendant de l'Inde, le Khalistan. Pour atteindre ce but, ISYF n'hésite pas à avoir recours à la violence. Ses membres ont commis plusieurs attentats terroristes, assassinats et attentats à la bombe depuis 1984, notamment contre des personnalités politiques indiennes, et aussi contre des membres modérés de la communauté sikhe opposés aux méthodes extrémistes de ISYF. ISYF est associée ou collabore avec d'autres organisations terroristes sikhes comme Babbar Khalsa (BK), Khalistan Liberation Force (KLF) et Khalistan Commando Force (KCF).

Date d'inscription sur la liste • Le 18 juin 2003

L'Ansar al-Islam (AI)

Autres noms • Partisans de l'islam, Aides de l'islam, Supporters de l'islam, Soldats de Dieu, Talibans du Kurdistan, Soldats de l'islam, Supporters de l'islam du Kurdistan, Supporters de l'islam au Kurdistan, Partisans de l'islam au Kurdistan

Description • L'Ansar al-Islam (AI) est un groupe terroriste paramilitaire radical, islamiste sunnite, composé de Kurdes irakiens, d'Arabes et autres. Le groupe a été créé en septembre 2001 à la suite de la fusion de plusieurs groupes sunnites kurdes, et il adhère à la même interprétation extrémiste de l'islam que al-Qaïda. Il a des liens étroits avec al-Qaïda et fait partie de ce réseau.

Date d'inscription sur la liste • Le 17 mai 2004

Lashkar-e-Jhangvi (LJ)

Autres noms • Lashkar-i-Jhangvi, Lashkar-e-Jhangvie, Laskar-e-Jhangvi, Lashkare Jhangvi, Lashkar-e-Jhangwi, Lashkar-i-Jhangwi, Jhangvi Army, Lashkar-e Jhangvi, Lashkar Jhangvi, Lashkar-e-Jhanvi (LeJ), Lashkar-i-Jangvi, Lashkar e Jhangvi, Lashkar Jangvi, Laskar e Jahangvi

Description • Lashkar-e-Jhangvi (LJ), ou Armée de Jhang (du nom d'une région au Pakistan), est une organisation islamique sunnite qui commet des actes terroristes tels que des attentats à la bombe et des assassinats, et ce, traditionnellement contre des individus ou groupes de la communauté islamique chiite au Pakistan. L'idéologie de LJ a pour but la création d'un État musulman sunnite. LJ considère que les chiites qu'il croit être des hérétiques ou des infidèles de l'Islam sont le principal obstacle à l'établissement d'un califat orthodoxe. Depuis le 11 septembre 2001 et l'attaque de la coalition américaine contre les talibans en Afghanistan, et toujours au nom, exclusivement ou non, d'un but, d'un objectif ou une cause de nature politique, religieuse ou idéologique, des membres de LJ sont aussi impliqués dans des attaques contre des chrétiens et des étrangers au Pakistan.

Date d'inscription sur la liste • Le 13 juin 2003

Lashkar-e-Taïba (LeT)

Autres noms • Lashkar-e-Toiba, Lashkar-i-Toiba (LiT), Lashkar-i-Taiba (Saint Régiment), Lashkar-e-Tayyiba (LT) (Armée des justes), Lashkar-e-Taibyya, Lashkar-e-Taiba, Lashkar-e-Tayyiba (Armée des purs et des justes), Lashkar-e-Taiba (Armée des justes), Lashkar-Taiba (Armée des bons), Lashkar e Toiba, Lashkar e Taiba, Lashkar-E-Tayyaba, Lashkar e Tayyiba

Description • Lashkar-e-Taïba (LeT) (Armée des purs) est une organisation islamiste radicale basée au Pakistan qui mène des opérations dans l'État indien du Jammu-et-Cachemire, un des principaux centres d'activités extrémistes en Asie du Sud. LeT est l'aile militante du Markaz Da'wa wal-Irshad (MDI), un centre intégriste d'enseignement religieux et d'aide sociale créé à la fin des années 1980. Le LeT a pris pour cibles tant des civils (dont d'éminents politiciens) que les forces de sécurité indiennes (dont la police locale), et le groupe est d'autant plus infâme qu'il a massacré des non-musulmans. Les attaques contre les forces de sécurité prennent en général la forme d'attentats suicides. LeT a des liens non seulement avec al-Qaïda, mais aussi avec les talibans et d'autres groupes extrémistes islamiques partout au Moyen-Orient, en Tchétchénie et aux Philippines. Ces liens étroits entre al-Qaïda et LeT se sont créés lorsque ces groupes ont suivi ensemble un entraînement dans des camps afghans et lors du jihad des années 1980 contre les Soviétiques. Oussama ben Laden est apparemment l'un des plus importants bailleurs de fonds de LeT.

Date d'inscription sur la liste • Le 18 juin 2003

L'Organisation Abou Nidal (OAN)

Autres noms • Conseil révolutionnaire Fatah, Conseil révolutionnaire, Conseil révolutionnaire du Fatah, Conseil révolutionnaire Al-Fatah, Fatah – le Conseil révolutionnaire, Juin noir, Brigades révolutionnaires arabes, Organisation révolutionnaire des musulmans socialistes, Septembre noir, Révolution égyptienne, Cellules des fedayins arabes, Conseil révolutionnaire de la Palestine et de l'Organisation Jund al Haq

Description • L'Organisation Abou Nidal (OAN) est une organisation terroriste internationale fondée par Sabri al-Banna (alias Abu Nidal), qui a montré qu'elle est en mesure de commettre des attentats terroristes partout au Moyen-Orient, en Asie, en Amérique du Sud et en Europe. Le but premier de l'OAN est la destruction de Israël et la création d'un État palestinien indépendant. L'OAN a recours à de nombreuses méthodes pour défendre sa cause, comme des attentats à la bombe, des détournements d'avions, des assassinats et des attaques armées contre des civils. Au total, elle a perpétré plus de 90 attentats terroristes dans 20 pays, tuant environ 300 personnes. La philosophie de l'OAN en est une de refus pur et simple, le groupe refusant tout type de compromis avec Israël. L'OAN est connue pour la brutalité de ses attaques et la façon dont elle les commet aveuglément et les planifie et exécute avec soin.

Date d'inscription sur la liste • Le 12 février 2003

Mouvement islamique d'Ouzbékistan (MIO)

Description • Le Mouvement islamique d'Ouzbékistan (MIO) est une organisation terroriste qui a vu le jour en Asie centrale à la fin des années

1990. Le principal objectif de MIO est de renverser le gouvernement d'Ouzbékistan. MIO a eu recours à des enlèvements, à des attaques armées contre des installations du gouvernement, à des incursions au-delà des frontières, à des efforts concertés avec d'autres groupes terroristes, comme le réseau al-Qaïda d'Oussama ben Laden, et à d'autres méthodes pour atteindre ses objectifs. MIO a attaqué des Occidentaux et déclaré son intention de frapper des intérêts occidentaux en Asie centrale.

Date d'inscription sur la liste • Le 2 avril 2003

Mujahedin-e-Khalq (MEK)

Autres noms • De son vrai nom perse Sāzimān-i Mujāhidn-i Khalq-i Irān ; Sazman-i Mojahedin-i Khalq-i Iran ; Sazeman-e Mojahedin-e Khalq-e Iran, / Sazeman-e-Mujahideen-e-Khalq-e-Iran ; le nom du groupe a été raccourci à Mujahedin-e-Khalq (MEK) ou Mojahedin-e Khalq Organization (MKO). Il y a différentes translittérations du mot moudjahidin ; Mujahiddin e Khahq ; al-Khalq Mujahideen Organization ; Mujahedeen Khalq ; Modjaheddins khalg ; Moudjahiddin-é Khalq. MEK est également connu sous le nom de : National Liberation Army of Iran (NLA) (l'aile militaire des MEK), Armée de libération nationale iranienne (ALNI), People's Mujahidin Organization of Iran (PMOI), People's Mujahedin of Iran (PMOI), Organisation des moudjahiddin du peuple d'Iran (OMPI) et Organisation des moudjahidines du peuple

Description • Moudjahidin-e-Khalq (MEK) est une organisation terroriste iranienne qui était basée en Irak jusqu'à récemment et qui souscrit à une idéologie éclectique combinant sa propre interprétation de l'islamisme chiite et des principes marxistes. Le groupe aspire à renverser le régime au pouvoir en Iran et à fonder une république démocratique, socialiste et islamique. Ce socialisme islamique ne peut être atteint que par la destruction du régime au pouvoir et l'élimination de l'influence occidentale, qualifiée d'«occidentoxication». Pour y parvenir, il faut avoir recours à la force physique, à la lutte armée ou au jihad. En plus d'une alliance conclue avec Saddam Hussein, MEK entretient, ou entretenait, des relations avec le mouvement Amal, le Parti démocratique kurde d'Iran (PDKI), l'Organisation de libération de la Palestine (OLP), le Fatah et d'autres factions palestiniennes. MEK est même soupçonné de collusion avec le régime taliban en Afghanistan.

Date d'inscription sur la liste • Le 24 mai 2005

Parti des Travailleurs du Kurdistan (PKK) / Congrès pour la Liberté et la Démocratie au Kurdistan (KADEK)

Autres noms • Parti des Travailleurs du Kurdistan, Partya Karkeren Kurdistan, Kurdistan Labor Party, Congrès pour la Liberté et la Démocratie au Kurdistan,

KADEK, Congrès du peuple du Kurdistan, Kurdistan Halk Kongresi (KHK), Congrès populaire du Kurdistan, Kongra-Gel

Description • Fondé en 1974 par Abdullah Ocalan, PKK / KADEK est un parti politique kurde suivant une idéologie marxiste-léniniste ayant pour objectif original la création d'un état kurde indépendant dans le Sud-Est de la Turquie et dans le Nord de l'Irak (région qui fait partie du territoire traditionnel du peuple kurde et appelé Kurdistan). Afin d'atteindre son but, PKK / KADEK a mené une campagne de guérilla et de terrorisme, surtout en Turquie et dans le Nord de l'Irak, attaquant les forces armées du gouvernement turc et ses diplomates ainsi que des commerces turcs dans certaines villes d'Europe de l'Ouest et essayant de déstabiliser le tourisme en Turquie en bombardant des sites de villégiature et en kidnappant des touristes.

Date d'inscription sur la liste • Le 11 décembre 2002

Sendero Luminoso (SL)

Autres noms • Sentier lumineux, Partido Comunista del Peru en el Sendero Luminoso de Jose Carlos Mariategui, Parti communiste du Pérou sur le Sentier lumineux de Jose Carlos Mariategui, Partido Comunista del Peru, Parti communiste du Pérou, Parti communiste du Pérou le long du Sentier lumineux de Jose Carlos Mariategui; Marxisme, Léninisme, Maoïsme et les Pensées du président Gonzalo, Front révolutionnaire étudiant pour le Sentier lumineux de Mariategui, Parti communiste du Pérou dans la voie lumineuse de Mariategui, PCP – por el Sendero Luminoso de Mariategui, PCP et PCP-SL

Description • Sendero Luminoso (SL) compte parmi les mouvements de guérilla les plus impitoyables du monde. Son but est de détruire les institutions péruviennes existantes et de les remplacer par un régime révolutionnaire paysan communiste qui débarrasserait le pays des influences étrangères. Il limite ses opérations au Pérou, et mène la plupart d'entre elles dans les régions rurales, mais quelques-unes de ses attaques ont eu lieu dans la capitale, Lima. Plus de 30 000 personnes ont été tuées dans des actes de violence politique au Pérou depuis le début de l'insurrection de SL en 1980, et les activités du groupe ont causé des dégâts matériels évalués à 20 milliards de dollars américains. SL a été fondé par Abimael Guzman, professeur d'université, à la fin des années 1960, mais il a commencé sa lutte armée, ou «guerre du peuple», aux environs de mai 1980. SL est connu pour les attentats à la bombe qu'il commet aveuglément et ses assassinats sélectifs et pour la façon dont il tue des innocents. Le groupe n'a mené aucune activité au Canada, mais ailleurs il a pris pour cibles des citoyens et des intérêts canadiens. Par exemple, il a commis un attentat à la bombe contre un entrepôt de chaussures Bata à Lima et un autre contre l'ambassade du Canada, a tendu une embuscade contre des camions liés à un projet canadien d'élevage d'alpagas, causant la mort de huit personnes, et a assassiné un coopérant canadien.

Date d'inscription sur la liste • Le 12 février 2003

Les Tigres libérateurs de l'Eelam tamoul (TLET)

Autres noms • Tigres tamouls, Force Eellalan, Force Ellalan, Mouvement des Tigres, Force Sangilian, Tigres de l'air, Tigres noirs (Karum Puligal), Tigres de la mer, Service de renseignements et de sécurité de l'Organisation des Tigres (SRSOT) et Force combattante des femmes des Tigres de libération (FCFTL)

Description • Les Tigres libérateurs de l'Eelam tamoul (TLET), organisation basée au Sri Lanka, prônent la création dans le nord et le nord-est du Sri Lanka d'une patrie indépendante qu'ils appellent l'«Eelam tamoul». Ils mènent contre le gouvernement sri-lankais une guerre sur trois fronts : une campagne politique, une guérilla et une campagne terroriste. Les TLET sont résolus à appliquer diverses tactiques terroristes pour atteindre leurs objectifs, attaquant des cibles politiques, économiques, religieuses et culturelles et s'en prenant même aux civils. Comme ils projettent de créer des provinces exclusivement tamoules dans le nord et l'est du pays, ils ont agressivement expulsé les non-Tamouls de ces régions. Ils tentent aussi d'éliminer les Tamouls modérés et les autres groupes tamouls militants qui rivalisent avec eux pour accaparer le pouvoir et exercer une influence sur la communauté tamoule du Sri Lanka.

Date d'inscription sur la liste • Le 8 avril 2006

Source : http://www.psepc.gc.ca/prg/ns/le/cle-fr.asp

Remerciements

Ce livre d'enquête est le fruit de plusieurs mois de recherches personnelles, mais aussi de contacts réguliers ou sporadiques avec différents interlocuteurs situés de chaque côté de la clôture...

Sans leur précieuse collaboration, leur compréhension, leur confiance, et surtout leur disponibilité à toute épreuve, cet ouvrage n'aurait certainement jamais vu le jour compte tenu du délai réduit dont je disposais à la fois pour terminer mon enquête sur le terrain et mener à bien la rédaction.

Au même titre que l'espionnage, tout ce qui concerne la sécurité nationale est un secteur difficile à pénétrer où le secret et la méfiance sont de rigueur. Même chez ceux qui se sont retirés des «affaires»! C'est pour cette raison que je m'abstiendrai de citer les noms de tous ceux et celles, tant ici au Canada qu'à l'étranger, en France notamment, qui m'ont guidé dans mes recherches, m'ont apporté leur aide dans la mesure du possible. Ils se reconnaîtront d'eux-mêmes.

Je ne compte plus le nombre de cafés que j'ai pu ingurgiter dans la même journée lors de ces rencontres successives improvisées aux quatre coins de la ville dans des circonstances dignes des meilleurs films du genre.

358 ▶ Montréalistan

J'ai également arpenté la métropole en long et en large pour aller à la rencontre de la communauté musulmane. Mosquées, commerces, associations, etc. Je salue tous ceux qui ont accepté de se confier en toute connaissance de cause, malgré l'extrême sensibilité du sujet abordé. Je remercie en particulier Fateh Kamel, et son ami qui a facilité nos rencontres et dont je tais le nom à sa demande ; les imams Saïd Jaziri, Abou H. et Magdy Soliman ; Adil Charkaoui, Samir, la famille de Mohamed Anas Bennis, Youssef, le Québécois converti, qui a pris le temps de m'expliquer son cheminement personnel, et « Karim ».

J'exprime aussi toute ma gratitude à Guy Ouellette, ex-policier de la Sûreté du Québec impliqué dans la lutte aux bandes de motards criminels, au psychiatre Marc Sageman, ex-membre de la CIA, aujourd'hui auteur et professeur à l'Université de Pennsylvanie, Evan F. Kohlmann, consultant sur le terrorisme international, Michel Juneau-Katsuya, ex-agent du SCRS et aujourd'hui président de Groupe Northgate, Rachad Antonius, professeur à la Faculté des sciences humaines de l'UQÀM, Louis Caprioli, ancien sous-directeur du terrorisme à la DST (Direction de la surveillance du territoire en France) Olivier Roy, politologue français spécialiste de l'islam, Ilich Ramírez Sánchez, dit Carlos (incarcéré en France), et Mᵉ Isabelle Coutant-Peyre, avocate à Paris.

Je n'oublie pas mes collègues, en premier lieu Michel Auger, auteur de la préface et peu avare en conseils, Martin Bisaillon, Marco Fortier, Brigitte McCann, David Santerre, qui ont été aussi de précieux conseillers en plus de m'apporter leur aide, ainsi que Olivier Jean, photographe de talent.

Ce livre n'aurait pas vu le jour sans Johanne Guay, vice-présidente édition du Groupe Librex, Martin Bélanger, directeur de projet, qui m'a supporté dans tous les sens du terme, tous les acteurs qui sont intervenus à un moment ou à un autre dans la fabrication de cet ouvrage et dans sa commercialisation, Annie Tonneau, qui a cru en ce projet, et Dany Doucet, le rédacteur en chef du *Journal de Montréal*, pour sa compréhension et son aide.

Je conclurai sur une note plus personnelle en remerciant ma mère pour m'avoir transmis le goût d'écrire, ma conjointe et ma fille, fidèles supporters qui ont vécu de longues semaines avec un mari et un papa aussi invisible que stressé!

Cet ouvrage a été composé en Dante 13/15
et achevé d'imprimer en mars 2007 sur les presses de Quebecor
World Saint-Romuald, Canada.

Imprimé sur du papier Quebecor Enviro 100 % postconsommation,
traité sans chlore, accrédité Éco-Logo et fait à partir de biogaz.

certifié

procédé
sans
chlore

100 % post-
consommation

archives
permanentes

énergie
biogaz